MONSIEUR
LE PRÉSIDENT

Nouvelle traduction de l'espagnol
d'après le texte définitif de l'auteur
par Georges PILLEMENT
et Dorita NOUHAUD

Préface, Bibliographie et Chronologie
par Thomas GOMEZ

GF Flammarion

Édition originale :

EL SEÑOR PRESIDENTE

© ÉDITIONS ALBIN MICHEL, 1977.
22, rue Huyghens, 75014 Paris
© FLAMMARION, Paris, 1987, pour cette édition.
ISBN 2-08-070455-9

MONSIEUR LE PRÉSIDENT

Préface

Miguel Angel Asturias fut un être d'exception doublé d'un écrivain hors pair et son maître roman, *Monsieur le Président*, une œuvre à tous égards remarquable.

L'aspect physique déjà de cet homme était le reflet d'une personnalité singulière. Le vieil écrivain guatémaltèque semblait condenser en lui tout le savoir d'une culture millénaire en même temps que toutes les souffrances d'un peuple meurtri par les épreuves que lui inflige l'histoire depuis cinq siècles. Asturias portait sur son noble visage de métis toute la tristesse du vaincu et toute la force du témoin à charge.

Cinquante années durant, Miguel Angel Asturias aura été un témoin privilégié des convulsions historiques de l'Amérique centrale, si tragiquement présentes aujourd'hui dans la presse et la conscience mondiales et, en même temps, un acteur de premier plan de la vie politique de son pays. Sans jamais avoir exercé des fonctions réellement politiques (son rôle fut toujours de représentation), il aura plus fait pour sa patrie et pour son peuple que la plupart des généraux qui sévissent en kyrielles successives sur ces régions que tous ont contribué à laisser actuellement exsangues. Dieu sait, pourtant, que c'est une terre généreuse et d'une nature paradisiaque, une terre qui mériterait un meilleur sort.

Son remarquable coup de plume, ses prises de position d'un anti-impérialisme courageux et sans ambiguïtés, l'autorité que lui conférait une œuvre exemplaire et, enfin, le prestige planétaire d'un Prix Nobel de Littérature plus que nul autre mérité, ont permis à Miguel Angel Asturias de faire entendre haut et fort sa voix qui est aussi celle d'un peuple réduit au silence depuis la conquête espagnole.

Aujourd'hui, alors que le panorama littéraire mondial se voit envahi par une foule d'auteurs latino-américains à succès et alors que la mode est à l'exotisme tropical, on a trop tendance à oublier que Miguel Angel Asturias continue d'être la figure de proue d'un engagement littéraire dans lequel la qualité de l'écriture, l'ingéniosité de l'invention et la dimension esthétique de la création ne le cèdent en rien à la force du témoignage ni à la vigueur de la dénonciation.

Avec des textes tels que *Monsieur le Président*, l'impact d'Asturias est d'autant plus grand qu'il parvient à dépasser le cas particulier d'une dictature classique, désormais banale sous ces latitudes américaines, pour donner un tableau hyper-réaliste parfois, surréaliste souvent, mais toujours juste et crédible, du phénomène dictatorial. Grâce à sa verve fleurie et très expressive ainsi qu'à sa remarquable capacité d'invention, Asturias se révèle être un extraordinaire créateur de mythes.

Paul Valéry le pressentait déjà lorsqu'en 1933, à l'occasion d'une visite que lui rendait Asturias en compagnie de Francis de Miomandre pour le remercier d'avoir préfacé ses *Légendes du Guatemala*, le poète lui avait dit : « Il ne faut pas rester ici. Je vous assure que vous écrivez des choses auxquelles nous, Européens, ne songeons même pas. Vous venez d'un monde qui est en formation, vous êtes un écrivain qui est en formation, votre esprit est en effervescence en même temps que la terre, les volcans, la nature. Il faut que vous retourniez vite là-bas pour que cela ne se perde pas. Sinon, vous risquez de devenir ici, à Paris, un simple imitateur, un auteur sans aucune importance [1]. »

Tous les spécialistes s'accordent pour dire que le roman latino-américain a acquis véritablement ses lettres de noblesse avec Miguel Angel Asturias. Cela se passait bien avant que le phénomène appelé le « boom du roman latino-américain » ne vienne faire irruption sur la scène de la littérature mondiale avec une cohorte d'écrivains de talent dont le succès éditorial a contribué à révolutionner l'industrie du livre. A tel point que l'on a pu parler de renouveau du genre ou du moins de la relance au Nouveau Monde d'un genre littéraire qui s'était essoufflé dans l'Ancien. Le roman, selon certains, aurait trouvé ses limites dans la décadence ou la disparition des catégories sociales qui en avaient été le support tout au long du siècle dernier et la première moitié du présent en Europe. Mais il aurait retrouvé en Amérique latine les conditions socio-économiques qui lui ont donné un deuxième souffle.

Ce n'est pas le lieu, ici, d'entrer dans ce débat. Il fallait néanmoins signaler que l'explosion du roman latino-américain

---

1. Cité par Claude Couffon in *Miguel Angel Asturias*, Paris, Seghers, 1970.

n'est pas le résultat d'une génération spontanée. C'est la culmination d'un processus de créations narratives qui prend son départ après la grande convulsion politique et sociale de la Révolution mexicaine. Cet événement fit prendre conscience à tout un continent d'un certain nombre de réalités politiques, économiques et sociales. Il engendra des espoirs, puis des déceptions, bientôt transformées en frustrations, qui trouvèrent leur expression dans une littérature de témoignage, d'engagement et de dénonciation extrêmement abondante dans toute l'aire méso-américaine.

La découverte culturelle du monde indigène fut l'occasion, en particulier dans les régions andines, de tout un courant littéraire, dit indigéniste, dont la production n'est pas toujours exempte de conventionnalisme pour ne pas dire d'une certaine médiocrité. Tellurisme et indigénisme sont les deux facettes d'une création qui ne parvient pas toujours à se sublimer en œuvres d'art de dimensions majeures. Les auteurs voulant trop en faire, essayant de forcer la sympathie des lecteurs et peignant sans nuances les tares d'une société trop injuste, donnent davantage dans le travers de la polémique et de la propagande que dans la littérature.

Asturias s'est également abreuvé à la source indigéniste, mais il a su, mieux que la plupart de ses confrères, éviter l'écueil du schématisme et de la caricature. Connaissant le monde indien de l'intérieur, pour être métis et pour avoir longtemps vécu à son contact, et de l'extérieur, pour avoir fait de la problématique indigène un objet d'étude et de préoccupation de tous les instants, il est parvenu mieux que tout autre à capter l'âme indienne et il a pu pénétrer son monde magique.

Asturias a su mettre au service de son art, mieux que quiconque, toutes les potentialités d'une culture préhispanique riche d'innombrables légendes quichés, mayas et cachiqueles. Il a exploité les mythes complexes et merveilleux élaborés par ses ancêtres au cours de siècles de contact et d'adaptation à un milieu dans lequel le surnaturel imprime une empreinte profonde et quotidienne : lacs, volcans, tremblements de terre sont autant d'éléments telluriques qui ont contribué à l'élaboration d'un monde mental, d'une cosmogonie et d'une mythologie très riches où transparaissent un profond attachement à la terre ainsi qu'un certain fatalisme.

La publication de *Monsieur le Président* (en 1946) est contemporaine de la grande vague indigéniste. Ce roman contient des passages de la même veine, mais il comporte quelque chose de nouveau qui lui donne une autre allure et une plus grande dimension. L'indigénisme d'Asturias est subtil. Il n'assène pas au lecteur la description d'une infra-humanité indienne victime de toutes les injustices, ni d'un « lumpen-paysannat » spolié, exploité et malmené. Il procède de façon beaucoup plus impressionniste, par petites touches qui configurent peu à peu un monde indigène au plus bas niveau de l'échelle sociale, certes, marginalisé, sans doute, mais pas encore génocidé par les dictatures successives comme il l'est, malheureusement, de nos jours. Tout cela sans préjudice, lorsque besoin en est, de la dénonciation sans détours de telle ou telle injustice dont sont victimes les Indiens qui constituent, ne l'oublions pas, une très forte proportion de la population guatémaltèque.

Rappelons-nous, même si ce n'est pas le meilleur exemple de sa prose, le chapitre où le général Eusebio Canales en fuite est accompagné par un guide indien qui lui explique, dans un langage très typé, le sort réservé à ses congénères. Avec une remarquable simplicité, cet indigène lui démonte le mécanisme juridico-économique qui permet aux bureaucrates, aux avocaillons et autres accapareurs, de dépouiller les Indiens de leurs enfants, de leurs terres et de les jeter sur les routes ou dans la périphérie des villes. Là, ils deviennent la proie facile de gros propriétaires de plantations et de patrons sans scrupule ou alors ils grossissent les rangs de tous les marginaux, les démunis et les laissés-pour-compte d'une société scandaleusement inégalitaire.

Ce n'est, cependant, qu'un aspect d'un récit riche de mille facettes duquel se détache le thème privilégié de la dictature. Il faut pourtant reconnaître que ce n'est pas l'originalité de ce thème, mais son traitement, qui fait l'intérêt principal du roman. Parmi la foule d'auteurs plus ou moins connus qui ont abordé le sujet, il faut citer l'Espagnol Ramón del Valle Inclán dont le récit, *Tirano Banderas*, met en scène une dictature latino-américaine caricaturale dans le style, démesuré par sa truculence, qui lui était si particulier. Il fut, sans doute, l'initiateur d'une veine thématique fort exploitée depuis avec un bonheur variable.

Sans dresser un catalogue de tous ces auteurs, il nous faut citer au moins pour mémoire, les plus grands : Alejo Carpentier et son *Recours de la méthode* (1974), Augusto Roa Bastos et son *Moi, le Suprême* (1974) et Gabriel García Márquez et *L'Automne du patriarche* (1976). Mais aucun de ces « géants », à notre avis, en dépit de la qualité de leurs créations, n'est parvenu à donner un texte de la force, de la violence et de la poésie de *Monsieur le Président*. Car, au risque de tomber dans la banalité, il nous faut bien dire qu'il s'agit là d'un chef-d'œuvre, d'un vrai, de ceux dont on peut affirmer qu'il en est un par génération tout au plus.

On doit reconnaître que ce roman est le résultat d'une longue gestation de plus de dix ans, comme nous le signifient les dates de la fin du texte. Au cours de cette décennie, Asturias a eu tout loisir de travailler son sujet, de compléter son histoire et de polir son récit. Pourtant, son manuscrit terminé resta prudemment inédit encore quatorze années. Exactement la durée de la dictature de Jorge Ubico, l'allié inconditionnel des Etats-Unis et le grand protecteur des intérêts de la United Fruit au Guatemala, qui aurait très bien pu, lui aussi, se reconnaître dans le roman. L'auteur a dû attendre 1946 et le régime démocratique du professeur Juan José Arévalo pour se décider, enfin, à publier son livre.

Avec Asturias, l'acte de l'écriture, sans perdre sa significa-tion politique, acquiert une dimension esthétique nouvelle grâce à l'art, à la manière et aux matériaux utilisés. Sa grande maîtrise lui a permis d'échapper aux pièges de l'anecdote facile, aux dangers du récit circonstanciel et aux recettes de la couleur locale. Ces procédés auraient fait de son récit un médiocre document folklorique ou un pamphlet sans lende-main, comme on l'a trop souvent vu avec certains textes du même genre. Au contraire, Asturias a su projeter son roman par-delà le particularisme, vers une dimension continentale voire universelle, qui l'ont consacré comme l'un des maîtres de la littérature latino-américaine. Son roman n'est pourtant pas de pure fiction. Il est incontestablement parti de l'observation d'une réalité élémentaire. Par quelles recettes a-t-il donc réussi ce tour de force ? Comment a-t-il fait pour éviter les écueils d'un texte polémique ou d'un réquisitoire politique sans dimension esthétique ?

La première réussite vient de la non-localisation géogra-phique. On devine que l'action se déroule en Amérique, en Amérique tropicale plus précisément. Cependant, sa localisa-tion reste assez floue pour que tout Latino-américain, quelle que soit sa nationalité, de l'Amérique centrale au Cône sud, se reconnaisse dans une histoire qui pourrait être celle de son propre pays à un moment donné. Car les dictatures sévissent dans ces contrées à l'état endémique avec des poussées plus ou moins virulentes selon les époques.

Il est généralement admis, et une foule de détails permet-tent de l'affirmer, que le personnage réel qui servit de support à la création du protagoniste évoqué par le titre du roman, est Manuel Estrada Cabrera [1]. Ce dictateur gouverna avec une poigne de fer le Guatemala au début de ce siècle, de 1898 à 1920. Autant dire qu'il marqua très profondément l'enfance et l'adolescence d'Asturias. Pourtant, son roman, loin d'être la biographie de ce personnage fantasque et ténébreux, se présente comme la peinture d'une tyrannie dépersonnalisée qui finit par acquérir sous la plume du romancier une dimension mythique.

Les descriptions physiques du personnage sont très rares. Il n'est presque jamais mis en scène, à tel point qu'on en vient même à douter de son existence réelle. Cependant, jamais personnage n'aura eu une présence aussi obsédante, aussi pénétrante que cet archétype terrifiant du satrape sanguinaire, car le texte est traversé par tout un système référentiel de faits et d'observations qui nous le rendent présent à chaque instant.

Il aurait pu s'agir d'un tyranneau d'opérette de plus, comme le journalisme et la littérature se sont trop souvent complu à nous les montrer dans le monde latino-américain, protagonistes de drames navrants ou d'aventures sans lendemain. Celui-ci a une tout autre épaisseur et c'est précisément son absence corporelle du récit, remplacée par une présence diffuse, comme une sorte d'atmosphère fétide qui envahirait tout, qui donne à ce personnage une consistance et une réalité accablantes.

La répression érigée en système exclusif de gouvernement, la délation élevée au rang de vertu civique, la terreur omniprésente, l'injustice érigée en loi, la déchéance morale et l'abjection dans laquelle le tyran a plongé son peuple, composent un tableau qui serait excessif sans le talent d'Asturias pour doser les effets. Car notre auteur semble se complaire dans l'évocation des aspects les plus sordides, grotesques et repoussants qui ne sont sans doute que la manifestation agressive de l'expressionnisme avant-gardiste. Cela traduit une ferme volonté d'interpeller la conscience et la sensibilité du lecteur ; et ce dernier y croit, il compatit et s'indigne devant autant d'ignominie.

On aura donc compris que *Monsieur le Président* est un roman éminemment politique. La dénonciation des tares sociales, des méthodes et des pratiques des régimes de pouvoir

1. Alfred Melon, « Le caudillisme dans *El Señor Presidente* de M. A. Asturias », in *Caudillos, caciques et dictateurs dans le roman hispano-américain*, Paris, Éditions hispaniques, 1970.

despotique, exacerbé par un autoritarisme pathologique, tient une place fondamentale. Ce régime favorise le servilisme, l'arrivisme, la dénonciation et flatte les instincts les plus bas de l'homme au service d'une tyrannie grotesque et méprisable.

Mais le roman n'est pas uniquement cela, car il est à la fois unique et pluriel. C'est également un roman social, un roman indigéniste comme nous l'avons déjà signalé et c'est, enfin, un roman d'amour. Camila et Michel Visage d'Ange sont des héros malheureux qui se rattachent à une ancienne tradition d'amants tragiques immolés par la volonté d'un personnage tout-puissant, sadique et capricieux. Car le dictateur capitalise tous les défauts, toutes les abjections et, qui plus est, à un degré superlatif.

Il reste néanmoins crédible, parce que la réalité historique latino-américaine pullule d'anecdotes que l'imagination la plus féconde n'oserait proposer. Que l'on songe, par exemple, au général mexicain Santa Ana organisant des funérailles nationales à sa propre jambe, perdue au cours d'une bataille, ou au Bolivien Melgarejo bradant le tiers de son territoire national contre deux chevaux blancs, ou à cet autre qui faisait disparaître ses opposants politiques en les donnant en pâture aux caïmans de son palais présidentiel. Les exemples de semblables comportements délirants sont légion dans l'histoire de l'Amérique hispanique.

Monsieur le Président nous restitue un monde de cet acabit. D'emblée, le lecteur est englouti dans une ambiance cauchemardesque. Le récit s'ouvre par la description d'un crime dans une hallucinante cour des miracles tropicale qu'Asturias nous dépeint avec force détails et dans un style dont la vigueur n'a rien à envier à la virtuosité des plus grands prosateurs. Il y fait preuve d'une rare capacité de création, tant au plan du vocabulaire qu'à celui de la métaphore.

Dès la deuxième page, apparaît une petite phrase où il est question d'un prisonnier politique traîné par une patrouille dans la nuit, sous une pluie de coups et suivi par des femmes éplorées. Le ton est donné de ce qui sera l'ambiance étouffante de terreur qui imprègne tout l'ouvrage. Donc, un dément assassine dans des circonstances étranges un homme de main du Président qui le persécutait avec sadisme. Le meurtre du tortionnaire est le prétexte pour déchaîner une machination répressive qui permettra au dictateur de procéder à une purge de ses opposants politiques ou présumés tels en les accusant d'être les auteurs de l'attentat. Se met alors en marche une parodie de justice qui serait risible s'il n'y allait pas de la vie d'honnêtes citoyens. Sous ce régime, où tout le monde épie tout le monde, les actes les plus anodins de la vie courante peuvent devenir suspects, car sous le règne de l'arbitraire tout innocent est présumé coupable. Tout le monde est soupçonné de comploter contre Monsieur le Président dont la personne s'identifie avec le pays et la nation tout entière.

La forfaiture de la justice et de ses sbires ne reculera devant aucun procédé pour parvenir à ses fins : on arrachera sous la torture des faux témoignages à ceux qui ont vu le crime, quant aux récalcitrants, on les exécutera, tout simplement, comme on fait avec le Moustique. Ce mendiant, aveugle et cul-de-jatte, est l'un des rares personnages d'une indiscutable hauteur morale et l'un des seuls capables de préserver sa dignité même au prix de sa vie. Si l'on pouvait se permettre un jeu de mots un peu douteux, mais bien dans le ton de certains passages du récit, on pourrait dire, qu'en dépit de ses infirmités, c'est l'un des personnages les plus entiers du roman.

A partir de là, l'auteur met à nu les mécanismes d'un appareil d'Etat mû par les passions les plus basses, stimulées par un sentiment de peur et de suspicion généralisées, dans une société qui ressemble à une vaste entreprise de mouchardage où chacun essaie de se disculper, même s'il n'est pas fautif, en chargeant son voisin. Asturias parvient à élever au rang de catégorie littéraire ce sentiment terrible qui tenaille tous les personnages de son roman y compris le Président lui-même. Ce *supermacho* que la propagande officielle s'évertue à magnifier détale comme un lapin effrayé, au bruit d'un pétard qui vient d'éclater malencontreusement au cours d'une réception.

La peur pèse comme une chape de plomb sur l'ensemble de la société et lamine tous les autres sentiments, depuis l'amour familial jusqu'à la solidarité humaine la plus élémentaire. Rappelons-nous l'attitude révoltante des frères du général Canales chargeant de tous les maux de la terre et de toutes les félonies leur propre frère, qu'ils savent pourtant innocent des crimes dont on l'accuse, et refusant même de recevoir leur nièce abandonnée, menacée et sans ressources.

La dénaturation des sentiments est telle, la dégradation des relations humaines, polluées par un pouvoir pervers, atteint un tel degré que tout élan pur et noble nous semble déplacé, voire monstrueux, dans l'ambiance corrompue qui imprègne le récit. La solidarité des trois sœurs orphelines avec le général Canales en fuite, l'amour de Visage d'Ange — le beau ténébreux et homme de confiance du président — pour la fragile et vulnérable Camila nous semblent longtemps suspects tellement nous nous sommes imbibés de l'atmosphère malsaine du roman.

Le lecteur s'attend au pire de ce personnage étrange qui finit par se prendre aux mailles de son propre filet. Il se transforme alors en victime expiatoire de la brutalité mégalomaniaque du despote. Aucun châtiment n'est assez cruel pour l'ange déchu qui doit endurer avant de mourir des tortures physiques et morales terribles. Car le satrape a soif de sang et il est toujours prêt à faire rouler la tête de n'importe qui, humbles comme puissants, sous les prétextes les plus futiles. C'est le cas de l'honnête docteur Barreño qui refuse de cautionner la version officielle de la mort de toute une garnison, victime de l'incompétence et de la vénalité de ses confrères de l'hôpital militaire. C'est le cas également de l'obscur gratte-papier qu'il désigne d'un anonyme et méprisant « cette autre espèce d'abruti », coupable d'avoir renversé par maladresse un vulgaire encrier, ou encore du sacristain de la cathédrale, responsable d'un crime de lèse-majesté pour avoir enlevé de la porte de l'église un papier annonçant le jubilé de la mère du président, acte jugé hautement subversif alors qu'il ne sait même pas lire.

Pour toutes ces raisons, on pourrait dire, en dépit du titre, qu'il n'y a pas de protagoniste individuel dans ce roman. C'est le peuple tout entier, plongé dans les ténèbres de la dictature, qui constitue un personnage multiple. Sa résignation ou son héroïsme parfois émergent à travers tel ou tel personnage secondaire forçant l'indignation ou la compassion du lecteur qui ne peut rester indifférent devant tant de malheurs.

Un aspect du roman est passé jusqu'à présent presque inaperçu. *Monsieur le Président* est également l'un des premiers récits sur la ville, genre qui a connu son moment de grande vogue il y a quelques années en Amérique latine. Dans ce texte, le tellurisme est urbain. Miguel Angel Asturias connaît remarquablement Guatemala Ciudad dont il nous fait une peinture haute en couleur et pleine de contrastes. Non seulement il se meut avec aisance dans une géographie urbaine qui semble lui être extrêmement familière, mais encore il a une profonde connaissance du paysage humain. Cela lui permet de nous dresser un tableau pittoresque où pullule un monde bigarré et divers. Il connaît, dans tous ses recoins, la vieille ville coloniale où affleurent les réminiscences architecturales et les noms de lieux qui témoignent d'une profonde acculturation en terre maya.

Asturias possède remarquablement les images et la psychologie de groupes sociaux, plus ou moins marginaux, sécrétés par la vie urbaine : mendiants, prostituées, estropiés, ivrognes, clientèles de buvettes louches et de bars à soldats sont autant de portraits et de lieux qu'il nous restitue avec un luxe de détails et une précision qui impliquent une connaissance profonde de ces microcosmes. Tous les laissés-pour-compte, compagnons de misère, se déchirent entre eux, se partagent avec les chiens errants et les vautours les détritus d'une société de nantis profiteurs du régime. Ceux-là sont dans d'autres quartiers, et ils ont moins les faveurs de l'auteur qui a l'air de se complaire dans l'évocation quelque peu malsaine, voire morbide, de spectacles d'où n'est pas absent un certain voyeurisme.

Ces descriptions de scènes fortes, prises sur le vif dans un monde urbain hostile et féroce avec les plus démunis, ne manquent pas de rappeler certaines séquences du film de Luis Buñuel, *Los Olvidados*, tourné en 1950, dans lequel est magistralement mise en scène l'infra-société suburbaine produite par la métropole de Mexico capitale. Mais, chez Asturias, on trouve en prime la dénonciation lancinante des responsabilités dans la description d'un système politique inique et pervers qui décompose le corps social.

Cette affinité entre les deux hommes n'est pas si étrange quand on songe que les deux créateurs d'images, filmiques ou narratives, ont fréquenté dans leur jeunesse les mêmes milieux d'avant-garde parisiens où ils ont dû subir les influences surréalistes semblables. L'importance de l'univers onirique dans leurs œuvres témoigne de sources d'inspiration identiques, tout comme leur goût commun pour l'étrange, l'irréel, le fantastique et le monstrueux.

Remarquable explorateur de rêves, excellent analyste de la démence, Asturias se meut avec l'aisance d'un spécialiste dans le monde hallucinant des cauchemars et de la folie. Cela lui permet de dresser des portraits plus vrais que nature de tarés, de psychopathes et de tortionnaires, faisant preuve d'un don de l'observation et d'une capacité d'intervention peu communs.

Monsieur le Président, comme la plupart des romans d'Asturias, se rattache par sa conception et son esprit au courant littéraire connu en Amérique latine sous la dénomination de « réalisme magique » dont le grand romancier cubain Alejo Carpentier définissait ainsi la signification : « Le réalisme magique est une relation privilégiée de la réalité, une illumination inhabituelle ou qui favorise singulièrement les richesses inaperçues de la réalité[1]. »

Mais personne n'est plus autorisé qu'Asturias lui-même pour expliquer l'appartenance de son œuvre à ce courant littéraire : « Mon réalisme est magique parce qu'il relève un peu du rêve tel que le concevaient les surréalistes. Tel que le concevaient aussi les Mayas dans leurs textes sacrés. En lisant ces derniers, je me suis rendu compte qu'il existe une réalité créée par l'imagination et qui s'enveloppe de tant de détails qu'elle devient aussi " réelle " que l'autre. Toute mon œuvre se développe entre ces deux réalités : l'une sociale, politique, populaire, avec des personnages qui parlent comme parle le peuple guatémaltèque ; l'autre, imaginative, qui les enferme dans une sorte d'ambiance et de paysage de songe[2]. »

Et, à propos de surréalisme dont on a tant parlé en évoquant son œuvre, voici ce qu'il en a dit au cours de différentes déclarations : « En tant qu'Hispano-Américains, nous sommes iconoclastes de naissance. La violence tellurique de notre continent nous a inculqué le charme de la destruction et le surréalisme a étanché notre soif juvénile de tout jeter à bas pour entreprendre de nouvelles conquêtes. Pourtant, je crois que le surréalisme qu'on attribue à certaines de mes œuvres relève moins d'influences françaises que de l'esprit qui anime les œuvres primitives mayaquichées. On trouve dans le *Popol Vuh* et dans les *Annales des Xahil*, par exemple, ce qu'on pourrait appeler un surréalisme lucide, végétal, antérieur à tout ce qui nous est connu. » Ou encore : « Je crois que le surréalisme français est très intellectuel, tandis que, dans mes livres, le surréalisme acquiert un caractère complètement magique, complètement différent. Ce n'est pas une attitude intellectuelle mais une attitude vitale, existentielle. C'est celle de l'Indien qui avec une mentalité primitive et infantile, mêle le réel et l'imaginaire, le réel et le rêve. D'ailleurs, ajoutait-il, le Guatemala est un pays surréaliste. Tout — hommes, paysages et choses — y flotte dans un climat surréaliste, de folies et d'images juxtaposées. » C'est pourquoi, « mes livres, précisait-il, ressemblent aux peintures murales de Mexico où tout est mêlé : paysans, lièvres, archevêques, aventuriers, femmes de mauvaise vie, ainsi que notre nature, vastes plaines et forêts

1. Alejo Carpentier, prologue de son roman *Le Royaume de ce monde*, Paris, Gallimard, 1954.
2. Claude Couffon, « Miguel Angel Asturias et le réalisme magique », in *Les Lettres francaises*, n° 954.

immenses où nous ne sommes que de pauvres petits êtres perdus[1] ».

Monsieur le Président est un roman étonnant de modernité. Que ce soit au plan sémantique, narratif ou structurel, il peut être considéré comme un modèle du genre dont se sont vraisemblablement inspirés, peu ou prou, ses successeurs. La créativité de son auteur se manifeste de façon éclatante dans son style, à la fois fluide et coloré, et dans l'agencement d'une narration où l'attention du lecteur reste constamment en éveil soutenue par un suspens savamment dosé. Son art permet à Asturias de restituer, comme à travers ces miroirs déformants que l'on trouve dans les parcs d'attractions, une réalité qui nous apparaît tantôt affligeante, tantôt monstrueuse ou grotesque. Le lecteur passe ainsi, et sans préambule, de la déception à la révolte ou à l'hilarité.

L'invention est permanente et débordante qu'il s'agisse du langage ou de l'image. Création de termes composés inhabituels, associations de mots et d'idées, élaboration d'images poétiques ou saugrenues, toujours très expressives, foisonnent dans un récit où toutes les ressources narratives sont exploitées avec bonheur. Langage populaire, ordurier, policier, amoureux, indien, tout y est, et les trouvailles sont légion. Jeux de mots, jeux d'images et de lumières, lettrisme, phonétique, tout est mis à contribution pour déformer ou transformer les personnages et l'atmosphère déjà exubérante par elle-même. En dépit de la rudesse de l'histoire, la prose de *Monsieur le Président* est parcourue par un incomparable élan lyrique, obtenu grâce à un remarquable jeu de sentiments et à l'utilisation d'effets de langue et de style tout à fait personnels et réussis.

Tous ces procédés aident à faire « passer » une histoire par ailleurs très agressive qui met à rude épreuve la sensibilité et les nerfs du lecteur.

Il en va du style comme de la structure. On est loin avec *Monsieur le Président* des récits linéaires qui rendaient monotone et lassante une lecture chronologique des événements rapportés. Dans ce roman, Asturias se pose en précurseur du récit « éclaté » qui a connu une très grande vogue ces dernières années en Amérique latine.

Le lecteur est sans cesse sollicité dans toutes les directions par le déroulement, parallèle ou opposé, des tragédies personnelles provoquées par le tourbillon de la dictature qui condi-

1. Cité par Claude Couffon, *op. cit.*

tionne tous les aspects de la vie individuelle et collective. Cependant, jamais le fil directeur n'est perdu et c'est là la marque du grand art et du génie créateur. Miguel Angel Asturias invente pour nous un univers multiple, disparate parfois, et le fait vivre à travers un récit multiforme, pour tendre, sans jamais tomber dans l'incohérence, vers un but unique : l'éclosion d'un mythe.

S'il fallait nous résumer rapidement, nous pourrions dire qu'au point de vue strictement littéraire, la plus grande réussite de ce roman réside dans le mariage parfait entre le fond et la forme. Cette harmonie fait que *Monsieur le Président* n'est pas tout à fait un roman historique mais bien plus qu'une simple œuvre de fiction. C'est la transcription géniale d'une réalité délirante passée au moule d'une créativité merveilleuse, dans un langage débridé, et mise au service d'une noble cause.

Restons-en là, car nous avons pris le parti dans cette présentation d'éluder le recours aux citations et aux extraits pour étayer nos propos. Nous avons voulu éviter au maximum de dévoiler les péripéties du récit, et c'est volontairement que nous n'avons pas voulu analyser certaines situations. Le lecteur a le droit de découvrir une histoire qui doit lui parvenir vierge dans son intégralité. C'est pourquoi, nous ne voulons pas retarder davantage son plaisir à découvrir un texte exemplaire dont la rencontre le poussera, nous n'en doutons pas, à connaître d'autres aspects de l'œuvre de Miguel Angel Asturias.

Mais nous ne pouvons pas résister à la tentation de citer, en guise de conclusion, le jugement très autorisé d'un autre Prix Nobel de Littérature (le premier décerné, en 1945, à un écrivain latino-américain), la Chilienne Gabriela Mistral qui écrivait à l'occasion de la première édition de *Monsieur le Président* : « Je ne sais d'où vient ce roman exceptionnel écrit avec la facilité de la respiration et de la circulation du sang dans le corps. La fameuse *langue parlée* que Unamuno réclamait à grands cris, fatigué qu'il était par nos pauvres et prétentieuses rhétoriques, nous la trouvons là, plus vivante et plus vigoureuse que Don Miguel (de Unamuno) ne l'espérait. Le mystérieux Guatemala, terre où l'Indien demeure pur et intact, offre à notre hypocrisie (que d'aucuns appellent traditionalisme) cette œuvre phénoménale que certains digéreront avec peine ; c'est une cure, une purge, presque une pénitence nécessaire [1]... »

1. Cité par Georges Pillement dans son introduction à *Monsieur le Président*, Paris, Albin Michel, 1977.

Et, pour terminer, il nous faut rendre justice à Dorita Nouhaud et à Georges Pillement, en disant un mot de leur traduction. Elle est excellente. Rendons un hommage mérité à leur louable effort pour nous offrir en français une version digne de l'original. Ce n'était pas une tâche aisée compte tenu des difficultés du texte, de la multiplicité des langages maniés par Asturias, de la syntaxe volontairement torturée ainsi que des multiples inventions. Les traducteurs ont su tirer parti des différents registres de la langue, ainsi que de leur parfaite connaissance de l'auteur et de son œuvre.

Thomas GOMEZ
Casa de Velazquez
Madrid décembre 1985.

Et alors, on sacrifia toutes
les tribus devant sa face.

Popol-Vuh

PREMIÈRE PARTIE

21, 22, 23 AVRIL

1

Porte du Seigneur

Eclaire, lumière claire, éclairs de Lucifer ! Comme un bourdonnement d'oreilles persistait la rumeur des cloches de l'angélus du soir, double-mal-être de la lumière dans l'ombre, de l'ombre dans la lumière. Eclaire, lumière claire, éclairs de Lucifer, toutes misères ! Eclaire, lumière claire, toute misère, éclairs de Lucifer ! Eclaire, éclaire, lumière claire... lumière... éclaire... éclaire... lumière claire... éclaire, lumière...

Les mendiants se traînaient à travers les gargottes du marché, perdus dans l'ombre glacée de la Cathédrale, en direction de la Place d'Armes, par des rues larges comme des mers, dans la ville qui peu à peu restait toute seule en arrière.

La nuit les réunissait en même temps que les étoiles. Ils se groupaient pour dormir Porte du Seigneur, sans autre lien que leur commune misère, médisant les uns des autres, s'injuriant entre les dents, avec la hargne d'ennemis qui se cherchent querelle, se battant souvent à coups de coude et parfois même en se jetant des poignées de terre, mêlées dans lesquelles, après s'être mutuellement couverts de crachats, rageurs, ils se mordaient. Oreiller, confiance, jamais cette famille apparentée au dépotoir ne les connut. Ils se couchaient, tout habillés, à l'écart les uns des autres, et dormaient, tels des voleurs, la tête sur le sac contenant leurs trésors : restes de viande, vieux souliers, bouts de chandelles, poignées de riz cuit enveloppées dans de vieux journaux, oranges et bananes avariées.

Sur les marches de la Porte, on les voyait, tournés vers le mur, compter leurs sous, mordre leurs pièces de nickel pour s'assurer qu'elles n'étaient pas fausses, parler seuls, passer en revue leurs provisions de bouche et de guerre car, dans la rue, ils marchaient sur pied de guerre, armés de pierres et de scapulaires, et avaler en cachette des croûtons de pain sec. Jamais on ne les avait vus s'entr'aider. Avares de leurs restes comme tous les mendiants, ils préféraient les donner aux chiens, plutôt qu'à leurs compagnons d'infortune.

Après avoir mangé et mis leur argent dans un mouchoir, noué de sept nœuds, attaché au nombril, ils se couchaient par terre et sombraient dans des rêves agités et tristes, cauchemars où ils voyaient défiler devant leurs yeux des cochons affamés, des femmes maigres, des chiens estropiés, des roues de voitures et des fantômes de moines qui entraient en procession dans la Cathédrale comme pour un enterrement, précédés par un ténia de lune crucifié sur des tibias glacés. Parfois, au plus profond de leur sommeil, ils étaient réveillés par les cris d'un idiot qui se croyait perdu sur la Place d'Armes. Parfois, c'était par les sanglots d'une aveugle qui se voyait en rêve couverte de mouches, et pendue à un croc comme la viande dans les boucheries. Tantôt c'était par les pas d'une patrouille traînant, avec force coups, un prisonnier politique, suivi par des femmes qui essuyaient les traces de son sang de leurs mouchoirs mouillés de larmes. Tantôt par les ronflements d'un teigneux valétudinaire ou la respiration d'une sourde-muette enceinte, qui pleurait de peur parce qu'elle sentait un enfant dans ses entrailles. Mais le cri de l'idiot était le plus triste, il fendait le ciel, c'était un cri long, saccadé, sans accent humain.

Le dimanche, un ivrogne échouait au milieu de cette étrange société ; endormi, il réclamait sa mère en pleurant comme un enfant. L'idiot, en entendant le mot « mère » qui, dans la bouche de l'ivrogne, était une imprécation autant qu'une plainte, se levait, regardait de tous côtés, d'un bout à l'autre de la Porte, et, après s'être bien réveillé et avoir réveillé ses compagnons par ses cris, il pleurait d'angoisse, joignant ses sanglots à ceux de l'ivrogne.

Des chiens aboyaient, on entendait des cris et les plus forts en gueule se relevaient pour grossir le chahut en exigeant qu'il se taise. Qu'il se taise, ou alors, la police. Mais la police se gardait bien d'approcher. Personne, ici, n'avait de quoi payer l'amende. « Vive la France ! » bramait Pattecreuse au milieu des cris et des gesticulations de l'idiot, qui finit par devenir la risée des mendiants à cause de cette fripouille mal embouchée de boiteux qui, certains soirs de la semaine, imitait l'ivrogne. Pattecreuse imitait l'ivrogne, et le Pantin — on appelait ainsi l'idiot — qui, lorsqu'il dormait, paraissait être mort, ressuscitait à chaque cri sans se soucier des ombres éparses sur le sol, emmitouflées dans des lambeaux de couverture et qui, le voyant à demi-fou, lui lançaient des quolibets avec des rires stridents. Le regard perdu au-delà des visages monstrueux de ses compagnons, sans rien voir, sans rien entendre, sans rien sentir, fatigué de pleurer, il s'endormait. Mais à peine était-il assoupi que, rengaine de toutes les nuits, la voix de Pattecreuse criant « Mère ! » le réveillait.

Le Pantin ouvrait alors brusquement les yeux, tel un dormeur rêvant qu'il roule dans le vide ; les pupilles de plus en plus dilatées, il se recroquevillait, blessé jusqu'aux entrailles, et des larmes coulaient de ses yeux. Puis il se rendormait peu à peu, vaincu par le sommeil, le corps presque flasque, avec un reste de malaise dans sa conscience disloquée. Mais à peine était-il assoupi, juste assoupi, que la voix d'un autre mariole le réveillait : « Mère ! ».

C'était la voix de La Veuve, mulâtre dégénéré qui, entre deux éclats de rire, avec des moues de vieille, continuait : « Mè-è-è-è-re de Miséricorde, notre espérance, nous t'implorons, nous les exilés, oh ! hisse la relève... »

L'idiot se réveillait en riant. On eût dit que lui aussi il riait de son tourment, faim, cœur et larmes jaillissant d'entre ses dents, tandis que les mendiants arrachaient à l'air un é-cla-a-a-a-a-a-t de ri-i-i-i-i-i-i-re de l'air, de l'air... l'é-cla-a-a-a-a-a-t de ri-i-i-i-i-i-i-ire de l'air ; et une obèse, les moustaches maculées de sauce, en perdait le souffle ; et, de rire, un borgne urinait en donnant des coups de tête contre le mur, comme un bélier ; et les aveugles protestaient parce qu'on ne pouvait pas dormir dans un tel vacarme ; et le Moustique, un aveugle à qui manquaient les deux jambes, protestait parce que, d'après lui, seuls des pédés pouvaient s'amuser ainsi.

Les aveugles, pour les autres, c'est comme s'ils chantaient, quant au Moustique, cause toujours, personne n'écoutait. Qui pouvait prendre au sérieux ses fanfaronnades ? « Moi, disait-il, qui ai passé mon enfance dans une caserne d'artillerie, où les coups de pied des mules et ceux des chefs ont fait de moi un homme-cheval, ce qui m'a permis, quand j'étais jeune, de traîner à la bricole mon orgue de Barbarie au long des rues. Moi, qui ai perdu les yeux, dans une cuite, sans savoir comment, la jambe droite dans une autre cuite, sans savoir quand, et la gauche dans une troisième cuite, victime d'une automobile, sans savoir où ! »

Colporté par les mendiants, le bruit se répandit parmi les gens du peuple que le Pantin devenait fou en entendant parler de sa mère. L'infortuné parcourait les rues, les places, les cours, les marchés, pour échapper à la populace qui, tantôt ici, tantôt là, lui lançait à chaque instant, comme une malédiction du ciel, le mot : « Mère ! » Il cherchait asile dans les maisons, mais les chiens et les domestiques le jetaient dehors. On le chassait des églises, des magasins, de partout, sans prêter attention à sa fatigue de bête ni à l'expression de ses yeux qui, malgré leur inconscience, imploraient la pitié.

La ville, grande, immensément grande, pour sa lassitude, devint de plus en plus petite pour son angoisse. Aux nuits d'épouvante succédaient les jours de persécution : traqué par les gens qui, non contents de lui crier : « Petit Pantin, dimanche tu te maries avec ta Mère... La vieille... ture-lure... la vieille... ture-la... », le battaient et mettaient ses vêtements en lambeaux Poursuivi par les enfants, il se réfugiait dans les quartiers pauvres, bien que son sort fût plus dur là où tous frôlaient la misère ; non seulement on l'insultait mais encore, en le voyant courir, affolé, on lui jetait des pierres, des rats crevés et des boîtes de conserve vides.

Au sortir d'un de ces quartiers, un jour comme aujourd'hui, au moment où les cloches sonnaient l'angelus, il monta vers la Porte du Seigneur, blessé au front, sans chapeau, traînant la queue d'un cerf-volant qu'on lui avait attachée au dos en guise de plaisanterie. Tout lui faisait peur : l'ombre des murs, le pas des chiens, les feuilles qui tombaient des arbres, le roulement saccadé des véhicules. Quand il arriva à la Porte, il faisait presque nuit. Les mendiants, tournés contre le mur, comptaient et recomptaient leurs gains. Pattecreuse se disputait avec le Moustique, la sourde-muette palpait son ventre, pour elle inexplicablement gros, et l'aveugle se balançait en rêve, pendue à un croc, couverte de mouches comme la viande dans les boucheries.

Le Pantin tomba, à moitié mort ; depuis des nuits et des nuits, il ne fermait pas les yeux, depuis des jours et des jours, il ne reposait pas ses pieds. Les mendiants se taisaient et grattaient leurs puces sans pouvoir dormir, attentifs aux pas des gendarmes allant et venant sur la place peu éclairée, et au cliquetis des armes des sentinelles, fantômes enveloppés dans des ponchos rayés et qui, aux fenêtres des casernes voisines, veillaient, sur pied de guerre comme toutes les nuits, sur la sécurité du Président de la République, dont on ignorait le domicile parce qu'il habitait hors de la ville plusieurs maisons à la fois, comment il dormait, car on racontait que c'était debout, à côté d'un téléphone, avec un fouet à la main, et à quelle heure, car ses amis assuraient qu'il ne dormait jamais.

Par la Porte du Seigneur s'avança un corps sombre. Les mendiants se recroquevillèrent comme des vers. Au crissement des bottes militaires répondait le hululement d'un oiseau sinistre dans la nuit sombre, navigable, sans fond...

Pattecreuse écarquilla les paupières, la menace de la fin du monde pesait dans l'air, et il dit à la chouette :

— Huali, huali, prendre sel et poivre tu peux... ni bien ni mal je ne te veux mais à tout hasard, te maudis !

Le Moustique se cherchait le visage avec les muscles faciaux. L'atmosphère faisait mal comme lorsque la terre va trembler. La Veuve faisait le signe de la croix parmi les aveugles. Seul le Pantin dormait à poings fermés, pour une fois, en ronflant.

Le corps sombre s'arrêta — le rire illuminait son visage —

il s'approcha du Pantin sur la pointe des pieds et, par plaisanterie, lui cria :

— Mère !

Il ne dit rien d'autre. Arraché du sol par le cri, l'idiot
lui bondit dessus et, sans lui donner le temps de se servir de
ses armes, lui enfonça les doigts dans les yeux, lui déchira
le nez à coups de dents et lui écrasa les parties avec les
genoux jusqu'à ce qu'il tombât, inerte.

Les mendiants fermèrent les yeux, horrifiés, la chouette
passa de nouveau et le Pantin s'enfuit par les rues enténébrées, affolé, dans un paroxysme d'épouvante.

Une force aveugle venait d'ôter la vie au colonel José
Parrales Sonriente, dit l'*homme à la petite mule*.

L'aube pointait.

Foreshadowing and introduction to
Estrada, Learn more details about
the location that they are in.

2

La mort du Moustique

Le soleil dorait les terrasses en saillie de la Deuxième Section de Police — par-ci, par-là, quelqu'un passait dans la rue —, la Chapelle protestante — on voyait ici et là une porte ouverte —, et un édifice en briques que les francs-maçons faisaient construire. A la Section, des groupes de femmes attendaient les prisonniers, assises dans la cour — où il semblait toujours pleuvoir — et sur les bancs des couloirs obscurs, nu-pieds, le panier du déjeuner posé dans le hamac de leurs jupons tendus d'un genou à l'autre, entourées de grappes d'enfants, les petits collés aux seins pendants et les plus grands menaçant avec des bâillements les pains du panier. Elles se racontaient leurs peines à voix basse, sans cesser de pleurer, essuyant leurs larmes avec un coin de leur châle. Une vieille paludique aux yeux cernés se baignait dans les larmes, en silence, comme donnant à entendre que sa peine de mère était plus amère. Le mal était sans remède dans cette vie et ce funeste lieu d'attente, en face de deux ou trois arbustes à l'abandon, d'une fontaine tarie et de policiers blafards qui pendant leurs gardes nettoyaient à la salive leurs cols en celluloïde, elles n'avaient plus qu'à s'en remettre à Dieu.

Un gendarme indien passa tout près des femmes en traînant le Moustique. Il l'avait capturé au coin du collège des Infants et il le tenait par une main, le balançant comme un singe. Mais elles ne se rendirent pas compte de ce que cela avait de comique, occupées qu'elles étaient à épier les geôliers qui, d'un moment à l'autre, commenceraient à distribuer les déjeuners et à leur rapporter des nouvelles des prisonniers :

— Il dit que... faut pas s'en faire pour lui, que ça va déjà mieux ! — Il dit que... vous lui apportiez pour quatre réaux d'onguent du soldat dès que la pharmacie sera ouverte ! — Il dit que... ce qu'il vous a fait dire par son cousin n'est pas certain ! — Il dit que-e-e... vous devez chercher un défenseur et que vous tâchiez de trouver un stagiaire, parce qu'ils prennent moins cher que les avocats ! — Il dit que... je vous dise de ne pas être comme ça, qu'il n'y a pas de femmes là-bas avec eux, que vous n'avez pas de raison d'être jalouse, que l'autre jour on en a bien amené un, de ceux-là... mais qu'il a tout de suite trouvé chaussure à son pied ! — Il dit que... vous lui envoyiez deux réaux de baume pour l'inflammation, car il ne peut pas aller à la selle ! — Il dit que... ça lui fait de la peine que vous vendiez l'armoire !

— Dites-donc, vous ! — s'indignait le Moustique devant les mauvais traitements du flic — vous vous en foutez pas mal, hein ? Bien sûr, parce que je suis pauvre ! Pauvre, mais honnête... Et puis, je ne suis pas votre fils, vous m'entendez, ni votre poupée, ni votre morveux, ni votre n'importe quoi pour me porter comme ça. Déjà qu'on a eu la lumineuse idée de nous traîner à L'Asile de Mendiants pour se mettre bien avec les Yankees ! Y'en a marre ! Qu'ils aillent se faire voir, toujours les dindons pour la farce ! Et encore, si on vous traitait bien !... Au lieu de ça, la fois où s'est pointé Mister-Nos-qui-s'occupe-de-ce-qui-le-regarde-pas, on est restés trois jours sans manger, perchés sur les rebords des fenêtres, habillés de couvertures, comme les fous...

Les mendiants capturés étaient directement enfermés dans une des *Trois Maries*, cellule très étroite et obscure. Le Moustique y entra en rampant comme un crabe. Sa voix, étouffée par le bruit des verrous à dents de loup et les grossièretés des geôliers, puant le linge humide et le mégot, prit de l'ampleur à l'intérieur du souterrain voûté.

— Ah, ma douée ! Tous ces poulets ! Ah, Vierge de la Consection, ces flicaillons ! « Jésusprime », sois mon assurance !...

Ses compagnons larmoyaient comme des animaux morveux ; torturés par l'obscurité, ils avaient l'impression qu'ils ne pourraient plus jamais la décoller de leurs yeux, tant ils avaient peur. Ils étaient là où tant d'autres avaient souffert de la faim et de la soif jusqu'à la mort, et ils étaient pleins de frayeur à l'idée qu'on pourrait faire d'eux du savon noir comme avec les chiens, ou les égorger pour nourrir la police. Les visages des anthropophages, illuminés comme des lanternes, avançaient dans les ténèbres, leurs joues pareilles à des fesses et leurs moustaches semblables à de la bave de chocolat.

Un étudiant et un sacristain se trouvaient dans la même cellule.

— Monsieur, si je ne me trompe, c'est vous qui étiez ici le premier, vous, puis moi, n'est-ce pas ?

L'étudiant parla pour dire quelque chose, pour se défaire d'une bouffée d'angoisse qu'il sentait dans sa gorge.

— Ma foi, je crois que oui, répondit le sacristain, cherchant dans l'ombre le visage de celui qui lui parlait.

— Et... bon... j'allais vous demander : pourquoi êtes-vous en prison ?...

— Eh bien, pour raisons politiques, dit-on...

L'étudiant tressaillit de la tête aux pieds et articula à grand peine :

— Moi aussi...

Les mendiants cherchaient autour d'eux leur inséparable sac de provisions mais, dans le bureau du Directeur de la Police, on les avait dépouillés de tout, y compris de ce qu'ils avaient dans leurs poches, afin que rien n'entrât dans la prison, pas même une allumette. Les ordres étaient stricts.

— Et votre procès ? continua l'étudiant.

— Mais il n'y a pas de procès, comme vous dites. Je suis ici par ordre supérieur !

En disant cela, le sacristain frotta son dos contre le mur rugueux, afin de gratter ses poux.

— Vous étiez...

— Rien... coupa brutalement le sacristain, je n'étais rien !

A ce moment, les charnières grincèrent et la porte s'ouvrit

comme si elle se déchirait pour laisser passer un autre mendiant.

— Vive la France ! cria Pattecreuse en entrant.

— Je suis en prison... déclara le sacristain.

— Vive la France !

— ...pour un délit que j'ai commis par erreur. Figurez-vous qu'au lieu d'ôter un avis concernant la Vierge de la O, j'ai enlevé, de la porte de l'église où j'étais sacristain, l'avis du jubilé de la mère de Monsieur le Président !

— Mais comment cela s'est-il su ?... murmura l'étudiant, tandis que le sacristain essuyait ses pleurs du bout des doigts, écrasant les larmes dans ses yeux.

— Ben, je sais pas... mon manque de pot... Ce qui est sûr, c'est qu'on m'a arrêté et amené dans le bureau du Directeur de Police qui après m'avoir filé une paire de châtaignes m'a fait mettre dans cette cellule au secret, a-t-il dit, comme révolutionnaire.

Les mendiants pleuraient de peur, de faim et de froid, blottis dans l'ombre. Ils ne voyaient même pas leurs mains. Parfois, ils tombaient en léthargie, et la respiration de la sourde-muette enceinte courait parmi eux comme à la recherche d'une issue.

Qui sait à quelle heure — à minuit, peut-être — on les sortit de leur cachot. Il fallait enquêter au sujet d'un crime politique, d'après ce que leur dit un homme petit et gros, à la figure couleur de safran, avec une moustache soignée sans soin sur de grosses lèvres, un nez un peu camus et des yeux enfoncés. Il finit par leur demander à tous, puis à chacun d'eux en particulier, s'ils connaissaient l'auteur ou les auteurs de l'assassinat de la Porte du Seigneur, perpétré la nuit précédente sur la personne d'un Colonel de l'Armée.

Un quinquet fumeux éclairait la pièce où on les avait transférés. Sa faible clarté semblait traverser des lentilles pleines d'eau. Où étaient les choses ? Où était le mur ? Où étaient ce râtelier mieux armé que les mâchoires d'un tigre et ce ceinturon de policier, gros de coups de revolver ?

La réponse inattendue des mendiants fit sauter de son siège le Président du Tribunal Spécial qui les interrogeait.

— Allez-vous me dire la vérité ? cria-t-il en ouvrant des yeux de basilic derrière des lunettes de myope, après avoir donné un grand coup de poing sur la table qui lui servait de bureau.

L'un après l'autre, ils répétèrent que l'assassin était le Pantin, racontant avec des voix d'âmes en peine les détails du crime qu'ils avaient vu s'accomplir sous leurs propres yeux.

Sur un signe du Président, les policiers, qui attendaient à la porte en tendant l'oreille, se mirent à frapper les mendiants tout en les poussant vers une salle délabrée. De la poutre maîtresse, à peine visible, pendait une longue corde.

— C'est l'idiot ! criait le premier qu'on soumit à la torture, dans son désir d'échapper à la souffrance en disant la vérité. C'est l'idiot, monsieur ! C'est l'idiot ! Par Dieu, monsieur, je jure que c'est l'idiot ! L'idiot ! L'idiot ! Le Pantin ! Le Pantin ! C'est lui ! C'est lui !...

— C'est ce qu'on vous a conseillé de me dire, mais avec moi les mensonges ne prennent pas : la vérité ou la mort... Sachez-le, écoutez, sachez-le bien ; apprenez-le si vous ne le savez pas...

La voix du Président se perdait comme un bourdonnement de sang dans l'oreille de l'infortuné qui, sans pouvoir poser les pieds sur le sol, pendu par les pouces, ne cessait de crier :

— C'est l'idiot ! C'est l'idiot ! Je vous jure que c'est l'idiot ! C'est l'idiot ! C'est l'idiot !

— Mensonge !... affirma le Président après un silence. Mensonge ! Menteur ! Je vais vous dire, moi, qui a assassiné le colonel José Parrales Sonriente, et on verra bien si vous osez le nier ; je vais vous le dire, moi... c'est le général Eusebio Canales et maître Abel Carvajal !

A sa voix succéda un silence glacé, puis une plainte suivie d'une autre plainte, et enfin un oui... Lorsque la corde fut lâchée, La Veuve tomba à la renverse, sans connaissance. Ses joues de mulâtre, couvertes de sueur et de pleurs, ressemblaient à du charbon mouillé par la pluie. Interrogés à la suite, ses compagnons, tremblant comme les chiens qui meurent dans la rue, empoisonnés par la police, confirmèrent les paroles du Président du Tribunal, tous, sauf le Moustique. Il avait sur le visage un rictus de peur et de dégoût. On le pendit par les doigts, car il affirmait, à demi enterré, ne sortant de terre qu'à moitié comme tous ceux qui n'ont pas de jambes, que ses compagnons mentaient en accusant des personnes étrangères à un crime dont l'unique responsable était l'idiot.

— Responsable !... Le juge saisit le mot au vol. Comment osez-vous dire qu'un idiot est responsable ? Voyez vos mensonges ! Responsable, un irresponsable !

— Ça, c'est à lui qu'il faut le demander...

— Il faut cogner ! suggéra un policier à voix de femme, et un autre, d'un coup de nerf de bœuf, lui cingla le visage.

— Dites la vérité ! cria le Président, tandis que le coup claquait sur les joues du vieux... La vérité, ou vous resterez pendu toute la nuit.

— Vous ne voyez pas que je suis aveugle ?...

— Niez alors que c'était le Pantin...

— Non, parce que je dis la vérité et que moi, j'ai des couilles au cul !

Un double coup de fouet lui ensanglanta les lèvres.

— Vous êtes aveugle, mais vous entendez ; dites la vérité, témoignez comme vos compagnons...

— D'accord — concéda le Moustique d'une voix éteinte, le Président crut avoir gagné la partie — d'accord, espèce de con d'abruti, c'est le Pantin...

— Imbécile !...

L'insulte du Président se perdit dans les oreilles d'une moitié d'homme qui, désormais, n'entendrait plus. Lorsqu'on défit la corde, le cadavre du Moustique, c'est-à-dire son thorax, puisqu'il lui manquait les deux jambes, tomba à la verticale, comme un pendule cassé.

— Vieux menteur ! Sa déclaration n'aurait servi à rien puisqu'il était aveugle ! s'écria le Président du Tribunal en passant près du cadavre.

Et il courut faire son rapport à Monsieur le Président sur les premiers résultats de l'enquête, dans une voiture tirée par deux chevaux maigres et qui en guise de lumière dans ses lanternes avait les yeux de la mort. La police jeta le corps du Moustique dans une charrette d'ordures qui se dirigea vers le cimetière. Les coqs commençaient à chanter. Les mendiants en liberté reparaissaient dans les rues. La sourde-muette pleurait de peur parce qu'elle se sentait un enfant dans les entrailles.

Someone is killed. I ase is
gone to court with subject.
The shows and introduces what
the story is about.

3

La fuite du Pantin

Le Pantin s'enfuit le long des rues intestinales, étroites et sinueuses, des faubourgs de la ville, sans troubler de ses cris effrénés la respiration du ciel ni le sommeil des habitants, aussi égaux dans le miroir de la mort que différents dans la lutte qu'ils reprendraient au lever du soleil, les uns manquant du nécessaire, obligés de travailler pour gagner leur pain, les autres pourvus du superflu dans l'industrie privilégiée de l'oisiveté : amis de Monsieur le Président, propriétaires — quarante maisons, cinquante maisons —, prêteurs à neuf, neuf et demi, dix pour cent d'intérêt mensuel, fonctionnaires cumulant sept ou huit emplois publics, exploitants de concessions, de monts-de-piété, de titres professionnels, de maisons de jeux, d'enceintes pour combats de coqs, d'Indiens, de fabriques d'eaux-de-vie, de maisons de prostitution, de tavernes et de journaux subventionnés.

La rougeur de l'aube teignait les bords de l'entonnoir que les montagnes formaient autour de la ville, répandue sur la campagne comme des pellicules de crasse. Dans les rues, vrais souterrains, dans l'ombre, passaient les premiers ouvriers allant à leur travail, fantômes dans le néant d'un monde recréé à chaque aube, suivis, quelques heures plus tard, par les employés de bureau, les vendeurs de magasin, les artisans et les collégiens, et vers onze heures, quand le soleil est déjà haut, par les beaux messieurs qui sortaient pour une promenade à la fois digestive et apéritive, ou qui se mettaient en quête d'un ami influent, dans le dessein d'aller avec lui acheter à moitié prix, aux instituteurs faméliques, les reçus de leurs appointements arriérés. Les rues toujours dans une obscurité de souterrain, le silence était troublé, avec un bruit de feuilles de maïs, par les jupons amidonnés de la fille du peuple qui sans repos s'ingéniait pour nourrir sa famille — charcutière, crémière, marchande des quatre saisons, tripière — et celle qui se levait bon matin pour débrouiller ses affaires ; puis quand la clarté de l'aube se diluait entre le rose et le blanc, comme une fleur de bégonia, on entendait les pas menus de l'employée toute maigre, regardée de haut par les belles dames qui, elles, ne sortaient de leurs appartements qu'une fois le soleil déjà chaud, pour s'étirer dans les corridors, raconter leurs rêves aux servantes, critiquer les passants, tripoter le chat, lire le journal ou se regarder dans la glace.

Moitié dans la réalité, moitié dans le rêve, le Pantin courait, poursuivi par les chiens et par les clous d'une pluie fine. Il courait au hasard, épouvanté, la bouche ouverte, la langue pendante, haletant et les bras en l'air. Des portes et des portes et des fenêtres· et des portes et des fenêtres défilaient de chaque côté de lui... Il s'arrêtait brusquement, les mains sur la figure, pour se défendre des poteaux télégraphiques ; puis, se rendant compte que les poteaux étaient inoffensifs, il riait aux éclats et repartait, comme qui s'enfuit d'une prison dont les murs de brouillard s'éloignent devant lui à mesure qu'il avance.

Dans les faubourgs où la ville sort au dehors, tel quelqu'un qui arrive enfin à son lit, il se laissa tomber sur un tas d'ordures et s'endormit. Une vaste toile d'araignée s'étendait sur le pourrissoir, tissée en branches d'arbres secs vêtus d'urubus, oiseaux noirs qui, sans quitter le Pantin de leurs yeux bleuâtres, se posèrent sur le sol en le voyant inerte et le cernèrent en sautillant — un saut par ci, un saut par là — en une danse macabre d'oiseaux de proie. Regardant sans cesse de tous côtés, s'aplatissant, prêts à prendre leur vol au moindre mouvement des feuilles ou du vent sur les ordures — un saut par ci, un saut par là — ils resserrèrent le cercle jusqu'à tenir leur victime à portée de bec. Un croassement féroce donna le signal de l'attaque. Le Pantin se réveilla debout, se défendant déjà... Un des plus hardis avait cloué son bec dans la lèvre supérieure, l'enterrant comme un dard, jusqu'aux dents, pendant que les autres charognards se disputaient les yeux et le cœur à coups de bec. Celui qui tenait la lèvre s'acharnait pour arracher le morceau, sans se soucier que la proie fût vivante, et il y serait parvenu si le Pantin n'avait roulé dans un précipice d'ordures, en reculant, au milieu de nuages de poussière et de détritus qui s'écroulaient d'un bloc, comme des croûtes.

Le soir tomba. Ciel vert. Campagne verte. Dans les casernes sonnaient les clairons de six heures, relent de tribu en alerte et de place médiévale assiégée. Dans les geôles, commençait l'agonie des prisonniers qu'on tuait à tire d'ans. Les horizons rentraient leurs petites têtes dans les rues de la ville, escargot aux mille têtes. On revenait des audiences présidentielles, en faveur ou en disgrâce. La lumière des tripots poignardait dans l'ombre.

L'idiot luttait contre le fantôme de l'urubu qu'il sentait sur lui, et contre la douleur d'une jambe qu'il s'était cassée en tombant, douleur insupportable, noire, qui lui arrachait la vie.

Toute la nuit, il se plaignit, doucement et très fort, doucement et très fort, comme un chien blessé...

...Erre, erre, ere... ...Erre, erre, ere...

...Erré-é-erré-é-erré-é-erré... e-erré... e-erré.

Parmi les plantes sylvestres qui transformaient les ordures de la ville en fleurs magnifiques, près d'un œil d'eau douce, le cerveau de l'idiot convertissait en tempêtes gigantesques le petit univers de sa tête.

...E-e-eerrrr... E-e-eerrrr... E-e-errrr...

Les ongles acérés de la fièvre lui sciaient le front. Dissociation d'idées. Elasticité du monde dans les miroirs. Disproportion fantastique. Ouragan en délire. Fuite vertigineuse, horizontale, verticale, oblique, nouvelle née et morte en spirale...

...Erré, erré, eré, eré, erré, eré, erré...

Courbedecourbeencourbedecourbeencourbedecourbe la femme de Loth. (Celle qui a inventé la Loterie ?) Les mules qui tiraient un tramway se transformaient en femme de Loth et leur immobilité irritait les conducteurs qui, non contents de casser sur elles leur fouet et de leur lancer des pierres, invitaient parfois les messieurs à faire usage contre elles de leurs armes. Les plus honorables portaient des poignards et, à coups d'estoc, faisaient avancer les mules...

...Erré, erré, eré...

I.N.R.Idiot ! I.N.R.Idiot !...

L'aiguiseur aiguise ses dents pour rire ! Aiguiseurs de rire ! Dents de l'aiguiseur !

Mère !

Le cri de l'ivrogne le secouait.

Mère !

La lune, parmi les nuages, brillait avec éclat. Sur les feuilles humides, sa blancheur prenait un éclat et un ton de porcelaine.

Voici qu'on emporte !...

Voici qu'on emporte !...

Voici qu'on emporte les saints de l'église, et on va les enterrer !

Ah ! quelle joie, ah ! on va les enterrer, ah ! quelle joie, ah !

Le cimetière est plus gai que la ville, plus propre que la ville ! Ah ! quelle joie, on va, ah ! les enterrer !

Ta-ra-ra ! Ta-ra-ri !

Tit-tit !

Ta-ra-ra ! Ta-ra-ri !

Zim-la-boum, boum, zim-la-boum !

Boulanchascobinachou, eh, eh, le-turc-du-portail, eh-eh-eh !

Tit-tit !

Zim-la-boum, boum, zim-la-boum !

Et, bousculant tout, il continuait, à grands sauts, d'aller d'un volcan à l'autre, d'astre en astre, de ciel en ciel, moitié éveillé, moitié endormi, parmi des bouches grandes et petites, avec dents et sans dents, avec lèvres et sans lèvres, avec de doubles lèvres, avec des doubles langues, avec des triples langues, qui lui criaient : Mère ! Mère ! Mère !

Tu-tut ! Il prenait le train du garde pour s'éloigner rapidement de la ville, vers les montagnes qui faisaient la courte échelle aux volcans, au delà des pylônes de la T.S.F., plus loin que le marché aux puces, plus loin qu'un fort d'artillerie, vol-au-vent farci de soldats.

Mais le train revenait à son point de départ comme un jouet attaché à un fil, et, à son arrivée, tracatra, tracatra, une marchande de légumes nasillarde, les cheveux raides comme l'osier de ses paniers, l'attendait à la gare et lui criait :

— Du pain pour l'idiot, perroquet !... De l'eau pour l'idiot ! De l'eau pour l'idiot !

Poursuivi par la marchande de légumes qui le menaçait d'une calebasse pleine d'eau, il courait vers la Porte du Seigneur ; mais, en arrivant... MERE ! Un cri... un saut... un homme... la nuit... la lutte... la mort... le sang... la fuite... l'idiot... « De l'eau pour l'idiot, perroquet ! De l'eau pour l'idiot !... »

La douleur de sa jambe le réveilla. A l'intérieur de ses os il sentait un labyrinthe. Ses pupilles s'attristèrent à la lumière du jour. Des plantes grimpantes endormies, éclaboussées de jolies fleurs, invitaient à se reposer sous leur ombre, près de la fraîcheur d'une source qui remuait sa queue écumeuse comme si, parmi les mousses et les fougères, se cachait un écureuil argenté.

Personne. Personne.

Le Pantin s'enfonça de nouveau dans la nuit de ses yeux, afin de lutter contre la souffrance, cherchant une position pour sa jambe cassée, retenant de la main sa lèvre déchirée. Mais quand il lâcha ses paupières chaudes, des ciels de sang passèrent sur lui. Parmi des éclairs fuyait l'ombre des vers transformée en papillon.

Sur le dos, il s'enfonça dans le délire en agitant une clochette. Des glaces pour les moribonds ! Le marchand de glaces vend le viatique ! Le curé vend des glaces pour les moribonds ! Ding, ding ! Des glaces pour les moribonds ! Le viatique passe ! Le marchand de glaces passe ! Ote ton chapeau, muet, stupide ! Des glaces pour les moribonds !...

This chapter explains more about the politics of the situation

4

Visage d'Ange

Couvert de papiers, de bouts de cuir, de chiffons, de sque-
lettes de parapluies, de bords de chapeaux de paille, de vieux
ustensiles de cuisine percés, de morceaux de porcelaine et
de boîtes en carton, de couvertures de livres, de vitres cassées,
de souliers racornis par le soleil, de cols, de coquilles d'œufs,
de bouts de coton, de reliefs de repas, le Pantin continuait à
rêver. Il se voyait maintenant dans une grande cour, entouré
de masques ; il s'aperçut bientôt que c'étaient des visages
attentifs à un combat de coqs. Le combat fut bref comme un
feu de paille. L'un des combattants expira sans agonie, sous
les yeux mornes des spectateurs, heureux de voir les couteaux
à lame recourbée sortir, tout poisseux de sang. Atmosphère
d'eau-de-vie. Jets de salive couleur de tabac. Entrailles. Fatigue
sauvage. Torpeur. Mollesse. Méridien tropical. Quelqu'un
passait dans son rêve sur la pointe des pieds, pour ne pas
le réveiller...

La mère du Pantin était là, maîtresse d'un éleveur de
coqs qui jouait de la guitare avec des ongles de silex, et
victime de sa jalousie et de ses vices. Histoire à n'en plus
finir que celle de ses malheurs : femelle de ce bon à rien et
martyre de l'enfant qui était né — au dire des matrones qui
savent toujours tout — sous l'influence « dirète » de la lune
en transe, dans son agonie s'étaient confondus la tête dispro-
portionnée de son fils — une tête énorme, ronde et avec deux
cornes comme la lune — les visages osseux de tous les malades
de l'hôpital et les grimaces de peur, de dégoût, les hoquets,
les nausées, les vomissements de l'éleveur de coq complètement ivre.

Le Pantin perçut le bruit de son jupon amidonné, vent et feuilles, et courut derrière elle, les larmes aux yeux.

Il se calma sur le sein maternel. Les entrailles de celle qui lui avait donné le jour absorbèrent comme du papier buvard la douleur de ses blessures. Refuge profond et imperturbable ! Affection substantielle ! Petit lis joli ! Mon grand lis joli ! Câlin, câlinou !

Au plus secret de son oreille, chantonnait l'éleveur de coqs :

> *Comment donc...*
> *comment donc...*
> *comment donc, confit-ture-ture,*
> *comme je suis un coq, lure-lure*
> *pour lui casser la patte, dure-dure,*
> *faut lui rogner l'aile, lure-lure.*

Le Pantin releva la tête et sans le dire il dit :

— Pardon, petite mère, pardon !

Et l'ombre, qui lui passait la main sur le visage en le câlinant, répondit à sa plainte :

— Pardon, mon fils, pardon !

La voix de son père, sentier tombé d'un verre d'eau-de-vie, s'entendait de très loin :

> *Je me suis collé...*
> *je me suis collé...*
> *je me suis collé avec une blanche,*
> *et quand la yuca est bonne*
> *on n'arrache que la touffe !*

Le Pantin rêva qu'il murmurait :

— Petite mère, j'ai mal à l'âme !

Et l'ombre, qui lui passait la main sur le visage en le câlinant, répondit à sa plainte :

— Mon fils, j'ai mal à l'âme !

Le bonheur n'a pas goût de chair. Près d'eux descendait pour baiser la terre l'ombre d'un pin, fraîche comme un ruisseau. Et dans le pin chantait un oiseau qui, en même temps qu'oiseau, était une clochette d'or :

— Je suis la Pommerose de l'Oiseau du Paradis, je suis la vie ; la moitié de mon corps est mensonge, l'autre moitié est vérité ; je suis rose et je suis pomme ; je donne à tous un œil de verre et un œil vrai ; ceux qui regardent avec mon œil de verre, voient parce qu'ils rêvent ; ceux qui voient avec mon œil vrai, voient parce qu'ils regardent ! Je suis la vie, la Pommerose de l'Oiseau du Paradis, je suis le mensonge de toutes les choses réelles et la réalité de toutes les fictions !

Subitement, le Pantin abandonnait le giron maternel et courait voir passer des saltimbanques : Chevaux, à la crinière longue comme des saules pleureurs, montés par des femmes vêtues de verrerie. Chariots, ornés de fleurs et de banderoles en papier de soie, roulant sur les pavés inégaux des rues avec une instabilité d'ivrognes. Troupe de musiciens crasseux, souffleurs de cuivres, racleurs de violons, batteurs de tambours. Les Paillasses enfarinés distribuaient des programmes bariolés qui annonçaient la représentation de gala en l'honneur du Président de la République, Bienfaiteur de la Patrie, Chef du Grand Parti Libéral et Protecteur de la Jeunesse Studieuse.

Son regard errait sur l'étendue d'une voûte très haute. Les saltimbanques le laissèrent, perdu dans un édifice élevé sur un abîme sans fond, couleur vert-de-gris. Les bancs à dossier pendaient des rideaux comme des ponts suspendus. Les confessionnaux montaient et descendaient entre la terre et le ciel, ascenseurs d'âmes actionnés par l'Ange à la Boule d'Or et le Diable aux Onze Mille Cornes. D'une petite chapelle — de même que la lumière passe à travers les vitres, malgré le verre — sortit la Vierge du Carmel pour lui demander ce qu'il voulait, qui il cherchait. Et avec elle, propriétaire de cette maison, miel des anges, raison des saints et pâtisserie des pauvres, il s'arrêta, tout content, pour bavarder. Cette si grande dame ne mesurait pas un mètre ; mais, quand elle parlait, elle donnait l'impression de tout savoir comme les grandes personnes. Par gestes, le Pantin lui raconta combien il aimait mâcher de la cire ; et elle, mi-sérieuse, mi-souriante, lui dit de prendre l'un des cierges allumés sur son autel. Puis, relevant les plis de son manteau

d'argent, qui était trop long, elle le conduisit par la main
à un étang plein de poissons rouges et lui donna l'arc-en-ciel
à sucer comme un sucre d'orge. Le bonheur complet. Il se
sentait heureux depuis la pointe de sa langue jusqu'au bout
de ses pieds. Ce qu'il n'avait jamais eu durant sa vie : un
morceau de cire à mâcher, un sucre d'orge à la menthe, une
pièce d'eau avec des poissons rouges, et une mère pour
masser sa jambe cassée en chantant « dodo, l'enfant do », il
l'obtenait, endormi sur les ordures.

Mais le bonheur dure le temps d'une averse par beau
temps. Par un chemin de terre couleur de lait, qui allait se
perdre dans le dépotoir, un bûcheron descendit, suivi de son
chien, un fagot de bois sur le dos, sa veste pliée sur le fagot
et la hache sur les bras comme on porte un enfant. La
fondrière n'était pas profonde, mais le crépuscule l'enfonçait
dans des ombres qui enveloppaient dans leur linceul les
ordures entassées dans le fond, détritus de la vie humaine
que, la nuit venue, la peur restituait à la quiétude. Le bûcheron se retourna. La présence de quelqu'un caché par là le
freinait. Le chien hurlait, hérissé, comme s'il voyait le diable.
Un tourbillon de vent souleva les papiers sales, souillés
comme par du sang de femme ou du jus de betterave. Le
ciel se voyait très loin, très bleu, orné comme une très haute
tombe par des couronnes d'urubus qui volaient en cercles
somnolents. Soudain, le chien se mit à courir vers l'endroit
où se trouvait le Pantin. Un frisson de peur secoua le bûcheron. Pas à pas, derrière le chien, il s'approcha pour voir qui
était le mort. On risquait de se blesser les pieds sur les bouts
de verre coupants, sur les culs de bouteilles ou sur les boîtes
de sardines vides et il fallait sauter par-dessus les excréments
pestilentiels et les taches d'ombre. Comme des embarcations
sur une mer d'ordures, les cuvettes faisaient eau.

Sans même poser son fardeau — sa peur était autrement
pesante — il tira par un pied ce qu'il croyait être un cadavre,
et quel ne fut pas son étonnement de se trouver devant un
homme vivant, dont les palpitations formaient un graphique
d'angoisse à travers ses cris et les aboiements du chien,
comme le vent quand il double la pluie ! Les pas de quelqu'un

qui marchait par là, dans un proche bosquet de pins et de vieux goyaviers, achevèrent de troubler le bûcheron. Si c'était un policier... Eh bien, vrai... Il ne manquerait plus que ça !...

— La paix, clébard, cria-t-il au chien et, comme celui-ci continuait d'aboyer, il lui décocha un coup de pied. Animal de clebs, fous la paix !

Il eût l'idée de passer son chemin. Mais prendre le large c'était se rendre coupable de délit... Pire encore s'il s'agissait d'un policier... Et, se retournant vers le blessé :

— Vite, que je vous aide... Mon Dieu ! mais un peu plus on vous tuait ! Vite, n'ayez pas peur, ne criez pas, je ne vous veux pas de mal, je passais par là, je vous ai vu étendu et...

— J'ai vu que tu le déterrais, dit soudain une voix derrière son dos, et je suis revenu sur mes pas, pensant que ce pouvait être quelqu'un de connaissance. Tirons-le d'ici...

Le bûcheron tourna la tête pour répondre et, pour un peu, serait tombé de surprise ; il en eut le souffle coupé et s'il ne détala pas, ce fut pour ne pas lâcher le blessé qui tenait à peine debout. Celui qui lui parlait était un ange : teint de marbre doré, cheveux blonds, petite bouche et un air féminin qui contrastait violemment avec le noir profond de ses yeux au regard viril. Il était vêtu de gris. Son costume, à la clarté du crépuscule, avait l'air d'un nuage. Il tenait dans ses mains fines une canne de bambou très mince et un large chapeau qui ressemblait à une colombe.

— Un ange !... — le bûcheron ne le quittait pas des yeux — ...un ange, se répétait-il... un ange !

— On voit à son costume que c'est un pauvre diable, dit le nouveau venu ; comme il est triste d'être pauvre...

— C't à voir, dans ce monde tout a son bon et son mauvais côté. Voyez, moi, je suis bien pauvre — le travail, ma femme et ma cabane — et je ne trouve pas que mon sort soit triste, balbutia le bûcheron comme dans un rêve, pour se concilier les bonnes grâces de l'ange qui pouvait peut-être le transformer à son gré de bûcheron en roi pour le récompenser de sa résignation chrétienne. Et, pendant un instant, il se vit habillé d'or, couvert d'un manteau rouge, coiffé d'une couronne ornée de pointes et dans la main un sceptre serti de brillants. Le dépotoir reculait, très loin...

— C'est curieux ! observa le nouveau venu dont la voix couvrit les gémissements du Pantin.

— Pourquoi curieux ?... Après tout, c'est nous, les pauvres, les plus résignés, et qu'y faire ?... Vrai qu'avec ces choses des écoles, ceux qu'ont appris à lire sont influencés par des idées impossibles. Même ma femme s'attriste, parfois, parce qu'elle dit qu'elle voudrait avoir des ailes, le dimanche.

Le blessé s'évanouit deux ou trois fois sur la côte de plus en plus raide. Les arbres montaient et descendaient devant les yeux du moribond, comme les doigts des danseurs dans les danses chinoises. Les paroles de ceux qui le soutenaient en le portant presque, parcouraient ses oreilles en zigzaguant, comme des ivrognes sur un terrain glissant. Une grande tache noire lui saisissait le visage. De brusques frissons soufflaient à travers son corps la cendre des images brûlées.

— Ainsi, ta femme voudrait avoir des ailes le dimanche ? dit l'apparition. Avoir des ailes ! et dire que, lorsqu'elle les aurait, elles ne lui serviraient à rien.

— C'est comme ça !... elle dit qu'elle les voudrait pour aller se promener ; et quand elle est fâchée contre moi, elle les demande au vent.

Le bûcheron s'arrêta pour essuyer la sueur de son front avec sa manche, et s'écria :

— Y pèse son poids !

Pendant ce temps, l'apparition disait :

— Pour cela, ses pieds lui suffisent amplement ; même si elle avait des ailes, elle ne s'en irait pas.

— Bien sûr que non, et ce ne serait pas par bonté, mais parce que la femme est un oiseau qui ne sait pas vivre sans cage, et parce que je n'aurais pas assez des morceaux de bois que j'apporte pour les casser sur son dos — il se souvint alors qu'il parlait à un ange et s'empressa de dorer la pilule : avec du doigté, vous ne croyez pas ?

L'inconnu resta silencieux.

— Qui a bien pu battre ce pauvre homme ? ajouta le

bûcheron pour changer de conversation, gêné par ce qu'il venait de dire.

— Ce n'est pas ce qui manque...

— C'est bien vrai qu'il y a des gens capables de tout... Celui-ci, sûr qu'on s'est pas cassé la nénette pour lui : un coup de couteau en pleine figure et au dépotoir.

— Il a sans doute d'autres blessures.

— A mon avis, celle de la lèvre, on la lui a faite avec un rasoir, et on l'a jeté ici, croyez-moi, pour que le crime reste caché.

— Mais entre le ciel et la terre...

— C'est ce que j'allais dire.

Les arbres se couvraient d'urubus prêts à sortir du ravin, et la peur, plus forte que la douleur, fit taire le Pantin ; à mi-chemin entre le tire-bouchon et le hérisson, il se contracta dans un silence de mort.

Le vent courait, léger, sur la plaine ; il soufflait de la ville vers la campagne, effilé, aimable, familier.

L'apparition consulta sa montre et s'en alla, après avoir mis quelques pièces dans la poche du blessé et pris congé du bûcheron avec affabilité.

Le ciel, sans un nuage, brillait avec un éclat splendide. Les faubourgs de la ville s'avançaient jusque dans la campagne, avec des lumières électriques allumées comme des allumettes dans un théâtre plongé dans le noir. Les frondaisons ondoyantes surgissaient de l'ombre près des premières habitations : chaumières de boue sentant la paille, baraques de bois sentant l'Indien, grandes maisons au vestibule sordide puant l'écurie, et auberges où l'on trouvait du fourrage, une servante dont l'amoureux est à la caserne et la veillée des muletiers dans l'obscurité.

Le bûcheron abandonna le blessé en arrivant aux premières maisons ; toutefois, il lui indiqua le chemin de l'hôpital. Le Pantin entrouvrit les paupières, à la recherche d'un soulagement, de quelque chose qui lui ôterait le hoquet ; mais c'est sur les portes fermées de la rue déserte que son regard de moribond, aigu comme une épine, planta sa prière. On entendait au loin les clairons, soumission de peuple nomade, et des cloches qui disaient, pour les fidèles défunts, de trois en trois coups tremblants : Miséricorde ! Miséricorde ! Miséricorde !

Un urubu qui se traînait dans l'ombre l'effraya. La plainte pleine de rancœur de la bête, dont une aile était cassée, lui parut une menace. Peu à peu, il s'éloigna de là, lentement, s'appuyant contre les murs, contre le tremblement immobile des murs, plainte après plainte, sans savoir où il allait, avec le vent dans la figure, le vent qui mordait de la glace pour souffler la nuit. Le hoquet le harcelait...

Le bûcheron laissa tomber le fagot de bois dans la cour de sa cabane, comme d'habitude. Le chien, qui l'avait précédé, lui fit fête. Il écarta l'animal et, sans enlever son chapeau, ouvrant, comme des ailes de chauve-souris, sa veste posée sur ses épaules, s'approchant du feu allumé dans un coin, et sur lequel sa femme réchauffait les galettes de maïs, il lui raconta ce qui était arrivé.

— Sur le dépotoir, j'ai rencontré un ange...

Le reflet des flammes scintillait sur les murs de bambou et sous le toit de paille, comme les ailes d'autres anges.

De la cabane s'échappait une fumée blanche, tremblante, végétale.

Police and other people understand the hardships of the social construct and now bad Estrada as making it worse.

5

L'autre espèce d'abruti

Le secrétaire du Président écoutait le docteur Barreño.

— Je vous dirai, Monsieur le Secrétaire, que depuis dix ans je vais tous les jours dans une caserne en qualité de chirurgien militaire. Je vous dirai que j'ai été victime d'un outrage inqualifiable, que j'ai été arrêté, arrestation que je dois à... Je vous dirai la chose suivante : à l'hôpital militaire, s'est présentée une maladie étrange ; chaque jour il mourait dix ou douze individus le matin, dix ou douze autres l'après-midi et autant encore le soir. Je vous dirai que le Chef de la Santé Militaire m'avait chargé, ainsi que plusieurs confrères, d'étudier la question et de chercher ce qui pouvait provoquer la mort d'individus qui, la veille, entraient à l'hôpital en bonne santé, ou à peu près. Je vous dirai qu'après cinq autopsies j'arrivai à établir que ces malheureux mouraient d'une perforation de l'estomac de la grosseur d'une pièce de cinq sous, causée par un toxique que je ne connaissais pas et qui se trouva être le sulfate de soude qu'on leur donnait comme purge, sulfate de soude acheté aux fabriques d'eaux gazeuses, et par conséquent de mauvaise qualité. Je vous dirai que mes collègues médecins ne firent pas le même diagnostic, et c'est sans doute pour cela qu'ils ne furent pas arrêtés ; il s'agissait pour eux d'une maladie nouvelle et il convenait d'approfondir la chose. Je vous dirai que cent quarante soldats sont morts et qu'il reste encore deux barils de sulfate. Je vous dirai que, pour voler quelques pesos, le Chef de la Santé Militaire a sacrifié ainsi cent quarante hommes, plus ceux qui suivront... Je vous dirai...

— Docteur Luis Barreño ! cria à la porte du secrétariat un officier attaché à la maison militaire du Président.

— ...Je vous dirai, Monsieur le Secrétaire, ce qu'Il me dira.

Le secrétaire fit quelques pas avec le docteur Barreño. Par son aspect humanitaire, l'embrouillamini de son récit échelonné, monotone, gris, en harmonie avec sa tête poivre et sel et son visage d'homme de science pareil à un beefsteak desséché, retenait l'attention.

Le Président de la République reçut le médecin debout, la tête haute, un bras naturellement pendant, l'autre derrière le dos et, sans lui laisser le temps de le saluer, lui cria :

— Je vous dirai, don Luis, pour le coup, que je ne suis pas disposé à tolérer des commérages de médicastres qui diminuent, si peu que ce soit, le crédit de mon gouvernement. Mes ennemis devraient le savoir et bien rester sur leurs gardes car, à la première occasion, je leur ferai sauter la tête ! Retirez-vous ! Sortez !... et appelez-moi l'autre espèce d'abruti !

A reculons, le chapeau à la main, une ride tragique au front, pâle comme il serait le jour de son enterrement, le docteur Barreño sortit.

— Perdu, Monsieur le Secrétaire, je suis perdu !... Tout ce que j'ai entendu a été : Retirez-vous, sortez, appelez-moi l'autre espèce d'abruti...

— C'est moi, « l'autre espèce d'abruti » !

D'une table placée dans un angle, un gratte-papier se leva et, après avoir prononcé ces mots, entra dans le bureau présidentiel par la porte que le docteur Barreño venait de franchir.

— J'ai cru qu'il allait me battre... si vous aviez vu... si vous aviez vu... souffla le médecin en essuyant la sueur qui coulait sur sa figure, si vous aviez vu ! Mais je vous retiens, Monsieur le Secrétaire, et vous êtes très occupé. Je m'en vais, vous m'entendez ? Et merci beaucoup...

— Au revoir, cher docteur. De rien. Bonne chance.

Le secrétaire terminait le courrier que Monsieur le Président signerait dans quelques instants.

La ville buvait l'orangeade du crépuscule, vêtue de jolis nuages de tarlatane, avec des étoiles sur la tête comme un ange de retable. Des clochers lumineux tombait dans les rues la bouée de sauvetage de l'*Ave Maria*.

Barreño rentra chez lui anéanti. Qui peut être à l'abri d'un coup de poignard dans le dos ! Il ferma la porte en regardant les toits, d'où une main criminelle pouvait descendre l'étrangler, et se réfugia dans sa chambre, derrière une penderie.

Les habits étaient accrochés, solennels, comme des pendus conservés dans la naphtaline et sous leur signe de mort, Barreño se souvint de l'assassinat de son père qui avait eu lieu, la nuit, dans un chemin solitaire, il y avait longtemps. La famille avait dû se contenter d'une enquête judiciaire sans résultats, la farce couronnait l'infamie, et d'une lettre anonyme qui disait plus ou moins ceci :

« Nous revenions, mon beau-frère et moi, par le chemin qui va de Vuelta Grande à la Canoa, vers onze heures du soir quand, au loin, éclata une détonation, puis une autre, une autre, une autre encore... Nous pûmes en compter cinq. Nous nous réfugiâmes dans un petit bois voisin et entendîmes le galop de cavaliers qui se dirigeaient de notre côté. Hommes et chevaux passèrent près de nous en nous frôlant presque, et nous continuâmes notre route après un moment, quand tout fut silencieux. Mais nos bêtes ne tardèrent pas à se cabrer. Tandis qu'elles reculaient en hennissant, nous mîmes pied à terre, pistolet à la main, pour voir de quoi il s'agissait, et nous trouvâmes le cadavre d'un homme, étendu face contre terre, et, un peu plus loin, une mule blessée que mon beau-frère acheva. Sans hésiter, nous retournâmes à Vuelta Grande pour donner l'alarme. A la Préfecture militaire, nous trouvâmes le colonel José Parrales Sonriente, *l'homme à la petite mule*, assis, entouré d'un groupe d'amis, devant une table couverte de verres. Nous l'appelâmes à part et lui racontâmes ce que nous avions vu. D'abord les coups de feu, puis... En nous entendant, il haussa les épaules, tourna les yeux vers la flamme de la bougie fumeuse, et répondit calmement :

— Rentrez tout droit chez vous, je sais ce que je dis, et ne reparlez jamais de cela... »

— Louis !... Louis !...

Dans la penderie, une lourde redingote se décrocha comme un oiseau de proie.

— Louis !

Barreño bondit et se mit à feuilleter un livre près de sa bibliothèque. Quelle peur sa femme aurait eue si elle l'avait trouvé caché derrière la penderie !

— Tu n'es même plus drôle, tu sais ! Tu vas te tuer à tant étudier, ou tu deviendras fou. Rappelle-toi que je n'arrête pas de te le dire ! Tu refuses de comprendre que dans cette vie, pour réussir, il faut plus de bagout que de savoir. Ça te sert à quoi d'étudier ? Ça te sert à quoi ? A rien ! On ne peut même pas dire que ça te rapporte une vulgaire paire de chaussettes, rien !... Nous voilà bien ! Nous voilà bien !...

La lumière et la voix de son épouse lui rendirent la tranquillité.

— Nous voilà bien ! Etudier... pourquoi étudier ? Pour qu'après ta mort on dise, comme on le dit de tout le monde, que tu étais un savant... Bah ! que les empiriques étudient... Toi, ce n'est pas nécessaire, tu as ton diplôme, c'est à cela qu'il sert, savoir sans faire d'études... Et ne me fais pas la tête ! Au lieu d'une bibliothèque, tu devrais avoir une clientèle. Si, pour chacun de ces bouquins qui ne servent à rien, tu avais un malade, nous serions en meilleure santé à la maison. Moi, je voudrais voir ta clinique pleine, entendre sonner le téléphone continuellement, que tu sois appelé en consultations, enfin, que tu arrives à être quelque chose.

— Tu appelles être quelque chose...

— Et alors !... quelque chose d'effectif... et pour cela tu ne me diras pas qu'il est nécessaire d'en perdre les cils sur des livres, comme tu le fais. Les autres médecins voudraient bien savoir la moitié de ce que tu sais. Il suffit d'avoir des relations, des gens ayant un nom. Le médecin de Monsieur le Président par-ci, le médecin de Monsieur le Président par-là... Ça, oui, ça c'est être quelque chose.

— A-lors — et Barreño appuya longuement sur le mot,

il avait un trou de mémoire — a-lors ma fille, perds tes
espérances. Tu tomberais à la renverse si je te disais que je
viens de voir le Président ; oui, le Président.

— Ah ! sapristi ! Que t'a-t-il dit ? Comment t'a-t-il reçu ?

— Mal. Faire sauter la tête ! c'est tout ce que je l'ai
entendu dire. J'ai eu peur, et le pire, c'est que je ne trouvais
plus la porte pour m'en aller.

— Une réprimande ? Bon, tu n'es ni le premier ni le
dernier qu'il attrape ; certains, il les bat !

Et, après un long silence, elle ajouta :

— Ce qui t'a toujours perdu, c'est la peur...

— Mais, ma vieille, montre-moi quelqu'un qui soit courageux devant un fauve.

— Non, mon ami, je ne parle pas de cela, je parle de
la chirurgie, puisque tu ne peux arriver à être médecin du
Président. Et pour cela, il faudrait que tu n'aies plus peur.
Ce qui est nécessaire à un chirurgien, c'est du courage. Crois-
moi, du courage et de la décision pour enfoncer le bistouri.
Une couturière qui ne gâche pas de tissu n'arrive jamais à
bien couper une robe. Et une robe, ça vaut quelque chose,
une robe. Les médecins, en revanche, peuvent se faire la main
sur les Indiens de l'hôpital. Et pour ce qui est arrivé avec
le Président, ne t'inquiète pas. Viens manger ! Le pauvre ne
doit pas être de bonne humeur, après cet horrible assassinat
Porte du Seigneur.

— Ecoute, tais-toi ! Qu'il n'arrive pas ce qui n'est jamais
arrivé, que je te donne une gifle ! Ce n'est pas un assassinat ;
et ça n'a rien d'horrible qu'on en ait fini avec cet odieux
bourreau qui, dans un chemin désert, a enlevé la vie à mon
père, vieillard sans défense...

— D'après une lettre anonyme !... On ne dirait pas que
tu es un homme. Qui tient compte des lettres anonymes ?

— Si je me préoccupais des lettres anonymes...

— On ne dirait pas que tu es un homme...

— Laisse-moi parler ! Si je me souciais des lettres anonymes, tu ne serais pas ici chez moi — Barreño fouillait dans
ses poches d'une main fébrile, le visage inexpressif — tu ne
serais pas ici, chez moi. Tiens, lis...

Pâle, sans autre couleur que le vermillon artificiel de ses lèvres, elle prit le papier que lui tendait son mari, et en une seconde le parcourut des yeux :

« Docteur, fêtes-nous le plêsir de consoler votre femme, maintenant que l'homme à la petite mule est passé dans un monde meilleur. Conseil d'amis et d'amies qui vous veulent du bien. »

Avec un éclat de rire douloureux, échardes de rire qui remplissaient les éprouvettes et les cornues du petit laboratoire de Barreño, tel un poison à analyser, elle rendit le papier à son mari. Une servante venait de dire par la porte :

— Le repas est servi !

Au palais, le Président signait le courrier, assisté par le petit vieux qui était entré au départ du docteur Barreño, quand il avait entendu qu'on appelait *l'autre espèce d'abruti.*

L'autre espèce d'abruti était un homme pauvrement vêtu, à la peau aussi rosâtre que celle d'une jeune souris, aux cheveux d'un or de mauvais aloi, aux yeux bleus et troubles perdus derrière des lunettes couleur de jaune d'œuf.

Le Président apposa la dernière signature et le petit vieux, en manipulant trop vite le tampon buvard, répandit l'encrier sur la feuille qui venait d'être signée.

— ABRUTI !

— Mon...sieur !

— ABRUTI !

Un coup de timbre..., un autre..., un autre... Des pas et un aide de camp parut à la porte.

— Général, qu'on donne sur-le-champ deux cents coups de bâton à celui-là, voilà ! rugit le Président, et il passa aussitôt dans la Résidence Présidentielle. Le repas était servi.

Les yeux de *l'autre espèce d'abruti* se remplirent de larmes. Il ne dit rien, parce qu'il ne pouvait pas et parce qu'il savait qu'il était inutile d'implorer son pardon. Monsieur le Président était endiablé depuis l'assassinat de Parrales Sonriente. Dans ses yeux brouillés se présentèrent pour implorer pitié pour lui sa femme et ses enfants : une vieille femme usée et une demi-douzaine de marmots efflanqués.

De sa main devenue crochet il cherchait la poche de son
veston pour tirer son mouchoir et pleurer amèrement, — ne
pouvoir crier pour se soulager —, pensant, non pas que ce
châtiment était injuste, comme l'aurait fait le reste des
mortels, mais au contraire, qu'il était normal qu'on le battît
pour lui apprendre à ne pas être si maladroit, — ne pouvoir
crier pour se soulager —, à bien faire les choses, à ne pas
répandre l'encre sur les notes — ne pouvoir crier pour se
soulager...

Entre ses lèvres serrées, ses dents pointaient comme
celles d'un grand peigne et contribuaient, avec ses joues
creuses et son angoisse, à lui donner l'aspect d'un condamné
à mort. La sueur de son dos collait sa chemise, le remplissant
de honte d'une façon étrange. Jamais il n'avait tant trans-
piré !... Ne pouvoir crier pour se soulager... Et les nausées de
la peur le le le faisaient grelotter.

L'aide de camp l'entraîna par un bras, comme un simple
d'esprit, plongé dans une torpeur macabre, les yeux fixes,
avec dans les oreilles une terrible sensation de vide, la peau
lourde, très lourde, se cassant à la hauteur des reins, faible,
de plus en plus faible...

Quelques minutes après, dans la salle à manger :

— Vous permettez, Monsieur le Président ?

— Entrez, général.

— Monsieur, je viens vous faire savoir que *l'autre espèce
d'abruti* n'a pas supporté les deux cents coups.

La servante, qui tenait le plat dont se servait le Président
à ce moment-là — des pommes de terre frites —, se mit à
trembler...

— Et vous, pourquoi tremblez-vous ? la gourmanda son
maître. Puis, se tournant vers le Général qui, au garde-à-vous,
le képi à la main, attendait sans sourciller : « C'est bien,
retirez-vous ! »

Sans lâcher le plat, la servante courut pour rattraper
l'aide de camp, afin de lui demander pourquoi l'autre n'avait
pas supporté les deux cents coups de bâton.

— Comment, pourquoi ? Parce qu'il est mort !

Toujours avec son plat, elle revint dans la salle à manger.

— Monsieur, dit-elle presque en pleurant au Président qui mangeait tranquillement, il dit qu'il n'a pas résisté parce qu'il est mort !

— Et alors ? Apportez la suite !

This chapter shows you and gives you a sense of the controlling tyranny ~~there~~ these small countries ~~could~~ have.

6

La tête d'un Général

Miguel Visage d'Ange, l'homme de confiance du Président, arriva entre la poire et le fromage.

— Mille excuses, Monsieur le Président, si j'arrive en retard, dit-il en apparaissant à la porte de la salle à manger. — Il était beau et méchant comme Satan. — Mille excuses, Monsieur le Président, mais j'ai dû venir en aide à un bûcheron qui avait recueilli un blessé sur un dépôt d'ordures et je n'ai pu arriver plus tôt ! Sachez, Monsieur le Président, qu'il s'agissait, non d'une personne de connaissance, mais d'un vulgaire inconnu.

Le Président portait, comme toujours, le deuil le plus rigoureux : souliers noirs, costume noir, cravate noire, chapeau noir, qu'il n'enlevait jamais ; dans sa moustache grisonnante, ramenée sur les commissures des lèvres, il dissimulait des gencives édentées, il avait les joues flasques et les paupières comme pincées.

— Et vous l'avez conduit où il fallait ? interrogea-t-il en levant le sourcil.

— Monsieur...

— Qu'est-ce que vous me racontez-là ? Quelqu'un qui se flatte d'être l'ami du Président de la République n'abandonne pas dans la rue un malheureux blessé, victime d'une main inconnue !

Un léger mouvement à la porte de la salle à manger lui fit tourner la tête.

— Entrez, Général.

— Avec votre permission, Monsieur le Président.

— Tout est-il prêt, Général ?

— Oui, Monsieur le Président.

— Allez-y vous-même, général, présentez à la veuve mes condoléances, et remettez-lui ces trois cents pesos au nom du Président de la République, afin de l'aider à supporter les frais de l'enterrement.

Le Général, qui était resté au garde-à-vous, le képi à la main droite, sans ciller, presque sans respirer, s'inclina, prit l'argent sur la table, pivota sur les talons et, quelques minutes après, il partait en automobile avec le cercueil contenant le corps de *l'autre espèce d'abruti.*

Visage d'Ange s'empressa d'expliquer :

— J'ai bien pensé, d'abord, à aller avec le blessé jusqu'à l'hôpital, mais je me suis dit qu'avec un ordre de Monsieur le Président on le soignerait mieux et comme j'avais à venir ici sur votre appel... et que je tenais à vous dire, une fois de plus, qu'il m'est insupportable de penser à la façon dont on a traîtreusement assassiné notre Parrales Sonriente...

— Je donnerai l'ordre...

— On ne pouvait pas attendre autre chose de celui dont on dit qu'il ne devrait pas gouverner ce pays...

Le Président sursauta comme si on l'avait piqué.

— Qui dit cela ?

— Moi le premier, Monsieur le Président, je suis de ceux qui croient qu'un homme comme vous devrait gouverner des pays comme la France, la libre Suisse, l'industrieuse Belgique ou le merveilleux Danemark !... Mais la France... La France surtout... Vous seriez l'homme idéal pour guider les destinées du grand peuple de Gambetta et de Victor Hugo !

Un sourire à peine perceptible se dessina sous la moustache du Président qui, essuyant ses lunettes avec un mouchoir de soie blanche sans quitter des yeux Visage d'Ange, après une courte pause, aiguilla la conversation sur un autre sujet.

— Je t'ai appelé, Miguel, pour une affaire qu'il me convient de régler cette nuit même. Les autorités compétentes ont ordonné l'arrestation de ce coquin d'Eusebio Canales, le Général que tu connais, et on se saisira de lui demain, à son

domicile, dès la première heure. Pour des raisons parti-
culières, bien qu'il soit un de ceux qui ont assassiné Parrales
Sonriente, le gouvernement n'a pas intérêt à ce qu'il aille
en prison et j'ai besoin qu'il prenne la fuite immédiatement.
Va le trouver, raconte-lui ce que tu sais et conseille-lui,
comme si l'idée venait de toi, de s'éclipser cette nuit même.
Tu peux le pousser pour qu'il le fasse car comme tout militaire de carrière, il croit à l'honneur, il voudra faire le malin,
et si on l'arrête demain, je lui coupe la tête. Il ne doit
rien soupçonner de cette conversation entre toi et moi... Prends
bien garde que la police n'apprenne pas que tu vas chez lui ;
arrange-toi pour ne pas éveiller les soupçons et que ce coquin
se tire. Tu peux te retirer.

Le favori sortit, le visage à moitié enfoui dans son écharpe
noire. Il était beau et méchant comme Satan. Les officiers
qui gardaient la salle à manger du maître le saluèrent militairement. Pressentiment, ou peut-être avaient-ils entendu
qu'il tenait entre ses mains la tête d'un Général. Soixante
désespérés bâillaient dans la salle d'audience, attendant que
Monsieur le Président se rende libre. On apercevait les rues
voisines du palais et de la maison présidentielle tapissées de
fleurs. Des groupes de soldats, sous les ordres du Commandant d'Armes, ornaient la façade des casernes voisines avec
des lanternes, des petits drapeaux et des guirlandes en papier
gaufré bleu et blanc.

Visage d'Ange ne prêta pas attention à ces préparatifs de
fête. Il devait voir le Général, organiser un plan et lui faciliter
la fuite. Tout lui parut facile jusqu'au moment où les chiens
aboyèrent contre lui dans le bois monstrueux qui isolait
Monsieur le Président de ses ennemis, un bois avec des arbres
à oreilles qui au moindre bruit se tordaient comme si un
ouragan les agitait. Le plus infime bruissement à des lieues à
la ronde n'échappait pas à la faim de ces millions de cartilages. Les chiens continuaient à aboyer. Un réseau de fils
invisibles, plus invisibles que les fils du télégraphe, reliait
chaque feuille à Monsieur le Président, attentif à ce qui se
passait dans les viscères les plus secrets des habitants de
la ville.

Si seulement il était possible de faire un pacte avec le
diable, de lui vendre son âme à condition de tromper la
vigilance de la police et de permettre la fuite du Général !
Mais le diable ne se prête pas aux actes charitables, encore
qu'on pourrait se demander jusqu'où mènerait une situation
aussi singulière... La tête du Général et quelque chose de
plus... Il prononça ces paroles comme s'il portait vraiment
dans ses mains la tête du Général, et quelque chose de plus.

Il était arrivé à la maison de Canales, située dans le
quartier de la Merci. C'était une grande maison d'angle,
presque centenaire, avec une certaine noblesse de médaille
ancienne dans ses huit balcons qui donnaient sur la rue principale et la porte cochère donnant sur l'autre rue. Le favori
eut d'abord l'intention de s'arrêter devant, et s'il entendait
du bruit à l'intérieur, de frapper pour se faire ouvrir. La
présence de gendarmes patrouillant sur le trottoir d'en face
lui fit abandonner ce projet. Il pressa le pas, en regardant
les fenêtres pour voir s'il n'y avait pas quelqu'un à qui faire
signe. Il ne vit personne. Impossible de s'arrêter sur le trottoir
sans se faire repérer, mais, au coin de la rue, en face de la
maison, il y avait un petit bistrot et pour pouvoir rester dans
les parages sans se rendre suspect, le mieux était d'y entrer et
d'y prendre quelque chose. Une bière. Il échangea quelques
mots avec la femme qui servait et, le verre de bière à la
main, tourna la tête pour voir qui occupait une banquette
appuyée au mur, silhouette d'homme qu'il avait aperçue en
entrant, du coin de l'œil. Chapeau du sommet de la tête
jusqu'au front, presque sur les yeux, serviette de toilette
autour du cou, le col de la veste relevé, des pantalons à pattes
d'éléphant, des bottines non boutonnées avec des talons
hauts ; le cuir en était jaune, le bout verni, et le tissu couleur
café.

Distraitement, le favori leva les yeux et vit les bouteilles
alignées sur les rayons de la boutique, l'« s » lumineux de
l'ampoule électrique, une réclame de vins espagnols : Bacchus
chevauchant un tonneau parmi des moines ventrus et des
femmes nues ; et un portrait de Monsieur le Président outra-
geusement rajeuni, avec des chemins de fer sur les épaules

en guise d'épaulettes et un petit ange qui lui laissait tomber une couronne de laurier sur la tête. Portrait de haut goût ! De temps en temps, il jetait un coup d'œil vers la maison du Général. Ce serait embêtant si le type à la banquette et la patronne étaient du dernier bien et que lui, il mette les pieds dans le plat. Il déboutonna son veston en même temps qu'il croisait les jambes l'une sur l'autre et s'accoudait au comptoir de l'air de quelqu'un que rien ne presse. S'il demandait une autre bière ? Il la commanda et, pour gagner du temps, paya avec un billet de cent pesos. Peut-être la patronne n'avait-elle pas de monnaie. Elle ouvrit le tiroir de la caisse avec mauvaise humeur, fourragea parmi les billets sales et referma le tiroir d'un coup sec. Elle n'avait pas de monnaie. Toujours la même histoire ! Etre obligée de sortir pour aller chercher de la monnaie ! Elle jeta son tablier sur ses bras nus et sortit, non sans se retourner vers l'homme affalé sur la banquette pour lui recommander d'avoir à l'œil le client : un pour sûr que je ferai attention, un qu'il n'aille pas voler quelque chose. Précaution inutile, car au même instant une demoiselle sortit de la maison du Général comme si elle était tombée du ciel, et Visage d'Ange n'attendit pas davantage.

— Mademoiselle, dit-il en marchant à côté d'elle, prévenez le propriétaire de cette maison que j'ai quelque chose de très urgent à lui dire.

— Mon papa ?

— Vous êtes la fille du général Canales ?

— Oui, monsieur...

— Eh bien... ne vous arrêtez pas, non, non... marchez... marchons, marchons... voici ma carte ; dites-lui, de grâce, que je l'attends chez moi le plus tôt possible, que j'y vais de ce pas, que sa vie est en danger... Oui, oui, chez moi le plus tôt possible...

Il dut revenir en arrière en courant, pour rattraper son chapeau que le vent avait enlevé. Deux ou trois fois, il le laissa échapper. A la fin, il le saisit — gesticulations de celui qui poursuit une volaille dans un poulailler.

Il retourna au petit café sous prétexte de se faire rendre sa monnaie, afin de voir l'impression que sa brusque sortie avait produite sur l'homme de la banquette. Il trouva ce dernier en train de lutter avec la patronne, qu'il avait acculée contre le mur ; sa bouche impatiente cherchait l'autre bouche pour lui donner un baiser.

— Policier de malheur, c'est pas pour rien que tu t'appelles *Bascas !* [1] dit la patronne quand, effrayé par le bruit des pas de Visage d'Ange, l'homme de la banquette la lâcha.

Visage d'Ange intervint amicalement afin de favoriser ses desseins ; il désarma la patronne, qui s'était emparée d'une bouteille, et regarda l'homme avec des yeux complaisants.

— Calmez-vous, calmez-vous, madame ! En voilà des façons ! Gardez la monnaie et arrangez-vous gentiment ! Vous ne gagnerez rien à faire un scandale, la police peut venir, d'autant plus si cet ami...

— Lucio Vasquez, pour vous servir...

— Merci...

— Lucio Vasquez ? *Sucio Bascas* [2], oui ! La police !... A chaque instant, on la ramène avec la police. Qu'ils essayent ! Qu'ils essayent d'entrer ici ! J'ai rien à craindre de personne, je suis pas une Indienne, moi, vous entendez, monsieur, pour que çui-ci y cherche à me faire peur avec la Maison Neuve !

— Dans une maison close je te mets si je veux — murmura Vasquez en crachant quelque chose qu'il avait fait descendre de son nez.

— En contrebande, alors ! Tu peux courir !

— Voyons, faites la paix, ça suffit !

— Mais, monsieur, moi je dis plus rien !

La voix de Vasquez était désagréable ; il parlait comme une femme, d'une petite voix à la fois douce, aiguë et fausse. Fort amoureux de la patronne, il luttait avec elle nuit et jour pour qu'elle lui donnât un baiser de son plein gré ; il ne demandait rien de plus. Mais elle ne se laissait pas convaincre,

1. « Bascas » signifie « nausée ».
2. « Sucio » signifie « sale ». Phonétiquement, pour les latino-américains, Vasquez et *Bascas* ne diffèrent que par *e/a*.

déclarant que celle qui donne un œuf donne un bœuf. Les supplications, les menaces, les petits cadeaux, les pleurs vrais et les faux, les sérénades et les mensonges, tout se heurtait au refus têtu de celle qui ne lui avait jamais cédé, ni ne s'était laissé circonvenir. « Celui qui m'aime, disait-elle, doit savoir qu'avec moi l'amour est une lutte à bras le corps. »

— Maintenant que vous vous êtes calmés, poursuivit Visage d'Ange, — il parlait comme pour lui seul, en frottant son doigt sur une pièce de nickel incrustée dans le comptoir, — je vais vous raconter ce qui en est avec la demoiselle d'en face.

Et il allait raconter qu'un ami l'avait chargé de lui demander si elle avait bien reçu une lettre, quand la patronne l'interrompit :

— Grand veinard ! on a bien vu que vous lui faisiez du gringue !

Le favori se sentit illuminé... lui faire du gringue... raconter que la famille s'y oppose... feindre un enlèvement... Enlèvement et accouchement finissent de la même façon...

Sur la piécette de monnaie clouée au comptoir il frottait toujours son doigt, mais plus vite maintenant.

— C'est vrai, répondit Visage d'Ange, mais je suis emmerdé parce que son père ne veut pas que nous nous mariions...

— Ne m'en parlez pas, de ce vieux ! intervint Vasquez. Faut voir la tête de créancier mal remboursé qu'il nous fait, comme si c'était de notre faute, l'ordre de le suivre partout !

— Les riches sont comme ça ! commenta la patronne d'un ton agressif.

— Voilà pourquoi, expliqua Visage d'Ange, j'ai pensé enlever la fille. Elle est d'accord. Nous venons d'en décider et nous allons agir cette nuit.

La patronne et Vasquez sourirent.

— Bois un coup avec nous ! dit Vasquez, ça devient sérieux ; puis il se retourna pour offrir une cigarette à Visage d'Ange : vous fumez, monsieur ?

— Non, merci... enfin... pour ne pas vous refuser...

La patronne servit trois petits verres tandis qu'ils allumaient leurs cigarettes.

Un moment après, Visage d'Ange dit, quand le feu de l'alcool eut cessé de lui brûler la gorge :

— Bien entendu, je compte sur vous ? Ça donnera ce que ça pourra, mais il faut que vous m'aidiez. Une seule condition, que ça se fasse aujourd'hui même !

— A partir de onze heures, moi je ne peux pas, je suis de service, observa Vasquez, mais celle-là...

— *Celle-là*, non mais, des fois ! Tu pourrais être poli !

— Elle, je veux dire la *Serpente* — et il regarda de nouveau la patronne — elle me remplacera, elle compte pour deux, à moins que vous ne préfériez que je vous envoie un aide : j'ai un ami sur qui je peux compter en toute occasion !

— Il faut toujours que tu ramènes ce Genaro Rodas sur le tapis, cette calebasse d'orgeat !

— Qu'est-ce que vous voulez dire par « calebasse d'orgeat » ? demanda Visage d'Ange.

— Je veux dire qu'il a l'air d'un mort tellement qu'il est pachi... voilà que je décause... pa-li-chon... ça y est !...

— Et alors ?

— Il me semble, en effet, qu'il n'y a nul inconvénient.

— Eh bien, si y'en a un et excusez que je vous coupe ; je voulais pas vous le dire : la femme de Genaro Rodas, Fedina, qu'on l'appelle, elle raconte partout que la fille du Général elle va être la marraine de son fils ; ça fait que ce Genaro Rodas, ton copain, pour ce que le monsieur veut faire, il manque de menstrualité.

— C'te langue !

— Avec toi, faudrait rien dire !

Visage d'Ange remercia Vasquez de son amabilité, tout en lui faisant comprendre qu'il valait mieux ne pas compter sur cette calebasse d'orgeat, parce que, comme le disait la patronne, effectivement, il manquait de neutralité.

— C'est dommage, ami Vasquez, que vous ne puissiez pas m'aider dans cette circonstance...

— Moi aussi, je regrette de ne pouvoir vous accompagner. Si j'avais su, j'aurais demandé une permission.

— Si ça pouvait s'arranger avec de l'argent...

— Non, vous n'y pensez pas, ce n'est pas mon genre. Non, vraiment, il n'y a rien à faire ! Et il porta la main à son oreille.

— Tant pis, puisque ce n'est pas possible. Je reviendrai avant l'aube, vers deux heures moins le quart ou une heure et demie, car en amour il faut battre le fer quand il est chaud.

Il prit congé sur le pas de la porte et éleva sa montre-bracelet jusqu'à son oreille pour vérifier si elle marchait — quel petit frémissement du destin que cette pulsation iso-chrone — et il s'éloigna en toute hâte, son écharpe noire sur son visage pâle. Il tenait entre ses mains la tête d'un Général et quelque chose de plus.

Zang is exhausted after
being harrassed by his deceased
mother. when one president
loyal military men, Colonel
Jose Parrales, says "mother" to
him. This causes Zang to k."
the colonel.

7

Absolution archiépiscopale

Genaro Rodas s'arrêta le long du mur pour allumer une cigarette. Lucio Vasquez apparut quand il frottait l'allumette sur la boîte. Un chien vomissait contre la grille du sanctuaire.

— Quel foutu vent ! ronchonna Rodas à la vue de son ami.

— Comment ça va ? demanda Vasquez, et ils continuèrent à marcher.

— Comment ça va, vieux ?

— De quel côté tu vas ?

— Comment, de quel côté ? T'es rigolo ! On était pas d'accord pour se retrouver ici ?

— J'ai cru que t'avais oublié. Je vais te raconter, pour ton affaire. Allons boire un coup. Je sais pas pourquoi, mais j'ai envie de picoler. Viens, passons par la Porte pour voir si y'a du nouveau.

— Je crois pas, mais on y passe si tu veux ; depuis qu'on a interdit aux mendiants d'y dormir, on n'y voit pas un chat la nuit.

— Tant mieux, tu peux dire. Traversons le porche de la cathédrale, si tu veux bien. En voilà un vent !...

Depuis l'assassinat du colonel Parrales Sonriente, la Police Secrète ne quittait pas un instant la Porte du Seigneur : surveillance confiée aux hommes les plus coriaces. Vasquez et son ami parcoururent la Porte de bout en bout, montèrent les marches qui se trouvaient du côté du Palais archiépiscopal et sortirent par les Cent Portes. Les ombres des piliers, allongées sur le sol, occupaient la place des mendiants. Une échelle, puis une autre, puis une autre, signalaient qu'un peintre en bâtiment allait rajeunir l'édifice. Et, en effet, parmi les dispositions prises par l'Honorable Municipalité pour témoigner au Président de la République l'indéfectible attachement qu'elle lui portait, venait en premier lieu l'engagement de remettre en état l'édifice qui avait été le théâtre de l'odieux attentat, et cela aux frais des Turcs dont les bazars puant le chiffon brûlé étaient installés là. Que les Turcs paient puisque, vivant à l'endroit où le crime a été perpétré, ils sont, dans une certaine mesure, responsables de la mort du colonel Parrales Sonriente : ainsi s'exprimaient, parlant d'or, les édiles en leurs sévères conclusions. Et les Turcs, soumis à ces contributions vindicatives, auraient été bientôt plus pauvres que les mendiants qui dormaient auparavant sur leur seuil, sans l'aide d'amis dont l'influence leur permit de payer les frais de peinture, ravalement, et amélioration de l'éclairage Porte du Seigneur avec des Bons du Trésor qu'eux-mêmes avaient achetés à la moitié de leur valeur.

Mais la présence de la Police Secrète vint troubler leur joie. Ils se demandaient à voix basse la raison de cette surveillance. Les reçus n'avaient-ils pas été dissous dans les baquets de chaux ? N'avait-on pas acheté à leurs dépens des pinceaux aussi imposants que les barbes des Prophètes d'Israël ? Ils augmentèrent prudemment le nombre des barres, verrous et cadenas aux portes de leurs magasins.

Vasquez et Rodas quittèrent la Porte du côté des Cent Portes. Le silence trayait l'écho épais de leurs pas. Plus loin, en remontant la rue, ils se coulèrent dans un bistrot qui s'appelait « le Réveil du Lion ». Vasquez salua le patron, commanda deux petits verres et vint s'asseoir à côté de Rodas, devant une petite table, à l'abri d'un paravent.

— Raconte où c'est qu'en est mon affaire, dit Rodas.

— A ta santé ! — Vasquez leva son verre d'eau-de-vie blanche.

— A la tienne, mon vieux !

Le patron, qui s'était approché pour les servir, ajouta machinalement :

— A votre santé, messieurs !

Tous deux vidèrent leur verre d'un seul trait.

— Pour ton affaire, zéro... — Vasquez cracha ces mots avec une dernière gorgée d'alcool dilué dans une salive écumeuse — le sous-directeur a casé son filleul et quand moi j'ai parlé pour toi, il avait déjà filé le job à l'autre, qu'est un con, si ça se trouve.

— Tu parles !

— Mais comme charbonnier est maître chez lui !... Moi j'y ai bien dit que tu voulais entrer dans la Secrète, que tu étais vachement à la redresse. Tu sais comment on se fait baiser !

— Et lui, il t'a dit quoi ?

— Ce que tu viens d'entendre, qu'un filleul à lui avait déjà la place, et j'avais plus qu'à la boucler. Maintenant, je vais te dire une chose, c'est moins coton de se caser dans la Secrète aujourd'hui que quand moi j'y suis entré. Tout le monde a flairé que c'était la carrière de l'avenir.

Rodas accueillit les paroles de son ami avec un haussement d'épaule et un mot inintelligible. Il était venu avec l'espoir de trouver du travail.

— Ecoute, vieux, faut pas te biler ! C'est vraiment pas la peine de te biler ! Dès qu'y aura vent d'un autre job, je te l'aurai ! Bon Dieu, je le jure sur ma mère que je te l'aurai ! D'autant que ça commence à sentir le roussi et sûr qu'on va augmenter les places. Je sais pas si je t'ai raconté... Ceci dit, — Vasquez regarda de tous côtés — Je veux pas faire le con ! Vaut mieux rien te dire !

— Bon ! Eh bien, me dis rien. Je m'en fous !

— L'affaire est dans le sac !

— Ecoute, vieux, me raconte rien ; je t'en prie, tais-toi ; t'es réticent, t'es réticent !

— Mais non, vieux, c'que t'as l'épiderme fragile !

— Ecoute, tais-toi ! J'aime pas cette défiance ; t'es comme une femme. Qu'est-ce qui te demande quelque chose pour que tu fasses tant d'histoires ?

Vasquez se leva pour regarder si personne ne l'entendait et ajouta à mi-voix, s'approchant de Rodas qui l'écoutait de mauvaise grâce, offensé par ses réticences :

— Je sais pas si je t'ai dit, mais les mendiants qui dormaient Porte du Seigneur, la nuit du crime, ils ont parlé ; et on sait tout sur ceux qui se sont payé le colonel — et élevant la voix — qui dirais-tu que c'est, toi ? — puis la baissant au diapason de secret d'Etat — le général Canales lui-même, avec maître Carvajal...

— C'est pas des vannes, ce que tu racontes ?

— On a déjà lancé des mandats d'arrêt contre eux, pas besoin d'en dire plus !

— Eh ben, dis donc, concéda Rodas un peu calmé, ce colonel qui, à c'qu'il paraît, vous tuait une mouche à cent pas d'un coup de revolver, il s'est fait avoir comme ça, comme une poule à qui on tord le cou ! Dans cette vie, vieux, le tout c'est de se décider ! Des sacrés mecs, ceux qui l'ont eu !

Vasquez proposa une autre tournée et la commanda :

— Deux petits « étages », don Lucho !

Don Lucho, le patron, remplit de nouveau les verres. Il servait ses clients en exhibant des bretelles de soie noire.

— Allez ! on se les envoie derrière la cravate, dit Vasquez ; et, entre ses dents, après avoir craché, il ajouta : Toi, t'es tout de suite dans la lune ! Tu sais bien que ça me rend malade de voir les verres pleins et, si tu le sais pas, apprends-le ! Santé !

Rodas, qui était distrait, s'empressa de trinquer. Très vite, dès qu'il eut décollé les lèvres du verre, il s'exclama :

— Avec ça qu'ils étaient cons, ceux qu'ont envoyé en l'air le colonel, pour qu'on les revoie du côté de la Porte. On peut toujours attendre !

— Et qui t'a dit qu'ils allaient revenir ?

— Comment ça ?

— Mer...ci pour l'hypothèse, on va voir ça ! Ah, ah, ah ! Ça y est, tu m'as fait ri-i-i-goler !

— T'en as de bonnes ! Ce que je voulais dire, c'est que si on sait qui c'est qu'a buté le colonel, c'est pas la peine d'attendre Porte du Seigneur pour les pincer, ou alors... ça doit être pour la bonne mine des Turcs que tu surveilles la Porte. Qu'est-ce que tu me réponds à ça ?

— Prêche pas le faux pour savoir le vrai !

— Et toi, essaie pas de me bourrer le mou !

— Ce que la police secrète fait Porte du Seigneur ç'a rien à voir avec l'affaire du colonel Parrales, et en plus, c'est pas tes oignons...

— Petits oignons et cornichons !

— Grand cornichon !

— Et grand couillon !

— Non, sérieusement, ce que la police secrète attend Porte du Seigneur, ç'a rien à voir avec l'assassinat. C'est vrai, je te jure, aucun rapport. T'imagines pas ce qu'on attend, là-bas... On attend un homme qu'a la rage.

— Me fais pas peur !

— Tu te rappelles ce muet à qui on criait « Mère » dans la rue ? Ce grand mec osseux, aux jambes torses, qui courait par les rues comme un fou... Tu te rappelles ? Oui, c'est forcé que tu t'en souviennes. Eh bien, c'est lui qu'on guette Porte du Seigneur, d'où qu'il a disparu depuis trois jours. On va lui faire bouffer de la saucisse en plomb. — Et, en disant cela, Vasquez mit la main sur son pistolet.

— Chatouille-moi, que je rigole.

— Non, mon vieux, je te raconte pas des vannes, c'est tout ce qui y'a de vrai, crois-moi ; il a mordu des tas de gens, et les médecins, ils ont ordonné de lui injecter une once de plomb sous la peau. Pigé ?

— Toi, ce que tu cherches, c'est à me faire tourner en bourrique, mais çui qui y arrivera, il est pas encore né, vieux frère. Je suis pas si bouché que ça. Ce que la police attend Porte du Seigneur, c'est le retour de ceux qu'ont buté le colonel...

— Bon sang de bon sang, non et non ! Quelle caboche, putain de sort ! Le retour du muet, du muet qu'a la rage et qu'a mordu des tas de gens. Tu veux que je le dise une fois de plus ?

. . . .

Le Pantin infestait la rue de ses cris, à la traîne son corps mordu par la douleur des flancs, parfois sur les mains, à plat ventre, se donnant de l'élan avec la pointe du pied, se râclant le ventre sur les pierres, parfois sur la cuisse de la jambe valide qu'il repliait tandis qu'il avançait le bras pour pousser avec le coude. La place apparut enfin. L'air faisait un bruit d'urubus dans les arbres du parc maltraités par le vent. Le Pantin eut peur et demeura un long moment décloué de sa conscience, l'angoisse de ses entrailles vivantes sur sa langue sèche, grosse et desséchée comme un poisson mort sur la cendre, l'entre-jambes trempé comme des ciseaux humides. Marche après marche, il monta jusqu'à la Porte du Seigneur, marche après marche, s'allongeant par saccades comme un chat moribond ; et il se recroquevilla dans un coin d'ombre, la bouche ouverte, les yeux vitreux, les loques qui l'habillaient raides de sang et de terre. Le silence faisait fondre les pas des derniers passants, les petits heurts des armes des sentinelles et le piétinement des chiens errants qui, le museau au ras du sol, fouillaient, cherchant les os, les papiers et les feuilles de tamales que le vent traînait près de la Porte.

. . . .

Don Lucho remplit encore une fois les doubles verres qu'on appelait « à deux étages ».

— Pourquoi tu veux pas me croire ? disait Vasquez entre deux crachats, la voix encore plus aiguë que d'habitude. J'suis pas par hasard en train de te raconter que je me trouvais, vers les neuf heures, ou bien plutôt les neuf heures et demie, avant de venir te rejoindre, en train de faire du plat à la *Serpente*, quand un type est entré dans le café pour boire une bière ? La patronne le sert en vitesse. Le type en demande une seconde et paye avec un billet de cent pesos. Elle n'avait pas de monnaie et sort pour en faire. Moi, j'étais sur mes gardes, car dès que je l'avais vu entrer je m'étais dit que... qu'il y avait anguille sous roche. J'avais deviné juste, mon vieux ! Une môme sort de la maison d'en face et, à peine a-t-elle un pied dehors, le type lui court après. Et je n'ai rien pu voir de plus parce que, là-dessus, la *Serpente* est revenue ; et moi, tu m' connais, je me suis mis à vouloir la peloter...

— Et alors, les cent pesos...

— Non, tu vas voir, on était en train de chahuter, elle et moi, quand le type il est revenu pour prendre la monnaie de

son billet. Il nous trouve en train de nous embrasser, ça le
met en confiance et il nous raconte qu'il est fou de la fille
du général Canales et qu'il va l'enlever cette nuit même, si
possible. La fille du général Canales, c'est la môme qu'était
sortie pour se mettre d'accord avec lui. T'imagines pas comment il m'a baratiné pour que je l'aide à enlever la tordue ;
mais comment j'aurais pu, avec cette surveillance à la
Porte ?...

Rodas accompagna cette exclamation d'un jet de salive.

— Et avec ça que cet inconnu, il me semble l'avoir vu
souvent du côté de la maison présidentielle...

— Tu parles ! ce type doit être de la famille.

— Non, penses-tu. Ce qui m'étonne, c'est qu'il était bien
pressé d'enlever la petite cette nuit même. Il doit savoir
ce qui va se passer et il veut sans doute profiter du moment
où les policiers épingleront le vieux pour enlever la fille.

— Tu l'as dit, bouffi.

— Allez, on s'en tape une dernière et on va se faire
voir !

Don Lucho remplit de nouveau les verres et les deux amis
ne tardèrent pas à les vider. Ils crachaient sur des crachats
et des mégots de cigarettes à bon marché.

— Combien qu'on vous doit, don Lucho ?

— Ça fait seize et quatre...

— Pour chacun ? intervint Rodas.

— Mais non. En tout, répondit le patron pendant que
Vasquez comptait dans sa main quelques billets et des pièces
de nickel.

— Au revoir, don Lucho !

— Don Luchito, au revoir, à bientôt !

Leurs voix se confondirent avec celle du patron, qui vint
jusqu'à la porte pour les saluer.

— Ben, mince, ce qu'il fait froid !... s'exclama Rodas
sitôt dans la rue, en enfouissant les mains dans les poches de
son pantalon.

Pas à pas, ils arrivèrent près des boutiques voisines de
la prison, à l'angle de la Porte du Seigneur ; et, à la demande
de Vasquez, qui se sentait tout content et s'étirait les bras

comme s'il se déchargeait d'une tourte de paresse, ils s'arrêtèrent là.

— Et voilà ce qui s'appelle le réveil du lion qu'avait une crinière en tire-bouchon — disait-il en s'étirant —. Et tu parles d'une embistrouille, pour un lion, d'avoir à se crêper le chignon parce qu'on est lion ! Et toi t'es prié d'être gai, parce que c'est ma nuit d'allégresse, c'est ma nuit d'allégresse, c'est moi qui te le dis, c'est ma nuit d'allégresse !

Et, à force de le répéter d'une voix aiguë, toujours plus aiguë, il semblait changer la nuit en un tambourin noir aux grelots d'or, étreindre dans le vent des mains d'amis invisibles, et amener le marionnettiste avec les personnages de ses pantomimes pour qu'ils lui entourent la gorge d'un cordon de chatouilles afin de le faire rire à gorge déployée. Et il riait, il riait en esquissant un pas de danse, les mains dans les poches de sa veste et quand son rire s'étouffait en plainte et que ce n'était plus du plaisir mais de la souffrance, il se pliait en deux pour se protéger l'épigastre. Soudain il fit silence. L'éclat de rire durcit dans sa bouche comme le ciment qu'emploient les dentistes pour prendre les empreintes dentaires. Il avait vu le Pantin. Ses pas piétinèrent le silence, Porte du Seigneur. La vieille bâtisse les multiplia par deux, par huit, par douze. L'idiot geignait tout doux, et fort, comme un chien blessé. Un hurlement déchira la nuit. Vasquez, que le Pantin avait vu approcher le revolver au poing, le traînait par la jambe cassée en direction des marches qui donnaient sur le coin du palais archiépiscopal. Rodas assistait à la scène, sans mouvement, la respiration haletante et oppressée, mouillé de sueur. Au premier coup de feu, le Pantin roula sur les degrés de pierre. Une seconde balle l'acheva. Les Turcs se recroquevillèrent entre les deux détonations. Et personne ne vit rien ; mais, de l'une des fenêtres du palais archiépiscopal, les yeux d'un saint aidaient l'infortuné à bien mourir et, tandis que le corps roulait sur les marches, une main baguée d'améthyste l'absolvait, lui ouvrant le Royaume de Dieu.

This chapter shows the beggars questioned and investigated.

8

Le montreur de marionnettes
de la Porte du Seigneur

Aux détonations et aux hurlements du Pantin, à la fuite de Vasquez et de son copain, mal vêtues de lune, les rues couraient les rues, sans bien savoir ce qui était arrivé, et les arbres de la place en perdaient les doigts de désespoir, ne pouvant dire par le vent, à travers les fils téléphoniques, ce qui venait de se passer. Les rues apparaissaient à tous les coins, s'interrogeant quant au lieu du crime, et comme désorientées, les unes couraient vers les quartiers du centre, les autres vers les faubourgs. Non, ça ne s'était pas passé dans la ruelle du Juif, zigzaguante et houleuse, comme tracée par un ivrogne ! Pas dans la ruelle de Escuintilla, autrefois marquée par les hauts faits des élèves de l'Ecole Militaire qui y étrennaient leurs épées dans le lard de gendarmes malandrins, renouvelant des histoires de mousquetaires et de chevalerie ! Pas dans la ruelle du Roi, la préférée des joueurs, et dont on raconte que nul ne passe sans saluer le roi ! Pas dans la ruelle de Sainte-Thérèse, à population peu amène et forte pente ! Pas dans la ruelle du Lapin, ni du côté de la Fontaine de la Havane, ni du côté des Cinq-Rues, ni du côté du Martiniquais !...

Ça s'était passé Place Centrale, là où l'eau était toujours lave que je lave les vespasiennes avec un je ne sais quoi de pleurs, les sentinelles martèlent que je martèle le sol avec la crosse de leurs fusils, la nuit tourne que je tourne dans la voûte glacée du ciel avec la Cathédrale et le ciel.

Le vent avait une confuse palpitation de tempe blessée

par les coups de feu ; ses souffles n'arrivaient pas à arracher de la tête des arbres les idées fixes des feuilles.

Tout à coup, une porte s'ouvrit près de la Porte du Seigneur et, comme une souris, apparut le montreur de marionnettes. Sa femme le poussait dans la rue, avec la curiosité d'une petite fille de cinquante ans, afin qu'il vît ce qui se passait et le lui racontât.

Qu'est-ce qui se passait ? Qu'est-ce que c'était que ces deux détonations, si rapprochées ? Le montreur de marionnettes ne trouvait pas drôle du tout de se montrer sur le pas de la porte en sous-vêtements à cause de la curiosité cancanière de doña *Viensjambon*, comme on surnommait sa femme à ne pas douter parce que lui s'appelait Benjamin [1], et trouvait franchement de mauvais goût le fait que dans ses manigances et sa hâte de savoir si on avait tué quelque Turc, elle se mette à lui enfoncer entre les côtes les dix éperons de ses doigts afin qu'il allongeât le cou le plus possible.

— Mais puisque je te dis que je ne vois rien ! Qu'est-ce que tu veux que je te raconte ? Et qu'est-ce que ça veut dire de questionner comme ça ?

— Qu'est-ce que tu dis ?... Ça s'est passé chez les Turcs ?

— Je dis que je ne vois rien, que qu'est-ce que ça veut dire de questionner comme ça...

— Parle clairement, pour l'amour de Dieu !

Quand le montreur de marionnettes mettait à pied son râtelier, pour parler il remuait la bouche aspirée comme ventouse.

— Ah ! je vois quelque chose, attends ; je vois enfin de quoi il s'agit !

— Mais enfin, Benjamin, je ne comprends pas un mot de ce que tu dis ! — et presque en pleurnichant — Arriveras-tu à comprendre que je ne comprends pas un mot de ce que tu dis ?

---

1. *Venjamon* et *Benjamin*, en espagnol, ne diffèrent phonétiquement que par *o/i*. Or *in* est une désinence diminutive et *on*, augmentative, d'où la création du « cédrat » *Venjamón* à partir de la demi-mandarine *Benjamin*.

— Je vois, je vois !... Là-bas, vers le coin du Palais archi-épiscopal, il y a des gens qui s'attroupent !

— Ecoute, sors de cette porte parce que non seulement tu ne vois rien — tu n'es bon à rien — mais en plus je ne comprends pas un mot de ce que tu dis !

Don Benjamin laissa passer sa femme qui apparut, éche-velée, un sein pendant sur sa chemise de nuit d'indienne jaune, et l'autre emberlificoté dans le scapulaire de la Vierge du Carmel.

— Là-bas... la civière qu'on apporte ! — furent les der-nières paroles de don Benjamin.

— Ah ! bon, bon, c'était donc là-bas, tout simplement... C'était donc pas chez les Turcs, comme je croyais ! Pourquoi tu me disais pas que c'était là-bas, tout simplement, Ben-jamin ? Bien sûr, c'est pour ça qu'on entendait les coups de feu si près !

— Même que j'ai vu, je te dis, qu'on apportait la civière — répéta le montreur de marionnettes. Sa voix semblait sortir du centre de la terre quand il parlait dans le dos de sa femme.

— Que quoi ?

— Que même que j'ai vu, je te dis, qu'on apportait la civière !

— Tais-toi, je ne sais pas ce que tu racontes et tu ferais mieux d'aller mettre tes dents, quand tu ne les as pas, c'est comme si tu me parlais anglais.

— Que même que moi j'ai vu, je te dis !...

— Non, on l'apporte maintenant !

— Non, fillette, elle était déjà là !

— Moi je dis qu'on l'apporte maintenant, et je suis pas une idiote, tout de même ?

— Je ne sais pas, mais moi, je dis que j'ai vu !...

— Que quoi ?... La civière ? Je te dis que non...

Don Benjamin n'atteignait pas le mètre ; il était menu et velu comme une chauve-souris et il n'était pas sorti de l'auberge s'il voulait tirer au clair ce que faisait là-bas ce groupe de gens et de gendarmes, derrière le dos de doña *Viensjambon*, dame au port supérieur, deux places dans le tramway, une pour chaque fesse, et huit aulnes et le pouce par robe.

— Il n'y a que toi qui aies le droit de voir... — hasarda timidement don Benjamin, espérant ainsi sortir de cette éclipse totale.

Ce fut comme s'il avait dit : « Sésame, ouvre-toi ! » Doña *Viensjambon* pivota comme pivoterait une montagne et se jeta sur lui.

— Jésus ! Marie ! Viens, mon grand, que je te prenne dans mes bras tout de suite, lui cria-t-elle. Le soulevant du sol, elle sortit sur le seuil de la porte en le tenant comme un bébé. De rage, le montreur de marionnettes cracha vert, mauve, jaune, de toutes les couleurs ! Au loin, pendant qu'il trépignait sur le ventre de sa femme, quatre hommes ivres traversaient la place en emportant le corps du Pantin. (Doña *Viensjambon* se signa.) Les vespasiennes pleurèrent le défunt, et le vent faisait toujours un bruit d'urubus dans les arbres du parc, délavés, couleur de cache-poussière.

— Je te donne une nourrice, pas une esclave, voilà ce qu'aurait dû me dire le curé, que le diable l'emporte, le jour de notre mariage — grogna le montreur de marionnettes en reprenant pied sur la terre ferme.

Sa chère moitié le laissait dire, chère moitié invraisemblable, car si lui représentait de quoi faire à peine une demi-mandarine, elle, elle dépassait largement le cédrat ; elle le laissait dire, moitié parce qu'elle ne comprenait pas un mot de ce qu'il racontait quand il n'avait pas son râtelier, moitié pour ne pas manquer au respect que lui imposait son devoir d'état.

Un quart d'heure après, doña *Viensjambon* ronflait comme si son appareil respiratoire luttait pour ne pas périr, écrasé sous ce monceau de chair ; et don Benjamin, le cœur plein de fiel, continuait à maudire son mariage.

Mais son théâtre de marionnettes tira profit de ce singulier événement. Les poupées s'aventurèrent sur les terrains de la tragédie, avec des pleurs qui coulaient goutte à goutte de leurs yeux, grâce à un système de petits tubes alimentés par une canule à lavements qui trempait dans une cuvette pleine d'eau. Jusqu'à ce jour, les marionnettes n'avaient fait que rire ou, si elles avaient parfois pleuré, c'était avec des moues cocasses et sans l'éloquence des pleurs coulant sur les joues et inondant, sous de véritables fleuves de larmes, la scène de leurs joyeuses farces.

Don Benjamin avait cru que les enfants pleureraient à ces comédies relevées d'une pointe de drame et sa surprise fut sans limite quand il les vit rire à gorge déployée, avec plus de plaisir, avec plus de joie qu'auparavant. Les enfants riaient de voir pleurer... Les enfants riaient de voir cogner.

— Illogique ! Illogique ! concluait don Benjamin.

— Logique ! Archilogique ! le contredisait doña *Viensjambon.*

— Illogique ! Illogique ! Illogique !

— Archilogique ! Archilogique ! Archilogique !

— Ne commençons pas à discuter ! proposait don Benjamin.

— Ne commençons pas à discuter, acceptait-elle.

— Mais c'est illogique...

— Archilogique, bon sang ! Archilogique, archiarchilogique !

Quand doña *Viensjambon* se disputait avec son mari, elle ajoutait des syllabes aux mots, comme des tuyaux d'échappement, afin de ne pas éclater.

— Illollolololologique ! criait le montreur de marionnettes sur le point de s'arracher les cheveux tant il enrageait.

— Archilogique ! Archilogique ! Archiarchiarchilogique !

Quoi qu'il en soit, le petit théâtre du montreur de marionnettes de la Porte exploita longtemps le truc de la seringue à lavements, qui faisait pleurer les poupées pour amuser les enfants.

They force to agree that the General Eusebio Canales, once in the presidents military was responsible for the murder.

9

Œil de verre

Le petit commerce de la ville fermait ses portes à la tombée
de la nuit, après avoir fait ses comptes, reçu le journal et
servi les derniers clients. Des groupes de gamins s'amusaient
aux coins des rues avec des hannetons qui, attirés par la
lumière, tournoyaient autour des ampoules électriques. Chaque insecte pris était soumis à une série de tortures, que
certains vauriens prolongeaient parce qu'il ne s'en trouvait
aucun qui, pris de pitié, écrasât l'insecte pour en finir d'un
coup. On voyait aux fenêtres des couples d'amoureux absorbés
dans les affres de leur amour, des patrouilles, armées de
baïonnettes ou de bâtons, qui parcouraient les rues tranquilles, les hommes l'un derrière l'autre, rythmant leur pas
sur celui de leur chef. Toutefois, certains soirs tout changeait.
Les pacifiques sacrificateurs de hannetons jouaient à la
guerre, s'organisant pour livrer des batailles dont l'abondance
des projectiles réglait la durée, parce que les combattants ne
se retiraient pas tant qu'il restait des pierres dans la rue.
La mère de la dulcinée venait interrompre les scènes d'amour,
mettant en fuite le jeune homme qui, son chapeau à la main,
détalait comme si le diable lui était apparu. Et la patrouille,
pour se distraire, s'en prenait de but en blanc à un quelconque passant, le fouillant des pieds à la tête et l'emmenant
en prison, quand il n'avait pas d'arme, à titre de suspect, de
vagabond, de conspirateur, ou, comme disait le chef, parce
qu'il ne me revient pas.

A cette heure de la nuit, les quartiers pauvres donnaient
une impression de solitude infinie, de misère crasseuse avec
un reste de laisser-aller oriental, de fatalisme religieux qui

en faisait une émanation de la volonté divine. Les caniveaux emportaient la lune à fleur de terre, et l'eau potable, dans les tuyaux, comptait les heures sans fin d'un peuple qui se croyait condamné à l'esclavage et au vice.

Dans un de ces quartiers pauvres, Lucio Vasquez et son ami se séparèrent.

— Au revoir, Genaro... dit le premier en recommandant des yeux à l'autre de garder le secret. Je me sauve, car il n'est peut-être pas trop tard pour donner un coup de main à l'amoureux de la fille du Général.

Genaro s'immobilisa un instant dans l'attitude indécise de celui qui hésite à dire encore un mot à l'ami près de s'éloigner, puis il s'approcha d'une maison — il habitait une boutique — et frappa du doigt.

— Qui est-ce ? Qui est là ? demanda-t-on de l'intérieur.

— Moi, répondit Genaro en inclinant la tête vers la porte, comme quelqu'un qui parle à l'oreille d'une personne toute petite.

— Qui ça, moi ? dit une femme en ouvrant.

En chemise de nuit et dépeignée, son épouse, Fedina Rodas, dressa le bras pour élever la bougie à la hauteur de sa tête, afin de lui éclairer la figure.

Lorsque Genaro entra, elle baissa la chandelle, laissa retomber les barres de sûreté à grand bruit et alla vers son lit sans dire un mot. Elle planta la lumière devant le réveil, afin que ce grand dévergondé vît bien à quelle heure il rentrait. Lui s'arrêta pour caresser le chat qui dormait sur le comptoir, tout en essayant de siffler un air gai.

— Quoi de neuf pour que tu sois si content ? cria Fedina en s'essuyant les pieds avant de se remettre au lit.

— Rien ! s'empressa de répondre Genaro, perdu comme une ombre dans l'obscurité de la boutique, craignant que sa femme ne remarquât dans sa voix le souci qui lui pesait.

— Tu es de plus en plus copain avec ce policier qui a une voix de femme !

— Non ! coupa Genaro passant dans l'arrière-boutique qui leur servait de chambre à coucher, le chapeau baissé sur les yeux.

— Menteur ! Vous venez de vous quitter là ! Ah ! je sais ce que je dis, ces hommes qui parlent, comme ton espèce d'ami, avec une petite voix mi-coq mi-poule ne sont pas bons à grand'chose. Si tu fréquentes tant celui-ci, c'est pour te faire embaucher dans la Police Secrète. Métier de paresseux ! Vous devriez avoir honte !

— Et ça ? interrogea Genaro afin de changer de conversation, en sortant d'un carton une petite robe.

Fedina prit la robe des mains de son mari, comme un emblème de paix, et, s'asseyant sur le lit tout animée, elle commença à lui raconter que c'était un cadeau de la fille du général Canales, à qui elle avait demandé d'être la marraine de son premier né. Rodas cacha sa figure dans l'ombre qui baignait le berceau de son fils et, de mauvaise humeur, sans écouter ce que sa femme lui disait des préparatifs du baptême, il interposa sa main entre la bougie et ses yeux afin de cacher la lumière ; mais aussitôt il la retira en la secouant, afin de se débarrasser du reflet de sang qui collait à ses doigts. Le fantôme de la mort se levait du berceau de son fils comme d'un cercueil. On devrait bercer les morts comme les enfants. C'était un fantôme couleur de blanc d'œuf, avec un nuage sur les yeux, sans cheveux, sans sourcils, sans dents, qui se tordait en spirales, comme les volutes de l'encensoir pendant l'Office des Morts. Au loin, Genaro entendait la voix de sa femme ; elle parlait de son fils, du baptême, de la fille du général, d'inviter la voisine d'à côté, le gros voisin d'en face, la voisine de derrière, le voisin du coin, le patron du restaurant, celui de la boucherie, celui de la boulangerie.

— Comme on va s'amuser !...

Et, s'interrompant brusquement :

— Genaro, qu'est-ce que t'as ?

Il sursauta :

— Moi ? Rien !

Le cri de la femme cribla de petits points noirs le fantôme de la mort, petits points qui dessinèrent le squelette dans un coin d'ombre. C'était un squelette de femme ; mais d'une femme il n'avait que les seins, flasques et velus comme des rats pendant sur la nasse des côtes.

— Genaro, qu'est-ce que t'as ?

— Moi ? J'ai rien du tout !

— Et c'est pour ça, pour revenir comme un somnambule, la queue entre les jambes, que tu passes ton temps dehors ! Faut avoir le diable au corps pour ne pas pouvoir se tenir chez soi !

La voix de son épouse habilla le squelette.

— Non, j'ai rien du tout, moi.

Un œil se promenait sur les doigts de sa main droite, comme le rond de lumière qui jaillit d'une petite lampe électrique. De l'auriculaire au médius, du médius à l'annulaire, de l'annulaire à l'index, de l'index au pouce. Un œil... un seul œil... Son rythme cardiaque se réduisait. Il ferma le poing pour l'écraser, fort, jusqu'à s'enfoncer les ongles dans la chair. Impossible ; comme il ouvrait sa main, l'œil reparut, pas plus gros que le cœur d'un oiseau mais plus épouvantable que l'enfer. Un bain de bouillon de bœuf brûlant lui mouillait les tempes. Qui pouvait bien le regarder à travers l'œil qu'il avait dans les doigts et qui sautait comme la petite boule d'une roulette, au rythme d'un glas ?

Fedina l'éloigna de la corbeille où dormait son fils.

— Genaro, qu'est-ce que t'as ?

— Rien !

Et puis, après quelques soupirs :

— Rien, c'est un œil qui me poursuit, c'est un œil qui me poursuit ! Je regarde mes mains... Non, non, ce n'est pas possible ! Ce sont mes yeux, c'est un œil !...

— Prie Dieu ! conseilla-t-elle entre ses dents, sans rien comprendre à ce baragouinage.

— Un œil... oui, un œil rond, noir, avec des cils, comme un œil de verre !

— Ce qu'il y a, c'est que tu es saoul !

— Comment veux-tu que je sois saoul, j'ai rien bu.

— Rien ? et ta bouche pue l'alcool !...

Dans la moitié de la pièce occupée par la chambre à coucher — l'autre moitié étant réservée à la boutique — Rodas se sentait perdu au fond d'un souterrain, loin de toute consolation, parmi des chauves-souris et des araignées, des serpents et des crabes.

— Tu as fait quelque chose ! ajouta Fedina, coupant sa phrase d'un bâillement. C'est l'œil de Dieu qui te regarde !

Genaro, d'un bond, se jeta sur le lit et, avec ses souliers et ses vêtements, il se fourra sous les draps. Près du corps de sa femme, un beau corps de femme jeune, l'œil sautait. Fedina éteignit la lumière, mais ce fut pire, l'œil grandit dans l'ombre avec tant de rapidité qu'en une seconde il envahit les murs, le plancher, le plafond, la maison, sa vie, son fils...

— Non — répondit Genaro à une lointaine affirmation de sa femme qui, à ses cris d'épouvante, avait rallumé la lumière et essuyait avec un lange la sueur glacée qui lui coulait sur le front — ce n'est pas l'œil de Dieu, c'est l'œil du Diable...

Fedina se signa. Genaro lui ordonna d'éteindre de nouveau. L'œil devint un huit au passage de la clarté aux ténèbres, puis il tonna, on eût dit qu'il allait s'écraser contre quelque chose et il ne tarda pas à s'écraser en effet contre des pas qui résonnaient dans la rue...

— La Porte ! la Porte ! cria Genaro. Oui ! Oui ! Lumière ! Des allumettes ! Lumière ! Pour l'amour de ta vie, pour l'amour de ta vie.

Elle étendit le bras au-dessus de lui afin d'atteindre les allumettes. Au loin on entendit les roues d'une charrette. Genaro, les doigts dans la bouche, parlait comme s'il étouffait. Il ne voulait pas rester seul et appelait sa femme qui avait mis un jupon et s'apprêtait à lui faire chauffer un peu de café pour le calmer.

Aux cris de son mari, Fedina revint vers le lit, prise de peur.

« A-t-il le délire ou... quoi ? » se demandait-elle, en suivant de ses belles pupilles noires les palpitations de la flamme. Elle pensait aux vers qu'on avait trouvés dans l'estomac de la petite Henriette, celle de l'Auberge du Théâtre, à la mixture trouvée à la place du cerveau dans la tête d'un Indien à l'hôpital, au cadejo, animal fantastique qui ne laisse pas dormir. Telle une poule qui ouvre ses ailes et appelle ses poussins à la vue d'une buse, elle se leva pour mettre une médaille de saint Blaise sur la petite poitrine de son nouveau-né, en récitant tout haut une prière à la Sainte Trinité.

Cette prière secoua Genaro comme si on le battait. Les yeux fermés, il sortit du lit pour atteindre sa femme qui était à quelques pas du berceau, et, à genoux, lui enserrant les jambes de ses bras, il lui raconta ce qu'il avait vu.

— Sur les marches, oui, en bas, il a roulé, perdant du sang au premier coup de feu, et il n'a pas fermé les yeux. Les jambes ouvertes, le regard fixe... Un regard froid, visqueux, je ne sais plus !... Une pupille qui, comme un éclair, a enveloppé tout et s'est fixée sur nous ! Un œil aux cils épais qui ne me quitte pas, qui ne se détache plus de mes doigts, de là, mon Dieu ! de là...

Un sanglot du bébé le fit taire. Fedina prit dans la corbeille l'enfant emmailloté de langes de flanelle et lui donna le sein, sans pouvoir écarter son mari qui la dégoûtait et qui, agenouillé, lui serrait les jambes en gémissant.

— Le plus grave c'est que Lucio...

— Celui qui parle comme une femme s'appelle Lucio ?

— Oui. Lucio Vasquez !

— Celui qu'on appelle « Velours » ?

— Oui...

— Et pourquoi diable l'a-t-il tué ?

— C'était un ordre, l'autre avait la rage. Mais le plus grave, c'est ce que Lucio m'a raconté : il y a un mandat d'arrêt contre le général Canales, et un type va enlever sa jeune fille cette nuit.

— Mademoiselle Camila ? ma marraine ?

— Oui.

En entendant une chose aussi incroyable, Fedina pleura, avec la facilité et l'abondance des gens du peuple qui s'apitoient sur les misères d'autrui. Sur la petite tête de son fils qu'elle berçait, tombaient ses larmes, tièdes comme l'eau que les grand-mères portent à l'église pour l'ajouter à l'eau froide et bénite des fonts baptismaux. Le bébé s'endormit. La nuit avait passé, et ils étaient sous une espèce de charme quand l'aurore traça sous la porte sa ligne d'or, et que se brisèrent dans le silence de la boutique les coups frappés à l'huis par la porteuse de pain.

— Pain ! pain ! pain !

[Handwritten annotation:] Throughout this chapter Zangfees "away down the shadowy streets in an parotysm of terror".

10

Princes de la milice

Le général Eusebio Canales, dit *La Casaque*, abandonna la maison de Visage d'Ange, le port martial, comme s'il allait prendre la tête d'une armée, mais dès qu'il eut fermé la porte et qu'il fut seul dans la rue, son pas de parade militaire fondit en trot menu d'Indien qui va au marché vendre une poule. L'infatigable course des espions le talonnait. La douleur d'une hernie inguinale qu'il comprimait avec les doigts lui donnait la nausée. En respirant il laissait échapper des restes de mots, des plaintes hachées et la sensation du cœur qui saute, qui se contracte, s'arrêtant par moments, à tel point qu'il faut se comprimer la poitrine avec la main, les yeux égarés, le cerveau vide, et se cramponner à lui en dépit de la cage thoracique comme à un membre brisé sous son plâtre pour qu'il continue à fonctionner. Il venait de tourner le coin de rue qu'il avait vu si loin une minute avant. Et maintenant, au suivant, bien que celui-ci... si distant, à travers sa·fatigue !... Il cracha. Pour un peu, il perdait pied. Une épluchure. Au bout de la rue, une voiture glissait. C'est lui qui allait glisser, plutôt. Mais il ne vit que la voiture, les maisons, les lumières... Il pressa le pas. Il y était. Heureusement. Il venait de tourner le coin de rue qu'il avait vu si loin une minute avant. Et maintenant, au suivant, bien que celui-ci... si lointain, à travers sa fatigue !... Il se mordit les lèvres pour vaincre ses genoux. Il n'avançait presque plus. Les genoux raides et une démangeaison fatidique dans le coccyx et en arrière de la langue. Les genoux. Il allait devoir se traîner, rentrer chez lui en rampant, en s'aidant des mains, des coudes, de tout ce qui, en lui, luttait pour échapper à la mort.

Il ralentit sa marche. Les carrefours restaient déserts. Mieux encore, on eût dit qu'ils se multipliaient dans la nuit sans repos, comme les panneaux de paravents transparents. Il se rendait ridicule à lui-même et aux yeux des autres, ceux qui le voyaient comme ceux qui ne le voyaient pas. La conscience qu'il avait d'être un homme en vue expliquait cette apparente absurdité ; car toujours, même dans la solitude nocturne, il sentait le regard de ses concitoyens converger sur lui.

« Quoi qu'il advienne, articula-t-il, mon devoir est de rester chez moi, et à plus forte raison si ce que vient de m'affirmer cette fripouille de Visage d'Ange est vrai. »

Et plus loin :

« M'enfuir, c'est dire que je suis coupable ! » L'écho faisait tambouriner ses pas. "M'enfuir, c'est dire que je suis coupable, c'est !... Mais ne pas le faire !..." L'écho faisait tambouriner ses pas. "C'est dire que je suis coupable !... Mais ne pas le faire ! " L'écho faisait tambouriner ses pas.

Il porta la main à la poitrine pour en arracher le cataplasme de peur que lui avait collé le favori... Ses médailles militaires lui manquaient... « M'enfuir, c'est dire que je suis coupable, mais ne pas le faire... » Le doigt de Visage d'Ange lui montrait le chemin de l'exil comme unique moyen de salut. « Il faut sauver votre peau, général ! Il en est temps encore. »

Et tout ce qu'il était, tout ce qu'il valait, tout ce qu'il aimait avec une tendresse d'enfant : patrie, famille, souvenirs, tradition, et Camila, sa fille, tout tournait autour de cet index fatal comme si l'univers entier s'était fragmenté au moment où se fragmentaient ses idées.

Mais quelques pas plus loin, de cette vision de vertige il ne demeurait plus qu'une confuse larme dans ses yeux... « Les généraux sont les princes de la milice ! » ai-je dit dans un discours... Imbécile. Voilà une petite phrase qui m'a coûté cher ! Le Président ne me pardonnera jamais ces « princes de la milice » ; et, comme il ne me portait déjà pas dans son cœur, il se débarrasse de moi en m'imputant la mort d'un colonel qui avait toujours manifesté un affectueux respect pour mes cheveux blancs. Un sourire mince et amer pointa sous sa moustache grise. Du fond de lui-même, surgissait un autre général Canales, un général Canales qui avançait comme une tortue, traînant les pieds ainsi qu'un moine après la procession, muet, sombre, triste, sentant la poudre des fusées éteintes. Au véritable *La Casaque*, au Canales sorti de la maison de Visage d'Ange arrogant, à l'apogée de sa carrière militaire, détachant ses épaules de titan sur un fond de glorieuses batailles livrées par Alexandre, Jules César, Napoléon et Bolivar, se substituait soudain une caricature de général, sans galons de passementerie, sans panache, sans franges rutilantes, sans bottes, sans éperons d'or. A côté de cet intrus vêtu de couleur sombre, poilu, dégonflé, à côté de cet enterrement de pauvre, l'autre, l'authentique, le véritable *La Casaque*, semblait, sans fatuité de sa part, un convoi de première classe, avec ses cordons, ses franges, ses lauriers et ses plumets et ses saluts solennels. Un général Canales dépouillé s'avançait à l'heure d'une défaite que l'Histoire ne connaîtrait pas, passait devant le véritable qui restait en arrière, semblable à un fantoche dans un bain d'or et d'azur, le tricorne sur les yeux, l'épée cassée, les revers des manches pendants et, sur la poitrine, ses croix et ses médailles rouillées.

Sans ralentir le pas, Canales détourna les yeux de son double en costume de gala, se sentant moralement vaincu. La crainte l'angoissait de se voir en exil avec un pantalon de concierge et un veston trop long ou trop court, trop étroit ou trop large, jamais à sa taille. Il marchait sur ses propres ruines, piétinant ses galons le long des rues...

— Mais je suis innocent ! Et il se répéta avec la voix la plus persuasive de son cœur : « Puisque je suis innocent, pourquoi avoir peur ? »

— Justement ! lui répondait sa conscience avec la langue de Visage d'Ange, justement !... Ce serait une autre chanson si vous étiez coupable. Le crime est précieux, parce qu'il garantit au gouvernement l'adhésion du citoyen. La Patrie ?... Sauvez-vous, Général ! je sais ce que je vous dis, il n'y a pas de Patrie qui tienne... Les lois? Quelle farce! Sauvez-vous, Général, parce que la mort vous attend.

— Mais puisque je suis innocent!

— Ne vous demandez pas, Général, si vous êtes coupable ou innocent; demandez-vous si vous pouvez ou non compter sur la faveur du Maître, car un innocent mal vu du Gouvernement est en pire posture qu'un coupable!

Il cessa de prêter l'oreille à la voix de Visage d'Ange, en marmottant des paroles de vengeance étouffées par les palpitations de son cœur. Plus loin, il pensa à sa fille. Elle devait l'attendre, l'âme pleine d'inquiétude. L'horloge du clocher de la Merci sonna l'heure. Le ciel était clair, clouté d'étoiles, sans un nuage. En arrivant au coin de sa maison, il vit les fenêtres éclairées. Leurs lueurs, qui se répandaient jusqu'au milieu de la rue, étaient une attente.

— Je laisserai Camila chez mon frère Juan, en attendant de pouvoir envoyer quelqu'un la chercher. Visage d'Ange m'a offert de l'emmener cette nuit même ou demain matin.

Il n'eut pas à se servir de la petite clé qu'il tenait à la main car, à peine fut-il arrivé devant sa porte, que celle-ci s'ouvrit.

— Tais-toi... Viens... je vais t'expliquer... Il faut faire vite... je vais t'expliquer... Que mon ordonnance prépare une bête à l'écurie... de l'argent... un revolver... Plus tard, j'enverrai chercher mon linge... Je n'ai besoin que du strict nécessaire dans une valise. Je ne sais pas ce que je te dis et tu ne me comprends pas. Ordonne qu'on selle ma mule baie et, toi, prépare mes affaires, pendant que je vais me changer et écrire une lettre pour mes frères; tu vas rester chez Juan pendant quelques jours!

Surprise par un fou, Camila n'aurait pas eu plus peur qu'en voyant entrer son père, homme calme d'habitude, dans un tel état nerveux. Elle était sans voix. Elle changeait de couleur. Jamais elle ne l'avait vu ainsi. Poussée par sa hâte, brisée par le chagrin, sans bien comprendre ni pouvoir dire autre chose que: «Ah! mon Dieu! Ah! mon Dieu!», elle courut réveiller l'ordonnance afin qu'il sellât la monture — une magnifique mule aux yeux de feu — et revint faire la valise (... des serviettes de toilette, des chaussettes, des petits pains... oui, du beurre, mais elle oubliait le sel...), puis alla à la cuisine, réveillant sa nourrice qui avait l'habitude d'étêter son premier somme, assise sur le coffre à bois sous le manteau de la cheminée, tout près du feu maintenant en cendres, avec le chat qui, de temps en temps, remuait les oreilles comme pour se chasser les bruits.

Le Général écrivait en toute hâte quand la servante passa dans la pièce pour fermer hermétiquement les fenêtres. Le silence s'emparait de la maison, mais pas ce silence soyeux des nuits tranquilles et douces, ce silence de carbone nocturne qui tire les copies des rêves heureux, plus léger que la pensée des fleurs, moins fluide que l'eau... Le silence qui maintenant s'emparait de la maison et que troublaient la toux du Général, les allées et venues précipitées de sa fille, les sanglots de la servante et un bruit insolite d'armoires, de commodes, de placards qu'on ouvrait et fermait, était un silence rigide, ligotant, gênant comme un vêtement étranger.

Un petit homme menu, à la figure chafouine, au corps de danseur, écrit sans lever la plume ni faire de bruit, il semble tisser une toile d'araignée :

« A Son Excellence Monsieur le Président Constitutionnel de la République,

« Excellentissime Monsieur,

« Conformément aux instructions reçues, on a suivi minutieusement le général Canales. A la dernière heure, j'ai l'honneur d'informer Monsieur le Président qu'on l'a vu chez un ami de Son Excellence, chez Monsieur Miguel Visage d'Ange. Là-bas, la cuisinière, qui épie et son maître et la servante, et la servante, qui épie son maître mais aussi la cuisinière, m'informent à l'instant que Visage d'Ange s'est enfermé dans sa chambre avec le général Canales pendant à peu près trois quarts d'heure. Elles ajoutent que le général Canales est parti très agité. Suivant les instructions, on a redoublé de vigilance autour de la maison de Canales, réitérant les ordres de mort à la plus petite tentative de fuite.

« La servante — et ceci, la cuisinière ne le sait pas — complète le message. Son maître lui a laissé à entendre, me dit-elle au téléphone, que Canales était venu offrir sa fille contre une efficace intervention auprès du Président.

« La cuisinière — et ceci, la servante ne le sait pas — est à ce sujet plus explicite : elle dit que, quand le Général fut parti, son maître était très content et qu'il l'a chargée, dès l'ouverture des magasins, de s'approvisionner en conserves, liqueurs, gâteaux secs et bonbons, car une demoiselle de bonne famille allait venir habiter avec lui.

« Voilà ce dont j'ai l'honneur d'informer Monsieur le Président de la République... »

Il écrivit la date, il signa, paraphe gribouillé en forme de serpentin, puis, comme réparant un trou de mémoire, il ajouta avant de lâcher la plume, chose exigée par son nez qui le démangeait :

« Post-scriptum : Additif au message envoyé ce matin. Docteur Luis Barreño : Trois personnes lui ont rendu visite cette après-midi à sa clinique, parmi lesquelles deux étaient nécessiteuses ; sur le soir, il est sorti se promener dans le parc avec sa femme. Maître Abel Carvajal : Cette après-midi, il s'est rendu à la Banque américaine, dans une pharmacie en face des Capucines et au Club allemand. Là, il a bavardé un bon moment avec M. Romsth, que la police suit séparément, et il est revenu chez lui à sept heures et demie du soir. On ne l'a pas vu ressortir depuis et, suivant les instructions, on a redoublé de vigilance autour de sa maison.

« Signé plus haut. — Même date. — *Vale.* »

This chapter shows a rare glimpse of the president ordering Miguel Angel Face. who also refers himself to the presidents's "favorite."

11

L'enlèvement

Après avoir quitté Rodas, Lucio Vasquez fila chez la *Serpente* voir s'il était temps encore d'aller donner un coup de main dans l'enlèvement de la jeune fille, et il passa, mort de peur, près du Bassin de la Merci, lieu d'apparitions et de crimes d'après les dires populaires, lieu à menteries pour femmes qui enfilent l'aiguille de la médisance au filet d'eau sale tombant dans leur cruche.

« Un enlèvement, c'est ça qu'est chouette, pensait l'exécuteur du Pantin sans ralentir le pas. Puisque grâce à Dieu j'ai fini assez tôt mon bisness à la Porte, je peux bien me payer ça. Déjà qu'on prend son pied rien qu'à trouver quelque chose ou à faucher une simple volaille, qu'est-ce que ça doit être à se tailler avec une gonzesse ! » Le bistroquet de la *Serpente* lui apparut enfin. Mais la sueur lui coula sur tout le corps en voyant l'heure à l'horloge de la Merci... Presque l'heure... ou alors, il avait mal vu. Il salua quelques-uns des policiers qui surveillaient la maison de Canales et d'une enjambée, cette enjambée qui s'échappe des pieds comme un lapin, il atterrit devant la porte du bistrot.

La *Serpente*, qui s'était allongée en attendant deux heures du matin, les nerfs à vif, se frottait jambe contre jambe, se mâchait les bras dans des positions inconfortables, vaporisait des braises par tous les pores, enterrait et déterrait sa tête avec l'oreiller sans pouvoir fermer l'œil.

Quand Vasquez frappa, elle sauta du lit jusqu'à la porte, hors d'haleine, la respiration plus grosse qu'une brosse à étriller les chevaux.

— Qui est-ce ?

— Moi, Vasquez, ouvre !

— Je ne t'attendais pas !

— Quelle heure ? demanda-t-il en entrant.

— Une heure un quart ! répondit l'aubergiste aussitôt, sans regarder le réveil, avec la certitude de celle qui, en attendant deux heures du matin, comptait les minutes, les cinq minutes, les dix minutes, les quarts d'heure, les vingt minutes...

— Comment se fait-il que j'aie vu deux heures moins le quart à l'horloge de la Merci ?

— Pas possible ! L'horloge des curés a dû encore prendre de l'avance !

— Dis-moi donc une chose, le mec au billet, il est pas revenu ?

— Non.

Vasquez prit l'aubergiste dans ses bras, s'attendant à être payé par une gifle de son élan de tendresse, mais point. Douce comme une colombe, la *Serpente* se laissa étreindre et, en unissant leurs bouches, ils prirent le doux engagement amoureux de ne rien se refuser cette nuit-là. La seule lumière qui éclairait la pièce brillait devant une image de la Vierge de Chiquinquira. Près d'elle, on voyait un bouquet de roses en papier. Vasquez souffla la flamme du cierge et, d'un croche-pied, renversa l'aubergiste. L'image de la Vierge s'effaça dans l'ombre et les deux corps roulèrent sur le sol, tressés comme une corde d'ail.

Visage d'Ange apparut du côté du théâtre, se hâtant, accompagné d'un groupe de voyous.

— Une fois la jeune fille en mon pouvoir — leur disait-il — vous pouvez piller la maison. Je vous promets que vous ne repartirez pas les mains vides. Mais pour le coup, il faut savoir ouvrir l'œil maintenant, et, après, bien tenir sa langue : si c'est pour me rendre un mauvais service, autant ne m'en rendre aucun.

Au tournant d'une rue, une patrouille les arrêta. Le favori parlementa avec son chef pendant que les soldats les entouraient.

— Nous allons donner une sérénade, lieutenant...

— Et de quel côté, peut-on savoir, de quel côté ? demanda celui-ci en donnant deux petits coups sur le sol avec son épée.

— Par-là, du côté de la ruelle de Jésus...

— Et où est votre marimba, et votre guitare ?... Drôle de sérénade, votre sérénade muette !

Discrètement, Visage d'Ange refila un billet de cent pesos à l'officier qui aplanit aussitôt les difficultés.

La masse de l'église de la Merci apparut au bout de la rue. Une église en forme de tortue, avec deux petits yeux, des fenêtres, dans la coupole. Le favori recommanda de ne pas arriver en groupe chez la *Serpente*.

— Café « Le Tous-Tep », souvenez-vous-en, leur dit-il, comme ils allaient se séparer, « Le Tous-Tep » ! Attention, que personne n'aille ailleurs ! « Le Tous-Tep », à côté d'un matelassier !

Les pas de ceux qui formaient le groupe s'éteignirent peu à peu dans différentes directions. Le plan de fuite était le suivant : quand l'horloge de la Merci sonnerait deux heures du matin, deux ou plusieurs des hommes envoyés par Visage d'Ange monteraient sur le toit de la maison du général Canales et, dès qu'ils commenceraient à marcher, la fille du Général ouvrirait une des fenêtres de la façade, criant aux voleurs afin d'attirer là-bas les gendarmes qui surveillaient la maison et ainsi, profitant de la confusion, Canales pourrait sortir par la porte des communs.

Un imbécile, un fou et un enfant n'auraient pas conçu un plan plus absurde. Celui-ci n'avait ni queue ni tête. Le Général et le favori s'en rendaient compte, mais ils l'avaient adopté parce que tous deux y voyaient, en leur for intérieur, un piège à double fond. Pour Canales, la protection du favori assurait sa fuite mieux que n'importe quel plan. Pour Visage d'Ange, le succès ne dépendait pas de ce dont il était convenu avec Canales, mais de Monsieur le Président, à qui il communiqua par téléphone l'heure et les détails du stratagème, dès que le général l'eut quitté.

Les nuits d'avril, sous les tropiques, sont les veuves des jours chauds de mars, froides, sombres, échevelées, tristes.

Visage d'Ange apparut au coin du petit café et de la maison de Canales, comptant les ombres couleur d'avocat des policiers de choc répartis ici et là, pas à pas il fit le tour du pâté de maisons et, en revenant, il se glissa par la petite entrée de terrier du « Tous-Tep », le corps scié : il y avait un gendarme en uniforme à la porte de chaque maison voisine, et on ne comptait pas le nombre d'agents de la Police Secrète qui se promenaient nerveusement sur les trottoirs.

Son impression était des plus mauvaises. « Je suis en train de participer à un assassinat, se disait-il. Cet homme va être abattu à peine sorti de chez lui. » Et dans cette perspective, qui lui apparaissait de plus en plus noire à mesure qu'il la retournait dans sa tête, enlever la fille de ce moribond lui parut un acte odieux, répugnant, tout autant qu'aimable, et sympathique, et très doux par dessus le marché, en cas de fuite réussie. Pour un homme sans entrailles, comme lui, ce n'était pas la bonté qui le faisait se sentir mal à l'aise devant une embuscade tendue en plein centre ville à un citoyen qui, confiant et désarmé, s'échapperait de chez lui en se sentant protégé par l'ombre d'un ami de Monsieur le Président, protection qui en fin de compte n'était qu'un piège de cruauté raffinée, destiné à emplir d'une atroce amertume la désillusion que la victime éprouverait au dernier instant en se voyant ainsi jouée, trahie, prise, et en outre, ingénieux moyen de donner à l'assassinat un aspect légal, puisque cela permettait d'expliquer que les forces de la loi avaient dû intervenir ainsi en dernier ressort pour éviter la fuite d'un criminel présumé, dont l'arrestation était décidée pour le lendemain. Tout autre était le sentiment qui poussait Visage d'Ange à désapprouver intérieurement, en se mordant les lèvres, une machination aussi vile et diabolique. De bonne foi, il en était arrivé à se prendre pour le protecteur du Général, et à s'attribuer en récompense quelque droit sur la fille de celui-ci, droit qu'il sentait sacrifié en se voyant, en fin de compte, dans son rôle habituel, celui d'instrument aveugle, à son poste de sbire, à sa place de bourreau. Un vent étrange courait sur la plaine de son silence. Une végétation sauvage se dressait pleine de soif de ses cils, cette soif des cactus épineux, cette soif des arbres que n'apaise pas l'eau du ciel. Pourquoi le désir est-il ainsi ? Pourquoi les arbres ont-ils soif sous la pluie ?

Comme un éclair, l'idée de renoncer fulgura derrière son front : sonner à la maison de Canales, le prévenir... (Il imagina la fille qui lui souriait, reconnaissante.) Mais déjà il franchissait la porte du petit café ; Vasquez et ses hommes lui rendirent courage, le premier par ses paroles, les autres par leur présence.

— Allez-y carrément, en ce qui me concerne, je suis entièrement à vos ordres. Vouais, je suis prêt à vous aider en tout, vous m'entendez ? Et je suis pas quelqu'un à se dégonfler, je suis de ceux qu'ont sept vies, un fils de Maure intrépide.

Vasquez essayait de creuser sa voix de femme pour donner de la virilité à son ton.

— Si vous m'aviez pas porté bonheur — ajouta-t-il à voix basse — je vous causerais pas comme je vous cause. Non, sûr que non. Mais vous m'avez facilité les choses avec la *Serpente* qui maintenant, pour ça oui, est tout ce qu'y'a de régulier avec moi.

— Quel plaisir de vous trouver ici, et aussi décidé ! Voilà comme j'aime les hommes ! s'exclama Visage d'Ange en serrant avec effusion les mains de l'exécuteur du Pantin. Vos paroles, ami Vasquez, me rendent le courage que les policiers m'avaient ôté : il y en a un à chaque porte !

— Venez boire un coup pour chasser la peur !

— Oh ! croyez-moi, ce n'est pas pour moi que j'ai peur, je peux vous dire que j'ai déjà eu maille à partir avec la police ; c'est pour elle, car, vous comprenez, je n'aimerais pas qu'au sortir de sa maison on nous mette le grappin dessus.

— Mais, voyons, qui pourrait vous arrêter puisqu'y restera pas un seul policier dans la rue quand ils verront qu'on pille à l'intérieur ? Ma tête à couper, c'est moi qui vous le dis. Quand ils verront où planter leurs griffes, tous entreront voir ce qu'il y a à emporter. N'en doutez pas.

— Ne serait-il pas plus prudent que vous alliez leur parler ? Puisque vous avez eu la bonté de venir et qu'ils vous savent incapable...

— Pas mèche, y'a besoin de rien leur dire, rien! Quand y vont voir la porte grande ouverte, y se diront : « par ici la bonne soupe »... avec la gueule enfarinée, et tout. Et encore plus quand y vont me situer dans le coin et qu'y feront gaffe, parce que j'ai ma petite réputation, depuis qu'Antoine Libellule et moi, on est entrés chez un brave curé qu'a eu si peur, en nous voyant tomber du grenier jusque dans la chambre et allumer la lumière, qu'y nous a filé les clefs de l'armoire où que se trouvait le magot, des pièces enveloppées dans un mouchoir histoire qu'elles aillent pas tinter en tombant, après quoi, il a fait çui qui dormait. Oui, y'a pas à dire, c'qu'on a rigolé cette fois-là ! D'autant que les gars sont à la redresse, conclut-il en montrant le groupe d'hommes de mauvaise mine qui, muets et couverts de puces, buvaient l'eau-de-vie, verre sur verre, se lançant le liquide d'un seul coup au fond du gosier et crachant amer, à peine le verre ôté des lèvres... Oui, croyez-moi, c'est des types décidés !

Visage d'Ange leva son verre en invitant Vasquez à boire à l'amour. La *Serpente* se joignit à eux avec un godet d'anisette. Et ils burent tous les trois.

Dans la pénombre, par précaution, on n'avait pas allumé la lumière électrique, et il n'y avait d'autre clarté dans la pièce que le cierge offert à la Vierge de Chiquinquira, les corps des hommes débraillés projetaient des ombres fantastiques, allongées comme des gazelles sur les murs couleur prairie sèche et sur les étagères, les bouteilles semblaient des petites flammes de couleur. Tous suivaient la marche de l'horloge. Les crachats frappaient le sol comme des balles. Visage d'Ange attendait à l'écart, le dos appuyé au mur, tout près de l'image de la Vierge. Ses grands yeux noirs suivaient, de meuble en meuble, la pensée qui, avec une insistance de mouche, l'obsédait aux moments décisifs : avoir une femme et des enfants. Il sourit intérieurement en se rappelant l'anecdote de ce prisonnier politique condamné à mort qui, douze heures avant son exécution, reçoit la visite de l'Enquêteur envoyé par les autorités pour lui accorder une grâce, et même la vie, à condition qu'il revienne sur ses déclarations. Eh bien ! la grâce que je demande est de laisser un fils,

répond le prisonnier à brûle-pourpoint. Accordé ! lui dit
l'Enquêteur et, se croyant spirituel, il fait venir une fille
publique. Le condamné renvoie la femme sans l'avoir tou-
chée et, quand l'autre revient, il lui dit : « Des fils de putains,
y'en a déjà bien assez comme ça !... » Un autre petit sourire
lui rida les commissures des lèvres ; il songeait : « J'ai été
directeur de collège, directeur d'un journal, diplomate,
député, maire, et maintenant je ne suis rien de plus que le
chef d'une bande de malfaiteurs !... Caramba, ce que c'est
que la vie ! *That is the life in the tropic !* »

Deux coups de cloche se détachèrent des pierres de la
Merci.

— Tout le monde dehors ! cria Visage d'Ange, et, bran-
dissant son revolver, il dit à la *Serpente* avant de sortir :
« Je reviens tout de suite avec mon trésor. »

— Allons ! Au boulot ! ordonna Vasquez en grimpant
comme un lézard vers une fenêtre de la maison du général,
suivi par deux acolytes, et... gare à ceux qui se dégonflent !

Les deux coups de cloche de l'horloge résonnaient encore
dans la maison du Général.

— Tu viens, Camila ?

— Oui, mon petit papa.

Canales portait une culotte de cavalier et une vareuse
bleue dépourvue de galons et de décorations, et au-dessus de
laquelle se détachait sans tache sa tête blanche. Camila se
jeta dans ses bras sans une larme, sans une parole. L'âme ne
comprend pas le bonheur ou le malheur si elle ne les a pas
épelés au préalable. Il faut mordre et mordre le mouchoir
salé de larmes, le lacérer, le mettre en pièces avec les dents.
Pour Camila, tout cela n'était qu'un jeu ou qu'un cauchemar ; la réalité, non ce ne pouvait être la réalité ; quelque
chose qui lui arriverait à elle, qui arriverait à son papa, non,
impossible. Le général Canales l'entoura de ses bras pour
lui dire adieu.

— C'est comme ça que j'ai embrassé ta mère en partant
la dernière fois à la guerre, pour défendre la patrie. La
pauvrette s'était mis dans la tête que je ne reviendrais pas,
et c'est elle qui ne m'a pas attendu.

En entendant marcher sur la terrasse, le vieux militaire arracha sa fille de ses bras et traversa le patio entre les massifs et les pots de fleurs pour se diriger vers la porte des communs. Le parfum de chaque azalée, de chaque géranium, de chaque rosier lui disait adieu. L'odeur de l'argile lui disait adieu, ainsi que la clarté tombant des fenêtres. La maison entière s'éteignit tout d'un coup, comme coupée soudain des autres maisons. Fuir n'était pas digne d'un soldat... Mais, la pensée de revenir au pays à la tête d'une révolution libératrice...

Ainsi que le prévoyait le plan, Camila se mit à la fenêtre pour appeler au secours.

— Au voleur ! Au voleur !

Avant même que sa voix ne se perdît dans la nuit immense, les premiers gendarmes — ceux qui surveillaient la façade de la maison — accoururent en soufflant dans les longs doigts creux de leurs sifflets. Bruit discordant de métal et de bois. Ils franchirent aussitôt la porte donnant sur la rue. D'autres agents, en civil, apparurent aux carrefours, sans savoir de quoi il s'agissait, mais se tenant sur la défensive, précisément parce qu'ils l'ignoraient, Notre Seigneur de l'Agonie bien aiguisé au poing, le chapeau ramené sur le front et le col du veston relevé. La porte grande ouverte les avalait tous. Rivière tourbillonnante. Il y a tant de choses dans les maisons, mal disposées à l'égard de leur maître ! Vasquez coupa les fils électriques en montant sur le toit. Les corridors et les pièces n'étaient qu'une ombre dure. Certains craquaient des allumettes pour trouver les armoires, les buffets, les commodes, et les fouillaient sans vergogne de haut en bas, après avoir fait sauter les serrures, cassé les vitres à coups de crosse de revolver, ou fait voler en éclats les panneaux de bois précieux. D'autres, perdus dans le salon, en mêlées tragiques dans les ténèbres, renversaient les chaises, les tables, les sellettes et les portraits posés dessus, ou bien ils tapotaient un piano demi-queue resté ouvert, et qui gémissait comme une bête maltraitée chaque fois qu'on le frappait.

Au loin, on entendit rire fourchettes, cuillères et couteaux répandus sur le plancher, et soudain un cri qu'on ne tarda pas à écraser d'un coup. La Chabela cachait Camila entre le mur et une desserte de la salle à manger. Le favori la fit rouler d'une bourrade. La vieille avait les tresses prises dans la poignée du tiroir à argenterie dont le contenu s'éparpilla à terre. Vasquez la fit taire d'un coup de matraque. Il tapa au jugé. On ne se voyait même pas les mains.

This chapter shows the
president who orchestrated
the accusations for his own
purposes, wants Canales to
flee because that would
prove him guilty.

DEUXIÈME PARTIE

24, 25, 26 ET 27 AVRIL

12

Camila

Elle passait des heures et des heures dans sa chambre, devant
la glace. « Le diable va vous apparaître dans la glace, à force
de singeries ! » lui criait sa nounou. « Plus diable que moi ? »
répondait Camila, la chevelure de flammes noires en désordre, le visage bronzé, luisant de beurre de cacao — c'était sa
façon de le nettoyer — naufragés, ses yeux verts, obliques,
nettement fendus vers les tempes. La vraie Chinoise Canales,
comme on la surnommait au collège, même avec sa blouse
d'écolière l'enveloppant jusqu'aux chevilles, avait davantage
l'air d'une petite femme, moins laide, pleine de caprices et
de curiosités.

Quinze ans, se disait-elle devant son miroir, et je ne
suis qu'une petite ânesse avec beaucoup d'oncles et de tantes,
de cousins et de cousines, par nuées, comme des insectes.

Elle se tirait les cheveux, criait, faisait des grimaces.
Il lui déplaisait de faire partie de cette nuée de gens de la
même famille. Etre la petite. Aller avec eux au défilé militaire. Aller avec eux partout. A la grand-messe, au Mont
Carmel, pour monter le cheval roux, pour se promener autour
du théâtre Colomb, pour descendre et grimper les pentes des
ravins du côté du Saule.

Ses oncles étaient des épouvantails moustachus, avec un
bruit de bagues dans les doigts. Ses cousins, des lourdauds
mal léchés et casse-pieds. Ses tantes, des femmes déplai-
santes. Du moins, c'est ainsi qu'elle les voyait, exaspérée
parce que les uns — les cousins — lui offraient des cornets
de bonbons ornés de petits drapeaux, comme si elle était
encore une enfant ; les autres — les oncles — la caressaient

avec des mains qui empestaient le cigare, lui prenaient les joues entre le pouce et l'index pour lui tourner la tête à droite et à gauche — instinctivement, Camila raidissait la nuque — ou parce que les tantes l'embrassaient sans enlever leur voilette, rien que pour lui laisser la sensation d'une toile d'araignée collée sur la peau avec de la salive.

Les dimanches après-midi, elle s'endormait ou s'ennuyait au salon, fatiguée de regarder des vieilles photographies dans un album de famille, sans compter les portraits, accrochés aux murs tapissés de rouge ou disposés sur des sellettes noires, des tables argentées ou des consoles de marbre, tandis que son papa ronronnait, comme regardant la rue déserte par la fenêtre, ou répondait au bonjour des voisins et des connaissances qui le saluaient en passant. Un de loin en loin. Ils lui tiraient leur chapeau. C'était le général Canales. Et le Général leur répondait d'une voix sonore : Bonjour... A bientôt... Heureux de vous voir... Bonne santé...

Les photographies — sa maman en jeune mariée, dont on ne voyait que les doigts et le visage ; tout le reste, c'étaient les trois règnes de la nature, à la dernière mode dans sa robe tombant jusqu'aux chevilles, mitaines jusqu'aux coudes, le cou entouré de fourrures, chapeau ruisselant de rubans et de plumes, sous une ombrelle à bouillonnés de dentelles ; ses tantes, pigeonnantes et tapissées comme des meubles de salon, la chevelure comme pavée, et de petits diadèmes sur le front ; les amies d'alors, l'une avec un châle de Manille, des peignes dans les cheveux et l'éventail, d'autres en Indiennes, avec des sandales, la tunique indienne, en fichu et la cruche sur l'épaule, ou en mantilles de Madrilènes, avec des mouches et des bijoux, — ces photographies assoupissaient peu à peu Camila, ointe de somnolences de crépuscule et de pressentiments de dédicaces : « Ce portrait te suivra comme mon ombre. » « Avec toi, à toute heure, ce pâle témoignage de ma tendresse. » « Si l'oubli efface ces mots, mon souvenir s'éteindra. » Au bas d'autres photographies on lisait seulement, entre des violettes séchées fixées avec des faveurs décolorées : « Remember, 1898 » ; « ...idolâtrée » ; « jusqu'au delà de la tombe » ; « ton inconnue... ».

Son papa saluait ceux qui, de temps à autre, passaient dans la rue déserte, mais sa voix sonore résonnait dans le salon comme une réponse aux dédicaces. « Ce portrait te suivra comme mon ombre. » « J'en suis très heureux, portez-vous bien !... » « A toute heure avec toi ce pâle gage de mon affection. » « Au revoir, bonne santé !... » « Si l'oubli efface ces mots, mon souvenir s'éteindra. » « A votre service, bonjour à votre maman ! »

Un ami s'échappait parfois de l'album et s'arrêtait pour parler à la fenêtre avec le Général. Camila l'épiait, cachée derrière le rideau. C'était celui qui, sur sa photo, avait un air conquérant, jeune, svelte, de noirs sourcils, un pantalon voyant à carreaux, une redingote boutonnée et un chapeau mi-haute forme mi-melon, coiffure des gandins audacieux de la fin du siècle.

Camila souriait et se disait : « Vous auriez mieux fait, monsieur, d'en rester à votre portrait... Vous seriez démodé, on se moquerait de votre costume de musée, mais vous ne seriez pas ventru, chauve, avec des joues rebondies comme si vous suciez des boules de gomme. »

Du fond de la pénombre du rideau de velours qui sentait la poussière, Camila penchait ses yeux verts vers la vitre de l'après-midi dominicale. Rien n'altérait la dureté de ses pupilles en verre glacé quand elle regardait de chez elle ce qui se passait dans la rue.

Séparés par les barreaux d'un balcon en saillie, son papa, les coudes enfoncés dans un coussin de satin — les manches de sa chemise de lin, car il était en manches de chemise, brillaient — et un ami qui avait l'air d'être un intime, tuaient le temps. Un monsieur bilieux, nez crochu, petite moustache et canne à pommeau d'or. Le hasard. Alors qu'il passait dans la rue devant la maison, le Général l'avait arrêté d'un « Ça faisait un temps que je n'avais pas eu le bonheur de te voir du côté de la Merci, un vrai miracle ! », et Camila l'avait trouvé dans l'album. Ce n'était pas facile de le reconnaître. En examinant vraiment attentivement la photo. Le pauvre monsieur avait eu un nez proportionné, un visage doux, des joues pleines. On dit bien que le temps marque les gens. Il avait maintenant le visage anguleux, les pommettes saillantes, l'arcade sourcilière dégarnie et la mâchoire dure. Tout en parlant avec le Général d'une voix lente et caverneuse, il portait la pomme de sa canne à son nez, à chaque instant, comme pour en flairer l'or.

L'immensité en mouvement. Elle-même en mouvement. Tout ce qui en elle était immobile, en mouvement. Quand elle vit la mer pour la première fois, des mots de surprise jaillirent jusqu'à ses lèvres ; mais, lorsque ses oncles lui demandèrent ce qu'elle pensait du spectacle, elle répondit, d'un air plein d'importance : « Je savais tout ça par cœur, d'après les photographies !... »

Le vent agitait dans ses mains un chapeau rose à large bord, comme un cerceau ou comme un grand oiseau rond.

Les cousins, bouche bée, les yeux écarquillés, n'en revenaient pas. Le bruit assourdissant des vagues étouffait les paroles de ses tantes. Que c'est joli ! Est-ce possible ? Que d'eau ! On dirait qu'elle est en colère ! Et là, regardez... c'est le soleil qui se couche ! N'avons-nous rien oublié dans notre hâte à descendre du train ?... Il faut voir si tout va bien... il faut compter les valises !...

Ses oncles, chargés de bagages contenant des vêtements légers pour la plage — ces costumes froissés comme des raisins secs qu'arborent les estivants —, encombrés de grappes de noix de coco que les dames ont enlevées des mains des vendeurs, dans les gares du parcours, simplement parce qu'elles étaient à bon marché, et d'une multitude de ballots et paniers, s'éloignèrent vers l'hôtel en file indienne.

— Ce que tu as dit, j'ai bien remarqué... bafouilla enfin un de ses cousins, le plus dégourdi — un afflux de sang sous la peau accentua d'un léger carmin le teint bronzé de Camila quand on s'adressa à elle — je ne l'ai pas pris au pied de la lettre. Je crois que tu as voulu dire que la mer ressemble aux photographies animées des documentaires de voyages, mais en plus grand.

Camila avait entendu parler de ces vues animées qu'on projetait près de la Porte du Seigneur, aux Cent Portes, mais elle ne savait pas comment elles étaient et n'en avait aucune idée. Cependant, d'après ce qu'avait dit son cousin, il lui fut facile de se les représenter en tournant les yeux vers l'océan. Tout en mouvement. Rien de stable. Images sur images se superposant, éclatant en gerbes pour former une vision fugace continuellement renouvelée, dans un état qui n'est ni solide, ni liquide, ni gazeux, mais l'état de la vie dans la mer : l'état lumineux. Pour les vues comme pour la mer.

Les orteils un peu crispés dans ses souliers, le regard attiré partout à la fois, Camila continua à contempler ce que ses yeux ne finissaient pas de voir. Si, dans le premier instant, elle avait eu l'impression que ses pupilles se vidaient pour pouvoir contenir l'immensité, maintenant l'immensité les remplissait : c'était de nouveau la marée montante vers ses yeux.

Suivie de son cousin, elle descendit peu à peu vers la plage (il n'est pas facile de marcher dans le sable) afin d'être plus près des vagues ; mais, au lieu de lui tendre une main, l'océan Pacifique lui lança une claque d'eau claire qui lui baigna les pieds. Surprise, c'est à peine si elle eut le temps de se retirer, non sans lui laisser un gage, le chapeau rose qu'on voyait maintenant comme un tout petit point au milieu de l'écume, et non sans un cri d'enfant gâtée qui menace d'aller se plaindre à son papa : Eh !... mais !...

Ni elle ni son cousin ne s'en rendirent compte. Elle avait prononcé pour la première fois le verbe « aimer » en menaçant l'océan ; le ciel couleur de tamarinier vers l'endroit où se cachait le soleil complètement, rendait froid le vert profond de l'eau.

Pourquoi baisa-t-elle ses bras sur la plage en humant l'odeur de sa peau salée et ensoleillée ? Pourquoi fit-elle de même avec les fruits qu'on ne lui laissait pas manger, en les approchant de ses lèvres jointes et en les flairant ? Ce qui est acide fait mal aux petites filles, déclaraient ses tantes à l'hôtel, tout comme de rester les pieds mouillés et de gambader. Camila avait embrassé son père et sa nounou, sans les sentir. Retenant sa respiration, elle avait baisé le pied du Jésus de la Merci, pareil à une racine cassée. Et lorsqu'on ne sent pas ce qu'on embrasse, le baiser n'a pas de sens. Sa chair salée, dorée comme le sable, les pignes et les coings, lui apprirent à embrasser en tenant bien ouvertes des narines avides.

Mais de la théorie à la réalité, elle ne sut si elle sentait ou si elle mordait lorsque, la saison sur le point de s'achever, le cousin qui parlait des vues animées et savait siffler le tango argentin l'embrassa sur la bouche.

Quand elle fut revenue dans la capitale, Camila n'eut de cesse que sa nounou l'emmenât voir ces vues. C'était au coin de la Porte du Seigneur : aux Cent Portes. Elles y allèrent en cachette de son père, toutes tremblantes, en se mordant les doigts et en murmurant des prières. Il s'en fallut de peu qu'elles ne se sauvent en voyant la salle pleine de monde. Elles s'emparèrent de deux chaises près d'un rideau blanc baigné parfois comme d'un reflet de soleil. On essayait les appareils, les lentilles, le projecteur qui crépitait à peu près comme les charbons d'où jaillit la lumière, dans les lampadaires des rues.

Soudain, la salle s'obscurcit. Camila eut l'impression de jouer à cache-cache... Sur l'écran, tout était confus. Images aux mouvements de sauterelle. Ombres de personnages qui semblaient mastiquer en parlant, sautiller en marchant, et se disloquer quand ils remuaient un bras. Précis, le souvenir lui revint d'un jour où elle s'était cachée avec un garçon dans une chambre éclairée seulement par une lucarne. Elle en oublia les images. La veilleuse des âmes du Purgatoire coulait dans le coin le plus sombre, devant un Christ en celluloïd presque transparent. Ils se cachèrent sous un lit. Ils durent s'étendre par terre. Le lit n'arrêtait pas de craquer. C'était un aïeul, meuble vermoulu qui n'était pas d'humeur à se faire tarabuster. « Coucou », entendit-on crier dans le patio le plus éloigné. « Coucou », cria-t-on dans le plus proche patio. « Coucou ! Coucou !... ». En entendant les pas de celui qui cherchait en criant à tue-tête : « J'arrive pour donner un bon coup ! », Camila commença à avoir envie de rire. Son compagnon de cachette la regardait fixement, la menaçant pour la faire taire. Elle, elle écoutait le conseil l'œil sérieux, mais elle ne put se contenir en sentant une table de nuit entr'ouverte et dont l'odeur puante lui restait plein le nez et elle aurait lâché un éclat de rire si ses yeux ne s'étaient remplis d'un sable fin qui se transforma en larmes lorsqu'elle sentit sur sa tête la brûlure d'un bon coup.

Et comme naguère de sa cachette, ainsi sortit-elle de la salle de projection, les yeux larmoyants et précipitamment, parmi ceux qui abandonnaient leur chaise et couraient vers les portes dans l'obscurité. Ils ne s'arrêtèrent qu'à la Porte du Commerce. Là, Camila apprit que le public avait fui l'excommunication. Sur l'écran, une femme en robe collante et un homme la mèche au front, moustache et cravate à l'artiste, dansaient le tango argentin.

Vasquez sortit dans la rue encore armé — la matraque qui lui avait servi à faire taire Nounou Chabela était une arme contondante — et sur un signe de tête de lui, Visage d'Ange parut, la fille du général Canales dans les bras.

La police commençait à fuir avec son butin quand ils disparurent par la porte du « Tous-Tep ».

Chez les policiers, celui qui n'emportait pas une tortue galapago sur le dos emportait une horloge murale, une grande glace, une table, une statue, un crucifix, une tortue, des poules, des canards, des pigeons, tout ce que Dieu a créé. Vêtements masculins, souliers de femme, bibelots chinois, fleurs, statues de saints, trépieds, cuvettes, lampes, un lustre, des candélabres, des flacons de médicaments, des portraits, des livres, des parapluies pour les eaux du ciel et pour les eaux humaines.

La patronne du « Tous-Tep » attendait, une barre à la main, prête à barricader la porte dès qu'ils seraient entrés. Jamais Camila n'avait soupçonné l'existence de ce taudis sentant le tapis moisi, à deux pas de la maison où elle vivait entourée des gâteries du vieux militaire, hier heureux, qui le croirait, des soins de sa nounou aujourd'hui grièvement blessée, qui le croirait, des fleurs du patio, hier toutes fraîches, aujourd'hui saccagées, sa chatte enfuie, son canari mort, écrasé avec sa cage et tout. Quand le favori lui ôta des yeux le bandeau qu'il lui avait fait avec son écharpe noire, elle crut être très loin de chez elle... Deux ou trois fois, elle passa sa main sur son visage en regardant de tous côtés pour savoir où elle se trouvait. Ses doigts se perdirent dans un cri quand elle prit conscience de son malheur. Elle ne rêvait pas.

— Mademoiselle... (autour de son corps engourdi, lourd, la voix de celui qui, cette après-midi, lui avait annoncé la catastrophe)... ici, vous ne courez aucun danger. Qu'allons-nous vous donner pour faire passer la frayeur ?

— Frayeur d'eau et frayeur de feu ! dit la patronne en courant découvrir quelques braises dans la terrine qui lui servait de cuisinière, instant dont Vasquez profita pour partir à l'abordage et se colleter avec un carafon d'eau-de-vie, de la bonne, qu'il engloutit sans la savourer, comme du tord-boyaux.

En soufflant de toutes ses forces, la patronne donnait des yeux au feu sans cesser de répéter entre les dents : « Feu, je veux, je veux, feu ! » Derrière elle, sur le mur de l'arrière-boutique, teinté de rouge par la lueur des braises, l'ombre de Lucio Vasquez glissa vers le patio.

— C'est ici que lui dit à elle... — disait Lucio de sa voix flûtée — D'un seul, sort toujours un cent... et aussi un mille. Qui vit à coups de tord-boyaux, à coups de tord-boyaux périt...

L'eau qui remplissait un bol prit une couleur de personne effrayée quand la braise y tomba et s'y éteignit. Comme le noyau d'un fruit infernal flotta le charbon noir que la *Serpente* avait jeté brûlant et qu'elle retira éteint avec des pinces. « Frayeur d'eau et de feu ! » répétait-elle. Aux premières gorgées, Camila recouvra la voix !

— Et mon papa ? furent ses premières paroles.

— Calmez-vous. Ne vous inquiétez pas, buvez encore un peu d'eau braisée. Il n'est rien arrivé au Général, lui répondit Visage d'Ange.

— En êtes-vous sûr ?

— Je le suppose...

— Mais le malheur...

— Chut, ne l'attirez pas !

Camila regarda à nouveau Visage d'Ange. L'expression

des traits en dit souvent plus que les paroles. Mais ses yeux se perdirent dans les pupilles du favori, noires et vides d'expression.

— Il faut vous asseoir, ma petite, fit observer la *Serpente* qui revenait, traînant la banquette occupée par Vasquez en cette après-midi où le monsieur au verre de bière et au gros billet était entré dans le café pour la première fois...

Cette après-midi voilà des années ou cette après-midi voici seulement quelques heures ? Le favori fixait alternativement la fille du Général et la flamme du cierge offert à la Vierge de Chiquinquira. L'idée d'éteindre la lumière et de jouer un coup bien fourré rendait encore plus noirs ses yeux. Souffler, et... sienne, de gré ou de force.

Mais il reporta son regard de l'image de la Vierge à Camila effondrée sur son siège et, voyant ce visage couvert de grosses larmes, ces cheveux en désordre et ce corps d'ange à peine formé, il changea d'expression, lui enleva la tasse avec un air paternel et se dit : « Pauvre petite ! » Les toussotements de l'aubergiste pour leur faire comprendre qu'elle les laissait seuls, et ses imprécations en découvrant Vasquez complètement ivre, couché dans le petit patio fleurant la rose alcoolisée qui prolongeait l'arrière-boutique, coïncidèrent avec une nouvelle crise de larmes de Camila.

— Toi, on peut dire que t'es un beau cochon — la *Serpente* était transformée en furie — goujat, seulement bon à vous faire faire de la bile ! On a bien raison de dire qu'avec toi, pour un battement de paupières on perd au jeu ! Tu parles que tu m'aimes !... Ça se voit... ça se voit !... J'avais à peine le dos tourné que tu t'envoyais le carafon ! A te voir faire, c'est comme si ça me coûtait rien !... Comme si je l'avais à crédit... qu'on m'en faisait cadeau !... Espèce de voleur !... Sors d'ici ou je te flanque dehors à coups de pied !

La voix plaintive de l'ivrogne, les coups de sa tête sur le sol quand l'aubergiste commença à le tirer par les pieds... Le vent referma la porte du petit patio. On n'entendit plus rien.

— C'est fini, allons, c'est fini... disait de temps en temps Visage d'Ange à l'oreille de Camila qui sanglotait. C'est fini, ne pleurez plus, votre papa ne court aucun danger ; et vous,

cachée ici, vous n'avez rien à craindre. Je suis là pour vous
défendre !... C'est fini, il ne faut pas pleurer, cela vous ren-
drait encore plus nerveuse. Regardez-moi sans pleurer et je
vous explique comment tout ça s'est passé...

Peu à peu, les larmes de Camila se tarirent. Visage d'Ange
lui caressait la tête, il lui prit son mouchoir des mains pour
lui sécher les yeux. Une première touche de chaux et de
peinture rose : le jour se levait à l'horizon, parmi les choses
et sous les portes. Les êtres se flairaient avant de se voir. Les
arbres, affolés par la démangeaison des trilles et sans pouvoir
se gratter. Bâillement et bâillement, les fontaines.

— Il faut absolument vous calmer, sans quoi vous allez
tout gâcher, compromettre votre sort, celui de votre papa et
me compromettre moi aussi. Ce soir, je reviendrai vous
chercher pour vous conduire chez vos oncles. L'important,
c'est de gagner du temps. Il faut de la patience pour arranger
certaines choses.

— Je ne suis pas en peine pour moi : après ce que vous
m'avez dit, je me sens en sûreté. Je vous en suis reconnaissante. Je comprends tout, et que je dois rester ici. Mais c'est
le sort de mon papa qui m'inquiète. Je voudrais tant être
sûre qu'il ne lui est rien arrivé.

— Je promets de vous apporter de ses nouvelles...

— Aujourd'hui même ?

— Aujourd'hui même.

Avant de sortir, Visage d'Ange se retourna pour lui donner une petite tape affectueuse sur la joue.

— Du-cal-me.

La fille du général Canales leva ses yeux de nouveau
pleins de larmes et répondit :

— Des nouvelles...

At a local tavern Angel meets,
Lucio Vásquez, who is a policeman.
He told him that he is kidnapping
Canales daughter.

13

Arrestations

Dans sa hâte de sortir en vitesse, la femme de Genaro Rodas ne prit même pas le temps d'approvisionner son dépôt de pain. Au diable les panières qui arrivaient avec son gagne-pain. Elle laissa son mari allongé tout habillé sur le lit, tel un chiffon, et son bébé endormi dans le couffin qui lui servait de berceau. Six heures du matin.

L'horloge de la Merci sonnant, et elle frappant le premier coup chez les Canales. Qu'ils me pardonnent l'alerte et le réveil un peu matinal, pensait-elle, le heurtoir déjà en main pour frapper à nouveau. Alors, on venait ouvrir, ou pas ? Il faut que le général sache le plus tôt possible tout ce que Lucio Vasquez a raconté hier soir à mon écervelé de mari, dans ce bistrot qui s'appelle *Le Réveil du Lion*.

Elle s'arrêta de frapper et en attendant qu'on vienne lui ouvrir elle se mit à récapituler : que les mendiants lui mettent sur le dos le mort de la Porte du Seigneur ; que ce matin même on va venir l'arrêter et enfin, pire que tout, qu'on veut enlever mademoiselle...

« Ça, c'est le bouquet ! Ça, pour le coup, c'est le bouquet ! » répétait-elle intérieurement sans cesser de frapper.

Et un coup de cœur sur un autre coup de cœur. On met le Général en prison ? Bon, les hommes, c'est fait pour ça, qu'il reste dans sa prison. Mais qu'on emmène la demoiselle... Par le sang du Christ ! La flétrissure est irréparable. Et je mettrais ma tête à couper qu'il s'agit des manigances de quelque bouc dessalé et sans vergogne, de ceux qui s'en viennent à la ville avec les trucs qui leur servent dans les bois.

Elle frappa encore. La maison, la rue, l'air, tout comme

dans un tambour. C'était désespérant qu'on ne lui ouvrît pas.
Elle épela le nom du café du coin pour passer le temps :

« Le Tous-Tep... » Il n'y en avait pas long à épeler, si on ne
regardait pas les figures peintes de part et d'autre de la porte
— d'un côté un homme, de l'autre une femme : de la bouche
de la femme sortait un philactère : « Viens danser un Tous-
Tepito », et, derrière le dos de l'homme qui tenait une bouteille à la main : « Non, parce que je danse déjà un grand
Tous-Tepon ».

Fatiguée d'attendre — il n'y avait personne, ou bien on
ne voulait pas ouvrir — elle poussa la porte. Sa main partit
jusqu'à allez donc savoir où... Simplement entrouverte ? Elle
croisa son châle à franges, franchit l'entrée sur un océan de
grands coups au cœur et arriva jusqu'au corridor hors d'elle-
même, glacée par la réalité comme l'oiseau par le plomb du
chasseur, le sang en reflux, la respiration courte, le regard
fou, les membres paralysés à la vue des pots de fleurs par
terre, par terre les queues-de-quetzal qu'ils contenaient, paravents et fenêtres brisés, brisés les miroirs, éventrées les
armoires, violées les clefs, papiers et vêtements et meubles et
tapis, tout saccagé, tout vieilli en une seule nuit, tout en un
tas méprisable, ordures sans vie, sans intimité, sales, sans
âme...

Nounou Chabela errait le crâne défoncé, tel un fantôme
parmi les ruines de ce nid abandonné, à la recherche de
mademoiselle.

— Ah-ah-ah-ah !... — riait-elle — Hi-hi-hi-hi ! Où donc vous
cachez-vous, mademoiselle Camila ?... J'arrive vous donner
un bon coup ! . . . .
. . . .
Pourquoi ne répondez-vous pas ? Coucou ! Coucou ! COUCOU !
. . . .

Elle croyait jouer à cache-cache avec Camila et la cherchait sans arrêt dans les coins et les recoins, parmi les fleurs,
sous les lits, derrière les portes, retournant tout comme un
tourbillon.

— Ah ! ah ! ah !... Hi ! hi ! hi !... Oh ! oh ! oh !... Coucou !
Coucou ! Coucou ! Coucou, me voilà ! Sortez, mademoiselle

Camila, je ne vous trouve pas !... Sortez, ma petite Camila.
Je suis fatiguée de vous chercher ! Ah ! ah ! ah ! sortez... Coucou !... J'arrive vous donner un bon coup !... Hi-hi-hi-hi !... Oh-
oh-oh-oh !

Cherche que je cherche, elle s'approcha du bassin et
voyant son image dans l'eau calme, elle cria comme un singe
blessé, et le rire devenu tremblement entre les lèvres, les
cheveux sur la figure et sur les cheveux les mains, elle s'ac-
croupit peu à peu pour fuir cette vision insolite. Elle soupirait
des phrases d'excuse comme si elle se demandait pardon à
elle-même d'être si laide, d'être si vieille, d'être si menue,
d'être si échevelée... Soudain, elle poussa un nouveau cri. A
travers la pluie en étoupe de ses cheveux et les grilles de
ses doigts, elle avait vu le soleil sauter du toit, lui tomber
dessus et lui arracher l'ombre qu'elle contemplait maintenant
dans la cour. Mordue par la colère, elle se leva et s'en prit
à son ombre et à son image, frappant l'eau et le sol, l'eau avec
ses mains, le sol avec ses pieds. Elle voulait les effacer.
L'ombre se tordait comme un animal fouetté mais, en dépit
de son furieux trépignement, ne disparaissait pas. Son image
se déchiquetait dans l'angoisse de l'eau battue; mais apparaissait de nouveau dès que l'agitation cessait. Nounou Chabela
hurla avec une rage de fauve en colère en se voyant incapable
de détruire cette petite poussière de charbon répandue sur
les pierres, fuyant sous ses coups comme si vraiment elle les
sentait, non plus que cette autre petite poussière lumineuse
éparse sur l'eau avec un je ne sais quoi de son image et
qu'elle brouillait avec de grandes claques ou à coups de son
poing fermé.

Déjà ses pieds étaient en sang, ses mains tombaient de
fatigue, cependant que son ombre et son image restaient
indestructibles.

Convulsée et folle de rage, avec le désespoir de celui qui
risque le tout pour le tout, elle se jeta la tête en avant contre
la fontaine...

Deux roses tombèrent dans l'eau...

La branche d'un rosier épineux lui avait arraché les yeux...

Elle rebondit sur le sol comme son ombre elle-même, et

finit par rester inanimée au pied d'un oranger que tachaient de sang les fleurs d'une plante grimpante...

Une musique militaire passait dans la rue. Que de violence et quel air martial ! Quelle soif d'arcs de triomphe ! Pourtant, malgré les efforts des trompettes pour souffler fort et en mesure, les gens, loin de manifester dès le réveil l'impatience qui anime les héros quand ils sont las de voir l'épée trop longtemps sans objet dans la paix des blés mûrs, ouvraient les yeux sur l'agréable perspective d'un jour de fête, et prenaient humblement la résolution de se recommander à Dieu afin qu'il les délivrât des mauvaises pensées, des mauvaises paroles et des mauvaises actions contre Monsieur le Président.

Sortant d'un court évanouissement, Nounou Chabela entendit la musique. Elle était dans le noir. Sans doute, mademoiselle était-elle venue par derrière, sur la pointe des pieds, lui couvrir les yeux.

— Mademoiselle Camila, je sais bien que c'est vous, laissez-moi vous voir, balbutia la pauvre femme en portant ses mains à sa figure afin d'écarter de ses paupières les doigts de mademoiselle, qui lui faisaient horriblement mal.

Le vent tambourinait avec les épis de maïs du son sur la rue en pente. La musique et la nuit de la cécité, posée sur ses yeux comme le bandeau d'un jeu d'enfant, emportèrent son souvenir vers l'école où elle avait appris ses premières lettres, là-bas, au Vieux Village. Un saut dans le temps, et elle se vit, déjà grande, assise à l'ombre de deux manguiers ; et puis, tout de suite, tout de suite de suite, d'un autre bond, dans un char à bœufs qui roulait sur des chemins plats sentant le foin. Le grincement des roues faisait saigner comme une double couronne d'épines le silence du charretier imberbe qui la fit femme. Rumine que je rumine, les bœufs soumis traînaient toujours le lit nuptial. Ivresse du ciel dans la plaine élastique... Mais le souvenir se disloquait soudain et avec l'impétuosité d'une cataracte elle voyait un flot d'hommes qui entrait dans la maison... Leur halètement de bêtes noires, leurs cris infernaux, leurs jurons, leurs gros rires, le piano qui criait à s'égosiller comme si on lui arrachait les dents à pleine main ; puis, c'était mademoiselle perdue comme un parfum ; et enfin un grand coup de masse au milieu du front, accompagné d'une plainte étrange et d'une ombre immense.

La femme de Genaro Rodas, Fedina, trouva Nounou Chabela couchée par terre dans la cour, les joues baignées de sang, les cheveux en désordre, les vêtements en lambeaux, luttant avec les mouches que des mains invisibles lui jetaient par poignées à la figure ; et, comme quelqu'un qui rencontre un fantôme, Fedina se sauva à travers les pièces, pleine de frayeur.

— La pauvre ! La pauvre ! répétait-elle tout bas.

Devant une fenêtre, sur le sol, elle trouva la lettre écrite par le Général à son frère Juan pour lui confier Camila... Mais Fedina ne la lut pas entièrement, moitié parce que les cris de Nounou Chabela la bouleversaient, ils semblaient sortir des miroirs cassés, des vitres en miettes, des chaises brisées, des commodes forcées, des cadres tombés, moitié parce qu'elle ne songeait qu'à fuir ce guêpier. Elle essuya la sueur de son visage avec le mouchoir plié en quatre, qu'elle serrait nerveusement dans sa main ornée de bagues de pacotille, mit le papier dans son corsage et s'enfuit en toute hâte.

Mais trop tard ! Un militaire au visage dur l'arrêta sur le seuil de la porte. Les soldats cernaient la maison. Du patio, montait le cri de la servante torturée par les mouches. Lucio Vasquez qui, sur les instances de la *Serpente* et de Camila, guettait sur le seuil du « Tous-Tep », en eut le souffle coupé : on arrêtait la femme de Genaro Rodas, la femme de l'ami à qui, dans le feu de la boisson, il avait raconté la veille, au « Réveil du Lion », tout ce qui concernait l'arrestation du Général !

— Je retiens mes larmes, pas mes souvenirs, s'exclama l'aubergiste qui était sortie sur le pas de sa porte juste au moment où l'on arrêtait Fedina. Un soldat s'approchait du café. « Ils cherchent la fille du Général ! » dit la *Serpente*, effrayée. Vasquez pensa la même chose, bouleversé jusqu'à la racine des cheveux. Le soldat s'approcha pour leur dire de fermer. Ils poussèrent les portes et restèrent à épier, à travers les fentes des volets, ce qui se passait dans la rue.

Vasquez reprit courage dans la pénombre et, prétextant de sa peur, voulut caresser son amie. Mais celle-ci ne se laissa pas faire plus que d'habitude. Pour un peu, elle lui aurait flanqué un gnon.

— Toi, toujours aussi mijaurée !

— Et comment ! Pas vrai ? Mais oui, bien sûr que j'allais te laisser me peloter ! Et qu'est-ce qui serait arrivé si je t'avais pas raconté hier soir comment que cette tordue racontait partout que si la fille du Général par-ci...

— Attention ! On peut t'entendre, coupa Vasquez.

Ils parlaient, penchés, regardant la rue à travers les interstices de la porte.

— Sois pas idiot, je cause tout bas... Je te demandais ce qui serait arrivé si je t'avais pas raconté que cette femme se vantait que la fille du Général elle allait être la marraine de son lardon ; tu amenais le Genaro et tu parles d'un pétrin !

— Mouais ! répondit l'autre, se râclant ensuite une membrane indécrochable qu'il sentait entre la luette et le nez.

— Espèce de dégoûtant ! Toi, vraiment, on peut dire que t'es un grossier personnage ; t'as pas une once d'éducation !

— Tu es bien délicate !

— Chut !

Le Président du Tribunal Spécial descendait au même moment d'une voiture.

— C'est le Président du Tribunal... dit Vasquez.

— Et qu'est-ce qu'y vient faire ? demanda la *Serpente.*

— C'est rapport à l'arrestation du Général...

— Et c'est pour ça qu'il s'est mis en perroquet ? Non mais, des fois !... Fils de pu...rée de pois ! Vise un peu ces plumes qu'y s'est mis sur la tête !

— Non, tu penses, c'est pas pour ça ! Et toi, pour ce qui est des questions, t'as pas ta pareille. Il est habillé comme ça parce que d'ici il ira chez le Président.

— Le veinard !

— Si on n'a pas arrêté le Général hier soir, je suis foutu.

— Tu parles qu'on l'a arrêté !

— Boucle-la !

Le Président du Tribunal à peine descendu de sa voiture, des ordres circulèrent à voix basse et un capitaine, suivi d'un piquet de soldats, entra dans la maison de Canales, sabre au clair et revolver au poing, à l'instar des officiers que l'on voit sur les chromos représentant les batailles de la guerre russo-japonaise.

Quelques minutes après — des siècles pour Vasquez qui suivait les événements, l'âme pendue à un fil — l'officier revint, la figure décomposée, pâle et très agité, et fit son rapport au Président du Tribunal.

— Quoi ?... Quoi ?... cria le Président du Tribunal.

Les paroles de l'officier sortaient tourmentées d'entre les plis de sa respiration amplifiée.

— Vous dites que... que... qu'il a pris la fuite ?... rugit l'autre ; deux veines se gonflèrent sur son front tels deux noirs points d'interrogation... — Et que, que, que, qu'on a pillé la maison ?...

Sans perdre une seconde il disparut par la porte, suivi de l'officier. Il jeta un coup d'œil rapide comme un éclair et revint dans la rue très vite, sa main grassouillette et rageuse crispée sur la poignée de sa petite épée, si pâle que ses lèvres se confondaient avec sa moustache, couleur d'aile de mouche.

— Comment a-t-il pu s'enfuir, voilà ce que j'aimerais savoir ! s'écria-t-il en apparaissant sur le seuil de la porte. Des ordres ! Si on a inventé le téléphone, c'est bien pour arrêter les ennemis du gouvernement ! Vieux roublard, si je le prends, je le pends ! Je ne donne pas cher de sa peau !

Le regard du Président, comme la foudre, coupa Fedina en deux. Un officier et un sergent la traînèrent vers lui, pendant qu'il vociférait :

— Chienne !... et, sans la quitter des yeux, il ajouta : Nous la ferons chanter, celle-ci ! Lieutenant, prenez dix soldats et emmenez-la en vitesse, là où vous savez ! Et au secret, hein !...

Un cri immobile remplissait l'espace, un cri huileux, déchirant, inhumain.

— Mon Dieu ! que sont-ils en train de dire au Seigneur

Crucifié ? gémit Vasquez. Le cri de Nounou Chabela, de plus en plus strident, lui vrillait la poitrine.

— Seigneur ? souligna l'aubergiste avec ironie, tu n'entends donc pas que c'est une femme ? On dirait que pour toi tous les hommes doivent avoir un filet de voix de rossignol femelle.

— Je t'interdis de me parler sur ce ton...

Le Président du Tribunal ordonna que l'on fouille les maisons voisines. Des groupes de soldats, sous les ordres de caporaux et de sergents, se dispersèrent de tous côtés. Ils fouillaient les cours, les chambres, les dépendances privées, les terrasses, les fontaines. Ils montaient sur les toits, bousculaient penderies, lits, tapis, placards, tonneaux, armoires et coffres. Si on tardait à ouvrir la porte, ils la défonçaient à coups de crosse. Les chiens furibonds aboyaient à côté de leurs maîtres décomposés. Dans chaque immeuble, les aboiements se répandaient comme l'eau d'un arrosoir...

— S'ils fouillent ici ! dit Vasquez, que l'angoisse empêchait presque de parler. On s'est fourré dans un joli pétrin !... Et encore, si c'était pour quelque chose, mais on a été drôlement eus...

La *Serpente* courut mettre Camila au courant.

— Moi, je suis d'avis — disait Vasquez en la suivant — qu'elle se dissimule la figure et qu'elle s'en aille d'ici...

Et, à reculons, il revint vers la porte sans attendre de réponse.

— Attendez, attendez ! reprit-il en mettant un œil à la fente. Il y a contre-ordre ; ils ne fouillent plus, nous sommes sauvés !

Avançant de deux pas, la patronne se colla au panneau pour voir de ses propres yeux ce que Lucio annonçait avec tant de joie.

— Tiens, le v'la, ton crucifié !... murmura-t-elle.

— Qui c'est, celle-là ?

— La domestique, tu vois donc pas ? Et elle ajouta,

écartant de son corps la main cupide de Vasquez : Oh, la
paix ! La paix ! Fous la paix ! Va te faire voir !

— La pauvre, vise un peu dans quel état elle est !

— On dirait que le tramway lui a passé dessus !

— Pourquoi qu'on louche quand on va mourir ?

— Laisse-moi, je veux pas voir !

Une escorte aux ordres d'un capitaine, l'épée nue, entraî-
nait Nounou Chabela, la malheureuse servante, hors de la
maison Canales. Le Président du Tribunal ne put même pas
l'interroger. Vingt-quatre heures plus tôt, cette loque humaine, maintenant agonisante, avait été l'âme d'un foyer où,
pour toute politique, le canari ourdissait ses intrigues d'al-
piste, le filet d'eau de la fontaine ses cercles concentriques,
le Général ses interminables réussites, et Camila ses caprices.

Le Président du Tribunal sauta dans sa voiture, suivi
d'un officier. Le véhicule s'évanouit en fumée au premier coin
de rue. On apporta une civière, confiée à quatre hommes
déguenillés et crasseux, pour emporter à la morgue le cadavre
de Nounou Chabela. Les soldats défilèrent en direction d'un
des forts militaires et la *Serpente* rouvrit son établissement.
Vasquez occupait sa banquette habituelle, dissimulant mal
le chagrin que lui avait causé l'arrestation de la femme de
Genaro Rodas, la tête comme un four à cuire les briques, les
vapeurs de l'alcool dans tout le corps, à tel point que l'ivresse
lui revenait par bouffées, et la hantise de la fuite du Général.

Fedina, cependant, prenait le chemin de la prison, luttant
contre ses gardiens qui, à chaque instant, avec des bourrades,
la faisaient descendre du trottoir. Elle se laissait maltraiter
sans rien dire. Mais bientôt, tout en marchant, à bout de
patience, elle envoya à l'un d'eux une gifle en pleine figure.
Un coup de crosse, réponse qu'elle ne demandait pas, et un
autre soldat qui la frappa par derrière, en plein dos, la firent
trébucher, claquer des dents et voir trente-six chandelles.

— Couilles molles ! C'est à ça que vous servent vos
armes !... Vous devriez avoir honte ! intervint une femme qui
revenait du marché, son panier rempli de légumes et de
fruits.

— Ta gueule ! lui cria un des hommes.

— Et la tienne, tu l'as vue, eh, terreur ?

— Allons, madame, suivez votre chemin ; suivez en vitesse votre chemin ; vous n'avez donc rien à faire ? lui cria un sergent.

— Vous croyez que je vis comme vous autres, tas de lard ?

— Taisez-vous, intervint l'officier, ou ça va dérouiller.

— Ça va dérouiller, voyez-vous ça ! Manquait plus que ça, traînards de métèques, secs qu'on dirait des Chinois, les coudes et le cul à l'air ! Ça voudrait vous bouffer tout cru et qu'on la boucle, en plus ! Tas de pouilleux !... S'en prendre aux gens pour le plaisir !

Et parmi les passants qui la regardaient, apeurés, peu à peu la protectrice anonyme de la femme de Genaro Rodas se perdit en arrière. Au milieu de l'escorte l'autre s'en allait vers la prison, tragique, décomposée, ruisselante de sueur, balayant la chaussée avec les franges de son châle.

La voiture du Président du Tribunal Spécial déboucha au coin de la maison de maître Abel Carvajal, juste au moment où ce dernier sortait de chez lui en chapeau haut de forme et jaquette, pour se rendre au Palais. Le Président du Tribunal fit vaciller la voiture en sautant du marchepied sur le trottoir. Carvajal avait déjà fermé sa porte et enfilait méticuleusement un de ses gants quand son collègue l'arrêta. Il s'en alla donc en costume de cérémonie, sous bonne escorte, jusqu'à la Deuxième Section de la Police, décorée à l'extérieur avec des oriflammes et des guirlandes de papier de soie. On l'emmena tout droit au cachot dans lequel étaient déjà enfermés l'étudiant et le sacristain.

This chapter shows that Angel
claimed he was kidnapping Canales
daughter to cover up Canales
escape plan.

Que tout l'univers chante

Les rues apparaissaient peu à peu dans la clarté fuyante de l'aube, au milieu de toits et de champs qui dégageaient une fraîcheur d'avril. C'était par là-bas qu'apparaissaient au galop les mules qui livraient le lait, les oreilles des bidons de métal tintinnabulantes, harcelées par les cris et le fouet de leur muletier. C'était par là-bas que le jour se levait pour les vaches qu'on trayait au seuil des maisons riches ou aux coins des rues des quartiers pauvres, au milieu des clients qui, en voie de rétablissement ou de consomption, les yeux creux et vitreux, s'attardaient près de leur vache préférée et s'approchaient pour prendre le lait eux-mêmes, inclinant à merveille le verre pour y recevoir plus de liquide que de mousse. C'était par là-bas que passaient les porteuses de pain, la tête enfoncée dans le thorax, le dos rond, les jambes raidies et les pieds nus, traçant une piqûre de pas ininterrompus et hésitants sous le poids des énormes panières, panière sur panière, pagodes qui laissaient dans l'air une odeur de pâte feuilletée caramélisée et de sésame grillé. C'était par là-bas qu'on entendait l'aubade les jours de fête nationale, réveille-matin que promenaient des fantômes de cuivre et de vent, sons faits de saveurs, éternuements de couleurs, pendant que, l'aube pointi-pointant, sonnait dans les églises, timide et hardie, la cloche de la première messe, timide et hardie car si son tintement faisait partie du jour de fête à saveur de chocolat et de tourte de chanoine, les jours de fête nationale il sentait le fruit défendu.

Fête nationale...

Des rues montait, avec une odeur de bonne terre, la joie

des habitants qui jetaient de l'eau par les fenêtres afin qu'à leur passage soulèvent moins de poussière les soldats chargés de porter le drapeau jusqu'au Palais Présidentiel — drapeau fleurant bon le mouchoir tout neuf — ainsi que les voitures des notables qui se mettaient à la rue harnachés de pied en cap, docteurs en ceci ou cela trimbalant des armoires en redingote, généraux aux uniformes rutilants, empestant la chandelle — ceux-là coiffés de chapeaux de lumière, ceux-ci de tricornes de plumes — ainsi que le petit trot des employés subalternes dont l'importance se mesurait administrativement parlant d'après les frais d'enterrement que leur octroierait un jour l'Etat.

Seigneur ! Seigneur ! les cieux et la terre sont pleins de votre gloire ! Le Président consentait à apparaître, satisfait du peuple qui le remerciait ainsi de toutes ses peines, isolé de tous, très loin, au milieu du groupe de ses intimes.

Seigneur ! Seigneur ! les cieux et la terre sont pleins de votre gloire ! Les femmes sentaient le divin pouvoir du Dieu Bien-Aimé. Les Princes de l'Eglise l'encensaient. Les journalistes du pays et de l'étranger se félicitaient d'être en présence d'une réincarnation de Périclès. Les juristes évoquaient un tournoi d'Alphonse le Sage. Les diplomates, Excellences de Tiflis, arboraient de grands airs, s'acceptant à Versailles, à la cour du Roi Soleil.

Seigneur ! Seigneur ! les cieux et la terre sont pleins de votre gloire ! Les poètes se croyaient à Athènes, ainsi le proclamaient-ils au monde. Un sculpteur de saints se prenait pour Phidias et souriait en levant les yeux au ciel et en se frottant les mains, au bruit des applaudissements qui saluaient dans les rues le nom de l'éminent politique.

Seigneur ! Seigneur ! les cieux et la terre sont pleins de votre gloire ! Un compositeur de marches funèbres, fervent de Bacchus et du Saint Enterrement, se penchait à un balcon, sa figure couleur tomate, pour voir où était la terre.

Mais, si les artistes s'imaginaient être à Athènes, les banquiers juifs se croyaient à Carthage, car le chef de l'Etat avait placé sa confiance en eux et, dans leurs coffres-forts sans fond, les gros sous du pays, à zéro virgule rien pour cent,

placement qui leur permettait de s'enrichir avec les divi-
dendes et de convertir la monnaie sonnante et trébuchante
en prépuces circoncis. Seigneur ! Seigneur ! les cieux et la
terre sont pleins de votre gloire !

Visage d'Ange se fraya un passage entre les invités. (Il
était beau et méchant comme Satan).

— Le peuple vous réclame, Monsieur le Président !

— ...Le peuple ?

Le maître mit dans ces deux mots un bacille d'interrogation. Le silence régnait autour de lui. Sous le poids d'une
grande tristesse qu'il combattit vite avec rage pour la faire
disparaître de ses yeux, il se leva et se dirigea vers le balcon.

Ses intimes l'entouraient quand il apparut devant la
foule. Un groupe de femmes venait commémorer l'anniver-
saire du jour où il avait échappé à la mort. Celle qui était
chargée de prononcer le discours commença en voyant le
Président :

— Fils du peuple...

Le maître avala sa salive amère, évoquant peut-être ses
années d'études auprès de sa mère sans ressources, dans une
ville pavée de mauvaises volontés ; mais le favori, qui cherchait à le flatter, hasarda à voix basse :

— Jésus aussi était fils du peuple !...

— Fils du peuple, répéta la femme au discours, du peuple, ai-je dit : le ciel, en ce jour de radieuse beauté, s'est vêtu
de soleil, sa lumière protège tes yeux et ta vie, et sur l'exemple
du travail sacro-saint il nous enseigne que dans la voûte
céleste à la lumière succède l'ombre, l'ombre de la nuit noire
et sans pardon d'où sortirent les mains criminelles qui, au
lieu de semer les champs, comme toi, Maître, tu nous l'en-
seignes, semèrent sous tes pas une bombe qui, malgré sa
scientifique fabrication européenne, te laissa indemne...

Des applaudissements nourris étouffèrent la voix de
Langue de Vache — c'était le surnom de la commère qui
lisait le discours — et, tels des éventails, les vivats en série
agitèrent l'air jusqu'au héros du jour et à sa suite.

— Vive Monsieur le Président !

— Vive Monsieur le Président de la République !

— Vive Monsieur le Président Constitutionnel de la République !

— Qu'un ban résonne dans tous les cieux du monde pour ne finir jamais ! Vive Monsieur le Président Constitutionnel de la République ! Bienfaiteur de la Patrie ! Chef du Grand Parti Libéral ! Libéral de cœur et protecteur de la Jeunesse Studieuse !

Langue de Vache continua :

— Le drapeau aurait été flétri dans la boue s'ils avaient réussi, ces mauvais fils de la Patrie, soutenus dans leur projet criminel par les ennemis de Monsieur le Président. Ils n'avaient jamais songé que la main de Dieu veillait et veille sur votre précieuse existence, avec l'approbation de tous ceux qui, vous sachant digne d'être le Premier Citoyen de la Nation, vous entourèrent dans cet instant « tra-chic » ; et ils vous entourent encore, et vous entoureront toutes les fois que ce sera nécessaire !

» Oui, messieurs... mesdames et messieurs, aujourd'hui plus que jamais nous savons que, si s'étaient accomplis les funestes desseins de ce jour, de triste mémoire pour notre pays qui marche à la tête des peuples civilisés, la Patrie serait restée orpheline de son père et protecteur, elle serait tombée entre les mains de ceux qui, dans l'ombre, fourbissent leurs poignards pour en frapper la poitrine de la démocratie, comme l'a dit ce grand tribun qui s'appela Juan Montalvo !

» Grâce à vous, le pavillon flotte toujours, intact, et l'oiseau n'a pas fui le blason de la patrie, oiseau qui, comme le tennix, renaquit des cendres, des mains — se corrigeant — des « mâmes » qui déclarèrent l'indépendance nationale dans cette augrore de liberté d'Amérique, sans répandre une seule goutte de sang, ratifiant de telle sorte ce désir de liberté qu'avaient manifesté les « mâmes » — se corrigeant — les « mâmes » des Indiens qui luttèrent jusqu'à la mort pour la conquête de la liberté et du droit !

» Donc, messieurs, c'est pour cela que nous venons féliciter aujourd'hui le plus illustre protecteur des classes nécessiteuses, qui veille sur nous avec l'amour d'un père et qui mène notre pays, comme je l'ai déjà dit, à l'avant-garde du progrès auquel Fulton donna l'impulsion avec la découverte de la vapeur et que Juan Santa Maria défendit de l'intrusion du flibustier en mettant le feu à la poudrière fatale dans les terres de Lempira. Vive la Patrie ! Vive le Président Constitutionnel de la République, Chef du Parti Libéral ! Bienfaiteur de la Patrie, protecteur de la femme sans défense, de l'enfant et de l'instruction ! »

Les vivats de Langue de Vache se perdirent dans un incendie de cris qu'une mer d'applaudissements éteignit.

Le Président répondit quelques mots, la main droite crispée sur le balcon en marbre, de trois-quarts pour éviter d'exposer sa poitrine, promenant son visage d'une épaule à l'autre pour voir la foule, le sourcil froncé, les yeux baladeurs. Hommes et femmes essuyèrent plus d'une larme.

— Si Monsieur le Président rentrait, prit sur lui de dire Visage d'Ange en l'entendant renifler, cette populace l'affecte trop...

Le Président du Tribunal Spécial se précipita vers le Président qui revenait du balcon, entouré de quelques amis, pour lui faire part de la fuite du Général et le féliciter avant les autres de son discours ; mais, comme tous ceux qui s'étaient approchés dans cette intention, il s'arrêta à mi-chemin, retenu par une crainte étrange, par une force surnaturelle et, pour ne pas rester la main en l'air, il la tendit à Visage d'Ange.

Le favori lui tourna le dos, et c'est la main en l'air que le Président du Tribunal entendit alors la première d'une série d'explosions qui, comme dans une décharge d'artillerie, se succédèrent en un instant.

Et on entend des cris ; et on saute, et on court, on piétine les chaises renversées, et les femmes ont des crises de nerfs ; et on entend les pas des soldats qui s'éparpillent comme des grains de riz, la main sur leur cartouchière qui ne s'ouvre pas assez vite, le fusil chargé, parmi des mitrailleuses, des miroirs brisés, des officiers, des canons...

Un colonel se perdit vers le haut d'un escalier, rengainant son revolver. Un autre descendait un escalier en colimaçon en rengainant son revolver. Ce n'était rien. Un capitaine franchit une fenêtre en rengainant son revolver. Un autre gagna la porte en rengainant son revolver. Ce n'était rien. Ce n'était rien ! Mais l'atmosphère était glaciale. La nouvelle se répandit dans les salons en désordre. Ce n'était rien. Peu à peu les invités se rassemblèrent ; celui-ci avait mouillé sa culotte de peur, celui-là en avait perdu ses gants, et ceux qui reprenaient des couleurs ne pouvaient récupérer la parole, et ceux qui retrouvaient la parole manquaient toujours de couleurs. Ce que personne ne put dire ce fut par où et à quel moment avait disparu Monsieur le Président.

Par terre gisait, au pied d'un escalier, le premier tambour de la musique militaire. Il avait roulé depuis le premier étage avec son tambour et tout, leur faisant le coup du « sauve-qui-peut ».

15

Oncles et tantes

Le favori sortit du Palais entre le Président du Pouvoir judiciaire, un petit vieillard qui, en redingote et haut de forme,
rappelait les rats des dessins d'enfants, et le Président du
Pouvoir législatif, décharné comme un vieux saint authenti-
quement antique. Tous deux disputaient, avec des arguments
à faire venir l'eau à la bouche, s'il valait mieux aller au
« Grand Hôtel » ou dans une auberge des environs pour
oublier la peur que leur avait faite cet imbécile de tambour,
qu'ils auraient envoyé sans l'ombre d'un remords en forte-
resse, en enfer ou à un châtiment pire encore. Lorsque parlait
le Représentant du peuple, partisan du « Grand Hôtel », il
semblait dicter des règles d'observance obligatoire quant aux
lieux les plus aristocratiques pour lever le coude, acte qui,
bien entendu, avait une répercussion des plus favorables sur
les caisses d'Etat. Quand le Magistrat parlait, il le faisait avec
l'emphase de celui qui prononce une sentence exécutoire :
« Inséparable de la richesse foncière est le manque d'apparat,
et pour cela même, mon ami, je préfère la modeste auberge,
où l'on est en confiance avec des amis de cœur, à l'hôtel
somptueux, où tout ce qui brille n'est pas or ! »

Visage d'Ange les laissa à leur controverse près du Palais
— dans semblable conflit d'autorités mieux valait s'en laver
les mains — et il se dirigea vers le quartier de l'« Encens »,
où se trouvait la maison de monsieur Juan Canales, afin que
ce monsieur allât ou envoyât chercher d'urgence sa nièce
au café du « Tous-Tep ». « Qu'il y aille ou qu'il l'envoie chercher, que m'importe ? se disait-il, pourvu qu'elle ne dépende
plus de moi, qu'elle vive comme elle a vécu jusqu'à hier, jour

où j'ignorais tout d'elle, même son existence, où elle n'était rien pour moi. » Deux ou trois personnes se jetèrent au milieu de la rue, lui cédant le trottoir pour le saluer. Il remercia machinalement, sans les voir.

Don Juan, un des frères du Général, habitait à l'« Encens » une des maisons voisines du « Coin », comme on appelait la fabrique de monnaie qui, soit dit en passant, était un édifice d'une solennité patibulaire. Des bastions écaillés renforçaient les murailles larmoyantes et, par les fenêtres que défendaient des grilles de fer, on devinait des salles ayant l'aspect de cages à fauves. Là, on conservait les millions du diable. Quand le favori frappa, un chien répondit. Ce Cerbère était attaché, on le devinait à sa façon rageuse d'aboyer.

Le haut de forme à la main, Visage d'Ange franchit la porte de la maison (il était beau et méchant comme Satan), satisfait d'avoir trouvé l'endroit où il allait laisser la fille du Général, étourdi par les aboiements du chien et les entrezjevousprie, entrezjevousprie d'un homme sanguin, souriant et ventripotent, qui n'était autre que don Juan Canales.

— Entrez, je vous prie, si vous voulez bien, entrez, je vous prie, par ici, monsieur, par ici, s'il vous plaît. Et à quoi devons-nous le plaisir de votre visite ? — Don Juan disait tout cela comme un automate, sur un ton ne révélant rien de l'angoisse qu'il ressentait devant ce précieux satellite de Monsieur le Président.

Visage d'Ange parcourait le salon des yeux — Quels aboiements poussait après les visiteurs ce chien hargneux ! — Du groupe des portraits des frères Canales, il remarqua qu'on avait ôté celui du Général. Une glace, à l'autre extrémité de la salle, réfléchissait le vide laissé par le tableau et une partie du salon, tapissé d'un papier qui avait été jaune, du même jaune que les télégrammes.

Le chien, observa Visage d'Ange pendant que don Juan épuisait son répertoire de lieux communs et de formules mondaines, est toujours l'âme des maisons, comme dans les temps primitifs : le défenseur du foyer. Même Monsieur le Président a une meute de chiens importés.

Le maître de maison apparut dans la glace, agitant les

mains désespérément. Don Juan Canales, après avoir dit les phrases de circonstance, tel un bon nageur s'était jeté à l'eau.

— Ici, chez moi, racontait-il, ma femme et votre servi-teur avons désapprouvé avec une véritable indignation la conduite de mon frère Eusebio ! En voilà une histoire ! Un crime est toujours abject et encore plus dans le cas présent, quand il s'agit d'une telle personnalité ! D'un homme des plus estimés sous tous les rapports, d'un officier qui était l'honneur de notre armée et surtout, dites-moi, d'un ami de Monsieur le Président !

Visage d'Ange garda le silence effroyable de celui qui, sans pouvoir sauver quelqu'un, faute de moyens, le voit se noyer, silence comparable à celui que gardent les visiteurs quand, craignant également d'approuver ou de contester ce qui vient d'être dit, ils se taisent, gênés.

Don Juan perdit le contrôle de ses nerfs en entendant ses paroles tomber dans le vide et il commença à battre l'air de ses mains et à chercher le fond avec ses pieds. Sa tête était en ébullition. Il se croyait mêlé à l'assassinat de la Porte du Seigneur et à ses vastes ramifications politiques. Il ne ser-virait à rien d'être innocent, à rien. Il était compromis ! Il était compromis ! La loterie, mon ami, la loterie ! La loterie, mon ami, la loterie ! C'était bien la phrase type de ce pays, comme le proclamait le père Fulgencio, un brave homme qui vendait des billets de loterie dans les rues, catholique fervent et vendeur habile. A la place de Visage d'Ange, Canales voyait la silhouette de squelette du père Fulgencio, dont les os, les mâchoires et les doigts semblaient montés sur des ressorts. Le père Fulgencio serrait sa serviette de cuir noir sous son bras anguleux, déplissait sa figure et, en tapotant son pantalon à vaste fond, allongeait la mâchoire pour dire d'une voix qui lui sortait par le nez et la bouche édentée : « Mon ami, l'ugnique loi sur cetze terre, c'est la lotzerie : par lotzerie vous allez en prison, par lotzerie vous êtzes fusillé, par lotzerie vous devenez député, diplomate, Président de la République, général ou ministre ! A quoi bon etzudier puisque tout est une question de lotzerie ? La lotzerie, mon ami, la lotzerie,

achetez-moi un billet de lotzerie!» Et tout ce squelette
noueux, cep de vigne tordu, était secoué par le rire qui sortait
de sa bouche comme une liste de numéros gagnants.

Visage d'Ange, très loin de ce que don Juan pensait, le
regardait en silence, se demandant ce que cet homme lâche
et répugnant pouvait avoir de commun avec Camila.

— On raconte, ou plutôt on a raconté à ma femme, qu'on
veut m'impliquer dans l'assassinat du colonel Parrales Sonriente!... poursuivit Juan Canales, en essuyant avec un mouchoir qu'il eut grand peine à sortir de sa poche, les grosses
gouttes de sueur roulant sur son front.

— Je ne sais rien, lui répondit l'autre sèchement.

— Ce serait injuste! Et, je vous l'ai déjà dit, ici, ma
femme et moi, nous avons désapprouvé dès le début la
conduite d'Eusebio. D'ailleurs, je ne sais si vous êtes au
courant, mais, ces derniers temps, nous ne nous voyions
que de loin en loin, mon frère et moi. Presque jamais. Ou
plutôt, jamais. Nous étions comme deux étrangers : «Bonjour, bonjour; bonsoir, bonsoir», sans plus. «Au revoir, au
revoir», et c'était tout !

La voix de don Juan perdait de l'assurance. Sa femme,
qui suivait l'entretien derrière un paravent, crut prudent de
lui venir en aide.

— Présente-moi, Juan, s'écria-t-elle en apparaissant, et
en saluant Visage d'Ange d'une inclination de tête et d'un
sourire de politesse.

— Oui, bien sûr ! répondit son mari troublé, se levant
en même temps que le favori. J'ai le plaisir de vous présenter
ma femme !

— Judith Canales...

Visage d'Ange entendit le nom de la femme de don Juan,
mais il ne se rappelle pas avoir dit le sien.

Dans cette visite qu'il prolongeait sans raison, sous
l'influence de la force inexplicable qui dans son cœur commençait à déranger son existence, les paroles étrangères à
Camila se perdaient dans ses oreilles sans laisser de traces.

«Pourquoi ces gens-là ne me parlent-ils pas de leur
nièce ? se disait-il. S'ils me parlaient d'elle, je les écouterais ;

s'ils me parlaient d'elle, je leur dirais de ne pas se faire de souci, qu'on ne peut impliquer don Juan dans aucun assassinat ; s'ils me parlaient d'elle... Mais que je suis bête ! De Camila, dont je voudrais qu'elle ne soit plus Camila et qu'elle reste ici, avec eux, sans que je pense plus jamais à elle ; moi, elle, eux... Mais suis-je bête ! Elle et eux, moi pas, moi à part, à part, loin, moi avec elle, non... »

Doña Judith — c'est ainsi qu'elle signait — s'assit sur le sofa en frottant un petit mouchoir de dentelles sous son nez, afin de se donner une contenance.

— Vous disiez, car j'ai interrompu votre conversation, excusez-moi...

— Vous...

— Dis...

— Hier...

Tous trois parlèrent à la fois et, après quelques « Je vous en prie, je vous en prie » du plus comique effet, don Juan, sans savoir pourquoi, garda la parole. (Imbécile ! lui cria sa femme avec les yeux.)

— Je racontais à notre ami que toi et moi nous nous sommes indignés quand, de façon tout à fait confidentielle, nous avons appris que mon frère Eusebio était un des assassins du colonel Parrales Sonriente...

— Ah ! oui, oui, approuva doña Judith en dressant le promontoire de ses seins... ici Juan et moi avons dit que le Général mon beau-frère n'aurait jamais dû salir ses galons d'une pareille monstruosité ; et le pire, c'est que maintenant, pour comble de malheur, le bruit court qu'on veut y impliquer mon mari !

— Aussi expliquais-je à don Miguel que nous étions en froid avec mon frère depuis longtemps déjà, que lui et moi étions comme deux ennemis... oui, ennemis à mort ; lui ne pouvait pas me voir en peinture et je le lui rendais bien.

— Pas à ce point, tout de même, des histoires de famille qui irritent et provoquent des brouilles... ajouta doña Judith, en laissant flotter un soupir dans l'air.

— C'est ce qu'il me semble, coupa Visage d'Ange ; que

don Juan n'oublie pas qu'entre frères il y a toujours des liens
indestructibles...

— Comment, don Miguel, comment dites-vous... moi
complice ?

— Permettez !...

— N'en croyez rien ! enfila doña Judith, les yeux baissés ;
tous les liens sont détruits quand il s'agit de questions d'argent ! C'est triste qu'il en soit ainsi, mais cela se voit tous
les jours ; l'argent ne respecte pas le sang !

— Permettez... Je vous disais qu'entre frères il y a des
liens indestructibles car, malgré les profondes divergences
qui existaient entre don Juan et le Général, celui-ci, se
croyant perdu et obligé de quitter le pays, comptait...

— C'est un gredin s'il m'a mêlé à ses crimes ! Ah ! C'est
une calomnie !

— Mais il ne s'agit pas de ça !

— Juan, Juan ! laisse parler monsieur !

— Il comptait sur votre aide afin que sa fille ne reste pas
abandonnée, et il m'a chargé de voir avec vous si vous ne
pourriez pas l'héberger, chez vous...

Cette fois, ce fut Visage d'Ange qui sentit que ses paroles
tombaient dans le vide. Il eut l'impression de parler à des
gens qui ne comprenaient pas sa langue. Entre don Juan,
ventru et rasé, et doña Judith, tassée dans la charrette à
bras de ses seins, ses paroles tombèrent dans le miroir de
l'absence.

— Et c'est à vous qu'incombe le devoir de considérer ce
qu'il faut faire pour cette petite.

— Oui, bien sûr... (Dès que don Juan sut que Visage
d'Ange ne venait pas l'arrêter, il recouvra son aplomb
d'homme sérieux.)... Je ne sais que vous répondre, car vraiment vous me prenez au dépourvu ! Chez moi, ce n'est pas
possible ; il n'y faut même pas songer... Que voulez-vous, on
ne peut jouer avec le feu... Ici, avec nous, la malheureuse
serait certes très bien, mais ni ma femme ni moi ne sommes
disposés à perdre l'amitié des gens que nous fréquentons,
qui nous en voudraient d'avoir ouvert la porte de notre foyer
honnête à la fille d'un ennemi de Monsieur le Président... De

plus, tout le monde sait que mon fameux frère a offert...
comment dirons-nous... oui, offert sa fille à un ami intime du
chef de la Nation, pour que celui-ci, à son tour...

— Et ceci, on le sait, pour échapper à la prison ! interrompit doña Judith, enfonçant le promontoire de ses seins
dans le ravin d'un nouveau soupir. Il a offert sa fille à un ami
de Monsieur le Président, qui à son tour devait l'offrir au
Président lui-même, lequel, comme il est naturel et logique de
le penser, rejeta une proposition aussi abjecte. Le *Prince de
la Milice*, ainsi qu'on surnommait Eusebio depuis son fameux
discours, se voyant dans un cul de sac, résolut de s'enfuir et
de nous laisser mademoiselle sa fille. Ça !... Que pouvait-on
attendre de lui, qui a apporté, comme la peste, le discrédit
politique aux siens, et jeté l'opprobe sur son nom ! Ne croyez
pas que nous n'ayons pas subi les conséquences de cette
affaire ! Que de cheveux blancs nous nous sommes faits ! Dieu
et la Vierge le savent !

Un éclair de colère traversa les nuits profondes que
Visage d'Ange avait dans les yeux.

— Eh bien ! n'en parlons plus !...

— Nous regrettons que vous vous soyez dérangé pour
venir nous voir ; si vous m'aviez convoqué...

— Et si cela ne nous était complètement impossible, nous
aurions accepté avec joie, pour vous, ajouta doña Judith.

Visage d'Ange sortit sans les regarder, ni prononcer une
parole. Le chien aboyait, furieux, traînant sa chaîne par terre
d'un côté à l'autre.

— J'irai chez vos frères, dit-il enfin sur le seuil en prenant congé.

— Ne perdez pas votre temps, s'empressa de répondre
don Juan, car si moi, qui ai la réputation d'être conservateur
parce que je vis dans ce quartier, je ne l'ai pas acceptée chez
moi, eux qui sont libéraux, eh bien ! eh bien ! ils vont croire
que vous êtes fou ou simplement que c'est une plaisanterie...

Ces paroles, il les dit presque dans la rue, puis il ferma
la porte lentement, frotta ses mains grassouillettes et s'en
alla après un moment d'indécision. Il avait une envie irré-

sistible de caresser quelqu'un, mais pas sa femme, aussi alla-
t-il chercher le chien, qui continuait d'aboyer.

— Laisse-moi cette bête tranquille si tu dois sortir, lui
cria doña Judith de la cour où elle taillait les rosiers, profitant de ce que l'ardeur du soleil était passée.

— Mais, je m'en vais...

— Eh bien ! dépêche-toi, car ensuite je dois faire mon
tour de garde à la prière, et je ne tiens pas à être dans la rue
après six heures, surtout aujourd'hui.

*We see that Rodas comes
home and speaks about the
subject with his wife, Pedrina,*

16

A la Maison-Neuve

Vers les huit heures du matin (beaux jours que ceux du temps de la clepsydre avant les horloges sauterelles et le compte du temps à tressauts), Fedina fut enfermée dans un cachot en forme de guitare, presque une sépulture, après les formalités d'usage et une visite minutieuse de ce qu'elle avait sur elle. Elle fut fouillée des pieds à la tête, des ongles aux aisselles, partout — c'était très ennuyeux — et plus soigneusement encore quand on eut trouvé dans sa chemise une lettre écrite de la main du général Canales. C'était celle qu'elle avait ramassée à terre chez lui.

Fatiguée de rester debout dans sa geôle où elle n'avait pas la place de faire deux pas, elle s'assit. Mais, au bout d'un instant, elle se remit debout, car le froid du sol gagnait ses fesses, ses cuisses, ses mains, ses oreilles. La chair est sensible au froid. Et elle resta debout un autre moment, et puis elle se rassit, puis elle se releva, et elle se rassit, et elle se releva...

Dans les patios, on entendait les recluses, sorties de leurs cachots pour prendre le soleil, chanter des refrains à saveur de légumes crus, malgré l'amertume qu'elles avaient au cœur. Certains de ces airs, qu'elles fredonnaient parfois d'une voix endormie, étaient d'une cruelle monotonie, dont elles rompaient soudain le poids par des cris désespérés, et elles juraient... elles insultaient... elles maudissaient...

Dès le début, Fedina fut impressionnée par une voix de fausset qui psalmodiait sans cesse :

> *De la Maison-Neuve*
> *aux maisons mal famées,*

joli petit ciel,
il n'y a qu'un pas ;
et maintenant que nous sommes seuls,
joli petit ciel,
embrasse-moi.

Ay, ay, ay, ay !
embrasse-moi ;
de cette maison
aux maisons mal famées,
joli petit ciel,
il n'y a qu'un pas !

Les deux premiers vers boitaient avec le reste de la chanson. Cependant, cette anomalie semblait resserrer la proche parenté des maisons mal famées avec la Maison-Neuve. Le rythme était brisé, sacrifié au réalisme, afin de mieux souligner cette vérité torturante qui secouait Fedina en proie à la peur d'avoir peur alors qu'elle tremblait déjà et sans ressentir encore pleinement la peur, l'indéfinissable et épouvantable peur qu'elle éprouva après, quand cette voix de disque usé, qui cachait plus de secrets qu'un crime, la pénétra jusqu'aux os. Déjeuner d'une chanson aussi amère était injuste. Une écorchée vive ne se débat pas plus dans son tourment qu'elle ne le fit dans son cachot à écouter ce que les autres détenues, oubliant que le lit de la prostituée est encore plus glacial que la prison, entendraient peut-être comme une suprême espérance de liberté et de chaleur.

Le souvenir de son fils l'apaisa. Elle pensait à lui comme si elle le portait encore dans ses entrailles. Les mères n'arrivent jamais à se sentir complètement vides de leurs enfants. Son premier soin en sortant de prison serait de le faire baptiser. Tout était prêt. La robe et le bonnet que lui avait donnés mademoiselle Camila étaient bien jolis. Elle pensait célébrer ce jour avec des tamales et du chocolat au petit déjeuner, un riz à la valencienne et des poivrons au déjeuner, de l'eau de cannelle, de l'orgeat, des glaces et des petits gâteaux l'après-midi. Elle avait chargé le typographe à l'œil de verre d'imprimer des petites images pour en faire cadeau à ses amis. Elle voulait aussi avoir deux voitures louées chez Shumann, attelées de ces gros chevaux semblables à des locomotives, avec leurs chaînes argentées tintinnabulantes, et des cochers en redingote et chapeau haut de forme. Puis elle essaya d'écarter ces pensées de son esprit afin qu'il ne lui arrivât pas ce qu'il advînt, dit-on, à un homme qui, la veille de son mariage, se disait : « Demain à cette heure-ci, heureux ceux qui te verront ! » et qui, par malheur, peu avant la cérémonie, reçut, en passant dans la rue, une tuile en plein sur la tête !

Puis elle se remit à penser à son fils, et son plaisir était si profond qu'elle regarda d'abord sans y faire attention un entrelacs de dessins obscènes, dont la vue finit par la troubler à nouveau. Croix, phrases sacrées, noms d'hommes, dates, chiffres cabalistiques s'enlaçaient dans des sexes de toutes les tailles. Et on voyait la parole de Dieu près d'un phallus, un numéro 13 sur un testicule monstrueux, des diables avec les cornes tordues comme des candélabres, des petites fleurs aux pétales en forme de doigts, des caricatures de juges et de magistrats, des petites barques, des ancres, des soleils, des berceaux, des bouteilles, des petites mains entrelacées, des yeux et des cœurs percés de poignards, des soleils moustachus comme des policiers, des lunes à la figure de vieilles filles, des étoiles à trois et à cinq branches, des montres, des sirènes, des guitares ailées, des flèches...

Terrorisée, elle voulut fuir ce monde de folies perverses, mais elle se heurta aux autres murs, également maculés d'obscénités. Muette de terreur, elle ferma les yeux ; elle n'était qu'une femme qui commençait à perdre pied sur un terrain glissant et, à son passage, en guise de fenêtres, des abîmes s'ouvraient et le ciel lui montrait des étoiles comme un loup montre les dents.

Par terre, un peuple de fourmis emportait un cafard mort. Fedina, sous l'impression des graffiti, crut voir un sexe tiré par ses propres poils vers les litières du vice.

De la Maison-Neuve
aux maisons mal famées,
joli petit ciel...

Et la chanson revint lui frotter suavement de petits éclats de verre sur sa chair vive, comme pour émousser sa pudeur féminine.

En ville, la fête continuait en l'honneur du Président de la République. Sur la Place Centrale, on dressait, le soir, le classique écran de cinéma, pareil à un échafaud, et on projetait des fragments de films brouillés devant une multitude dévote qui semblait assister à un autodafé. Les édifices publics, illuminés, se détachaient sur le ciel. Comme un turban, un troupeau de piétinements s'enroulait autour du parc circulaire, entouré d'une grille aux pointes très aiguës. La société la plus choisie s'y réunissait, tournant en rond, les soirs de fêtes, cependant que les gens du peuple assistaient à la représentation cinématographique sous les étoiles, dans un silence religieux. Serrés comme des sardines, assis sur des bancs et des parapets, vieux et vieilles, infirmes et ménages ne dissimulant plus leur ennui, bâillant à qui mieux mieux, suivaient des yeux les promeneurs, qui ne laissaient pas passer une jeune fille sans un compliment, ni un ami sans le saluer. De temps en temps, riches et pauvres levaient les yeux au ciel : une fusée aux vives couleurs éclatait en effilochant des soies brillantes en arc-en-ciel.

La première nuit dans un cachot est chose terrible. Le prisonnier se trouve peu à peu dans l'ombre comme en dehors de la vie, dans un monde de cauchemar. Les murs disparaissent, le plafond s'efface, le sol se perd et cependant l'âme, loin de se sentir libre, se croit plutôt morte.

Précipitamment, Fedina se mit à prier : « Souvenez-vous, ô très miséricordieuse Vierge Marie, que jamais on n'a entendu dire que vous ayez abandonné aucun de ceux qui ont eu recours à votre protection et imploré votre aide ! Moi, animée d'une telle confiance, j'ai recours à vous. Oh ! Mère, Vierge des vierges. Je viens à vous et, pleurant sur mes péchés, je me prosterne à vos pieds. Ne rejetez pas mes supplications, ô Vierge Marie, mais écoutez-les d'une oreille favorable et ne m'abandonnez pas. Amen. » L'ombre la serrait à la gorge. Elle ne put prier davantage. Elle se laissa tomber par terre et, de ses bras qui lui semblèrent longs, très longs, elle embrassa la terre gelée, toutes les terres gelées, de tous les prisonniers, de tous ceux qui, injustement, souffrent persécution — pour la justice —, des agonisants et des errants...

Et elle récita sa litanie...

> *ora pro nobis*
> *ora pro nobis*
> *ora pro nobis*
> *ora pro nobis*
> *ora pro nobis*
> *ora pro nobis*
> *ora pro nobis*

Peu à peu elle se redressa. Elle avait faim ; qui donnerait la tétée à son fils ? En rampant, elle s'approcha de la porte qu'elle frappa en vain.

> *ora pro nobis*
> *ora pro nobis*
> *ora pro nobis*

Au loin on entendit sonner douze coups de cloche.

> *ora pro nobis*
> *ora pro nobis*

Dans le monde de son fils...

> *ora pro nobis*

Douze coups, elle les avait bien comptés... Ranimée, elle s'efforça de se faire croire qu'elle était libre et y parvint. Elle se vit chez elle, au milieu de ses affaires et de ses connaissances, disant : « Au revoir, je suis contente de vous avoir

vue », à Juanita. Puis sortant appeler Gabrielita en frappant
dans ses mains, surveillant les braises, saluant don Timoteo
d'une révérence. Son commerce, elle se l'imaginait comme
un être vivant, comme une chose qui faisait partie d'elle et
de tous...

Dehors, la fête continuait, l'écran à la place de l'échafaud,
et les promeneurs tournant en rond dans le parc, tels des
esclaves attachés à la noria.

Alors qu'elle s'y attendait le moins, la porte du cachot
s'ouvrit. Le bruit des serrures lui fit ramener les pieds en
arrière, comme si soudain elle s'était vue au bord d'un précipice. Deux hommes la cherchèrent dans l'ombre et, sans lui
adresser la parole, la poussèrent dans un couloir étroit, que
le vent nocturne balayait à grands souffles, puis à travers deux
salles obscures, vers un salon éclairé. Quand elle entra, le
Président du Tribunal Spécial parlait à voix basse avec le
greffier.

« Ça, c'est le monsieur qui joue de l'harmonium à la
Vierge du Carmel, se dit Fedina. Il me semblait bien le
reconnaître quand on m'a arrêtée ; je l'ai vu à l'église. Ça ne
doit pas être un mauvais homme !... »

Les yeux du Président du Tribunal se posèrent sur elle
longuement. Puis il l'interrogea sur son identité : nom, âge,
état, profession, domicile. La femme de Rodas répondit avec
netteté, ajoutant spontanément, alors que le greffier écrivait
encore la dernière réponse, une question qu'on n'entendit
pas bien parce qu'au même moment le téléphone sonna et
on entendit, amplifiée par le silence de la pièce voisine, la
voix rauque d'une femme qui disait : « ... Oui ! Et comment
ça va ?... J'en suis bien contente !... Moi, j'ai fait prendre des
nouvelles ce matin par ma bonne, Canducha... La robe ?... La
robe est bien, oui elle est bien coupée... Comment ?... Non,
non, non, elle n'est pas tachée... je dis qu'elle n'est pas tachée...
oui, mais sans faute... Oui, oui... Oui.. venez sans faute... au
revoir... bonne nuit... au revoir. »

Pendant ce temps, le Président du Tribunal répondait à
la question de Fedina sur un ton familier d'ironie cruelle
et mordante :

— Eh bien ! n'ayez pas peur, nous sommes là pour ça, pour faire savoir à celles qui, comme vous, l'ignorent, pourquoi elles sont arrêtées.

Et, changeant de voix, ses yeux de crapaud agrandis dans ses orbites, il ajouta lentement :

— Mais, avant, vous allez me dire ce que vous faisiez ce matin chez le général Eusebio Canales.

— J'étais allée... j'étais allée chercher le Général pour une affaire.

— Une affaire de quoi, si on peut savoir...

— Oh ! une toute petite affaire me concernant, monsieur ! Une commission personnelle ! Lui... Ecoutez... je vais tout vous dire une bonne fois : pour le prévenir qu'on allait venir l'arrêter à cause de l'assassinat de ce colonel je sais pas quoi, qu'on a tué Porte du Seigneur...

— Et vous avez encore le front de demander pourquoi vous êtes en prison ? Chienne ! Ça ne vous paraît pas suffisant, pas suffisant ?... Chienne ! Ça ne vous paraît pas suffisant, pas suffisant ?...

A chaque *pas suffisant* l'indignation du Président du Tribunal augmentait.

— Attendez, monsieur, que je vous dise ! Attendez, monsieur. Ce n'est pas ce que vous croyez... Attendez ! Quand je suis arrivée chez le Général, il n'était pas là, je ne l'ai pas vu, je n'ai vu personne, ils étaient tous partis, la maison était vide, il y avait seulement la servante, qui courait partout !

— Vous trouvez que ça ne suffit pas ? Vous trouvez que ça ne suffit pas ? Et à quelle heure vous êtes arrivée ?

— Quand l'horloge de la Merci sonnait six heures du matin, monsieur.

— Vous avez bonne mémoire ! Et comment avez-vous su que le général Canales allait être arrêté ?

— Moi ?

— Oui, vous !

— Je l'ai su par mon mari !

— Et votre mari... Comment s'appelle votre mari ?

— Genaro Rodas !

— Par qui l'a-t-il su ? Comment l'a-t-il su ? Qui le lui avait dit ?

— Un de ses amis, monsieur, qui s'appelle Lucio Vasquez, qui est de la Police Secrète ; c'est lui qui l'a rapporté à mon mari, et mon mari...

— Et vous, au Général ! continua le Président du Tribunal sans la laisser terminer.

Fedina secoua la tête comme quelqu'un qui dit : « Ce qu'il est têtu, NON ! »

— Et quelle direction a prise le Général ?

— Mais, grands dieux, puisque je n'ai pas vu le Général ; je vous l'assure ; vous ne m'entendez donc pas ? Je ne l'ai pas vu, je ne l'ai pas vu ! A quoi cela m'avancerait-il de le nier ? Et bien plus pire si c'est ça que ce monsieur écrit dans ma déclaration !... Elle désigna le greffier qui la regarda à nouveau ; sa figure pâle et tachetée faisait songer à un buvard blanc qui a absorbé beaucoup de points de suspension.

— Ce qu'il écrit ne vous regarde pas ! Répondez à ce qu'on vous demande ! Quelle direction a prise le Général ?

Un long silence s'établit. Plus dure, la voix du Président du Tribunal martela :

— Quelle direction a prise le Général ?

— Je ne sais pas ! Que voulez-vous que je réponde ? Je ne sais pas, je ne l'ai pas vu, je ne lui ai pas parlé... en voilà une affaire !

— Vous avez tort de nier, les autorités savent tout, et elles savent que vous avez parlé au Général !

— Je préfère en rire !

— Ecoutez bien et ne riez pas, car les autorités savent tout, tout, tout — à chaque *tout* il faisait trembler la table d'un coup de poing —. Si vous n'avez pas vu le Général, de qui teniez-vous cette lettre ?... Elle est venue toute seule dans votre chemise, n'est-ce pas ?

— C'est la lettre que j'ai trouvée chez lui, je l'ai chopée à terre quand je m'en allais ; mais il vaut mieux que je ne dise plus rien puisque vous ne me croyez pas, comme si j'étais une menteuse !

— *Chopée !* La bêtasse, elle ne sait même pas parler !
grogna le scribe.

— Voyons, assez d'histoires, madame, et avouez la vérité,
car tout ce que vous gagnerez avec vos mensonges, c'est une
punition qui va vous faire souvenir de moi toute votre vie !

— Mais je vous ai dit la vérité ; maintenant, si vous ne
voulez pas le croire, je ne peux tout de même pas vous battre
pour vous faire comprendre, vous n'êtes pas mon fils.

— Cela va vous coûter très cher, comprenez ce que je
vous dis ! Et autre chose : qu'est-ce que vous lui vouliez, au
Général ? Qu'étiez-vous, qu'êtes-vous pour lui ? Sa sœur, sa
maî... mais allez-vous dire ce que vous en avez tiré ?

— Moi ?.... du Général ?... rien du tout, avec ça que je
l'ai vu si ça se trouve deux fois dans ma vie ; mais figurez-
vous, ça s'est trouvé comme ça que sa fille s'était engagée
à tenir mon fils sur les fonts baptismaux...

— Ce n'est pas une raison !

— Elle me l'avait promis, monsieur !

Le greffier ajouta à part :

— Ce sont des mensonges !

— Et si j'ai été peinée, si j'ai perdu la tête et si j'ai couru
là où vous savez, c'est parce que ce Lucio avait raconté à mon
mari qu'un homme voulait enlever la fille de...

— Assez de mensonges ! Il vaut mieux avouer de plein
gré l'endroit où se trouve le Général, car je sais que vous le
savez, que vous êtes la seule qui le sache, et vous allez nous le
dire ici, rien qu'à nous, rien qu'à moi... Cessez de pleurer !
parlez ! je vous écoute !

Et en baissant la voix, jusqu'à prendre un ton de confesseur, il ajouta :

— Si vous me dites où est le Général... voyons, écoutez,
je sais que vous le savez et que vous allez me le dire, si vous
me dites l'endroit où se cache le Général, je vous fais grâce ;
écoutez bien, je vous fais grâce ; je vous fais remettre en
liberté et d'ici vous allez tout droit chez vous, tranquillement...
Pensez-y... PENSEZ-Y BIEN...

— Ah ! monsieur, si je le savais, je vous le dirais ! Mais

je ne le sais pas, par malheur je ne le sais pas... Sainte Vierge, qu'est-ce que je vais devenir !

— Pourquoi niez-vous ? Vous ne voyez pas que vous vous condamnez vous-même ?

Pendant les pauses qui suivaient les phrases du Président du Tribunal, le greffier se curait les dents avec la langue.

— Eh bien ! s'il ne sert à rien qu'on vous traite gentiment, puisque vous n'êtes que de la racaille — cette dernière phrase, le Président du Tribunal la dit plus vite et avec une colère croissante de volcan en éruption — vous allez me le dire par la force. Sachez que vous avez commis un délit très grave contre la sûreté de l'Etat et que vous êtes entre les mains de la justice comme responsable de la fuite d'un traître, séditieux, rebelle, assassin et ennemi de Monsieur le Président !... Et c'est beaucoup dire, oui, c'est beaucoup dire, beaucoup dire !

La femme de Rodas ne savait que faire. Les paroles de cet homme diabolique cachaient une menace immédiate, terrible, quelque chose comme la mort. Ses mâchoires tremblaient ainsi que ses doigts, ses jambes... Celui dont les doigts tremblent, semble avoir retiré les os de ses mains qu'il agite comme on secoue des gants. Celui dont les mâchoires tremblent sans qu'il puisse parler, télégraphie des angoisses. Et celui dont les jambes tremblent, va debout dans une voiture traînée par deux bêtes effrénées, comme une âme que le diable emporte.

— Monsieur ! implora-t-elle.

— Comprenez bien qu'on n'est pas en train de plaisanter ! Allons, vite ! Où est le Général ?

Une porte s'ouvrit au loin pour laisser passer les pleurs d'un bébé. Des pleurs chauds, désespérés...

— Faites-le pour votre fils !

Avant même que le Président du Tribunal eût fini de parler, Fedina, tête dressée, cherchait de tous côtés d'où venaient les pleurs.

— Il y a deux heures qu'il pleure. Inutile de chercher où il est... Il pleure de faim et il mourra de faim si vous ne me dites pas où est le Général !

Elle s'élança vers une porte, mais aussitôt trois hommes

l'arrêtèrent, trois bêtes noires qui, sans grand effort, brisèrent ses pauvres forces de femme. Dans cette lutte inutile ses cheveux se dénouèrent, sa blouse sortit de sa jupe et ses jupons tombèrent. Presque nue, elle revint en se traînant à genoux, implora le Président du Tribunal de la laisser donner le sein à son bébé.

— Tout ce que vous voudrez, mais dites-moi d'abord où est le Général !

— Par la Vierge du Carmel, monsieur, implora-t-elle en embrassant le soulier du magistrat, par la Vierge du Carmel, laissez-moi allaiter mon petit garçon ! Voyez, il n'a même plus la force de pleurer, voyez, il se meurt ; vous me tuerez après si vous voulez !

— Il n'y a pas de Vierge du Carmel qui tienne ! Nous resterons ici tant que vous ne m'aurez pas dit où est caché le Général ; et votre fils crèvera à force de pleurer !

Comme une folle, elle s'agenouilla devant les hommes qui gardaient la porte. Elle lutta avec eux. Puis elle revint s'agenouiller devant le Président du Tribunal pour essayer de baiser ses souliers.

— Monsieur, pour mon fils !

— Eh bien ! pour votre fils, où est le Général ? Inutile de vous agenouiller et de jouer toute cette comédie parce que, si vous ne répondez pas à ce que je vous demande, n'ayez aucun espoir de donner à téter à votre fils !

En disant ceci, le Président du Tribunal se leva, fatigué d'être assis. Le greffier se curait les dents, la plume prête à noter la déclaration qui ne voulait pas sortir des lèvres de cette malheureuse mère.

— Où est le Général ?

Pendant les nuits d'hiver, l'eau pleure dans les gouttières. Ainsi on entendait les pleurs de l'enfant, glougloutants, étouffés.

— Où est le Général ?

Fedina se taisait comme une bête blessée, se mordant les lèvres sans savoir que faire.

— Où est le Général ?

Ainsi passèrent cinq, dix, quinze minutes... A la fin, le

Président du Tribunal, s'essuyant les lèvres avec un mouchoir bordé de noir, ajouta la menace à ses questions réitérées.

— Eh bien ! si vous ne nous le dites pas, vous allez broyer un peu de chaux vive ! Ainsi vous vous souviendrez peut-être du chemin qu'a pris cet homme !

— Je ferai tout ce que vous voudrez, mais avant laissez-moi donner le sein à mon tout-petit ! Monsieur, ne soyez pas comme ça, voyons ce n'est pas juste ! Monsieur, le pauvre petit n'est pas coupable ! Punissez-moi comme vous voudrez !

L'un des hommes qui barrait la porte la jeta par terre d'une poussée, un autre lui envoya un coup de pied qui la laissa étendue sur les dalles. Les larmes et l'indignation effaçaient pour elle les murs et les objets. Rien n'existait que les pleurs de son fils.

A une heure du matin, pour qu'on cesse de la battre, elle commença à triturer la chaux vive. Son petit enfant pleurait.

De temps en temps, le magistrat répétait :

— Où est le Général ? Où est le Général ?

Une heure...

Deux heures...

Enfin trois heures... Son petit enfant pleurait...

Trois heures, alors qu'il devait en être au moins quatre...

Quatre heures qui n'arrivaient toujours pas. Et son petit enfant pleurait...

Enfin quatre heures ! Et son petit enfant pleurait...

— Où est le Général ? Où est le Général ?

Les mains couvertes de crevasses innombrables et profondes, qui à chaque mouvement s'ouvraient davantage, le bout des doigts à vif, les ongles en sang, des flammes entre les phalanges, Fedina bramait de douleur en roulant la chaux sur la pierre. Quand elle s'arrêtait, implorant pour son fils plus que sa propre souffrance, on la battait.

— Où est le Général ? Où est le Général ?

Elle n'écoutait pas la voix du Président du Tribunal. Les pleurs du bébé, de plus en plus faibles, emplissaient ses oreilles.

A cinq heures moins vingt, ils l'abandonnèrent par terre, sans connaissance. De ses lèvres tombait une bave visqueuse et de ses seins, sillonnés de gerçures presque invisibles, le lait coulait, plus blanc que la chaux. Par intervalles, de ses yeux enflammés s'échappaient des larmes furtives.

Plus tard, l'aube pointait déjà, ils la transportèrent dans son cachot. Là-bas, elle se réveilla près de son fils moribond, glacé, sans vie, comme une poupée de chiffons. En se sentant dans le giron maternel, l'enfant se ranima un peu et il ne tarda pas à se jeter sur le sein avec avidité. Mais aussitôt qu'il l'eut pris dans sa petite bouche et qu'il sentit la saveur âcre de la chaux, il lâcha le mamelon et se remit à pleurer ; et tout ce qu'elle fit pour qu'il le reprît fut inutile. Le bébé dans ses bras, elle cria, frappa à la porte... Il refroidissait. Il refroidissait... Il refroidissait... On ne pouvait pas le laisser mourir ainsi. Il était innocent ; et elle retourna frapper à la porte et crier...

— Ah ! mon fils se meurt ! Mon fils se meurt ! Ah ! ma vie, mon petit morceau de vie ! Venez, pour Dieu ! Ouvrez ! au nom du ciel ! Mon fils se meurt ! Très Sainte Vierge ! Saint Antoine béni ! Jésus de sainte Catherine !

Dehors, la fête continuait. Le deuxième jour comme le premier. L'écran en guise d'échafaud, et les esclaves tournant en rond, attachés à la noria.

It is shown that Canales was planning on getting arrested. This caused mixed feelings throughout the rest of the chapter.

17

Amour maléfique

— Viendra-t-il ? Ne viendra-t-il pas ?

    — C'est comme s'il était déjà là !

    — Il tarde, mais l'essentiel c'est qu'il vienne...

    — Ne craignez rien, il viendra, aussi sûr qu'il fait nuit ; ma tête à couper qu'il vient. Ne vous tourmentez pas...

    — Et vous croyez qu'il va m'apporter des nouvelles de papa ? C'est lui qui me l'a proposé...

    — Bien entendu... Raison de plus...

    — Ah ! Dieu veuille qu'il n'en apporte pas de mauvaises !... Je ne sais plus où j'en suis... Je vais devenir folle... Tantôt je voudrais qu'il arrive vite pour échapper à l'incertitude et tantôt qu'il ne vienne pas s'il doit m'apporter de mauvaises nouvelles.

    La *Serpente* suivait, d'un coin de la petite cuisine improvisée, les palpitations de la voix de Camila qui parlait, assise sur le lit. Une chandelle collée au sol brûlait devant la Vierge de Chiquinquira.

    — En voilà des idées ; je pense bien qu'il va venir, et avec des nouvelles qui vous feront plaisir ; rappelez-vous ce que je vous dis... Comment je le sais, me direz-vous ?... Je le sens. Pour ce qui est des pressentiments, je suis infaillible... Ah ! les hommes ! Bon, si je vous racontais... Il est vrai qu'un doigt ne fait pas toute la main, mais ils sont tous les mêmes : comme des chiens attirés par l'odeur d'un os !

    Le bruit du soufflet espaçait les phrases de la patronne. Camila la regardait souffler sur le feu sans y prêter attention.

    — L'amour, ma petite, c'est comme les sorbets au sirop. Si on y goûte juste au moment où on vient de les faire, le jus abonde que c'en est un plaisir, il sort de tous les côtés et il faut se dépêcher de l'avaler, sinon il coule ; mais après ! après, il ne reste plus qu'un bout de glace sans goût ni couleur.

Dans la rue, on entendit des pas. Le cœur de Camila battait si fort qu'elle fut obligée de le comprimer avec ses deux mains. Ils passèrent devant la porte et s'éloignèrent rapidement.

— J'ai cru que c'était lui...

— Il ne va pas tarder...

— Il est allé chez mes oncles avant de venir ici ; mon oncle Juan va probablement l'accompagner...

— Psstt ! Chat ! Le chat est en train de boire votre lait, faites-lui peur...

Camila regarda l'animal qui, effrayé par le cri de la patronne, léchait ses moustaches imprégnées de lait, près de la tasse oubliée sur une chaise.

— Comment s'appelle votre chat ?

— Benjoin...

— J'en avais un qui s'appelait Goutte ; c'était une chatte...

Cette fois, oui, on entendait des pas, et peut-être... C'était lui.

Pendant que la *Serpente* débarricadait la porte, Camila passa les mains dans ses cheveux pour les arranger un peu. Son cœur battait à grands coups. Au soir de ce jour qui lui avait paru, par instants, éternel, interminable, sans fin, elle était courbatue, faible, sans entrain, les yeux cernés, telle une malade qui entend chuchoter les préparatifs de l'opération qu'elle va subir.

— Oui, mademoiselle, de bonnes nouvelles ! s'écria Visage d'Ange depuis la porte, abandonnant l'expression de chagrin qu'il avait sur la figure.

Elle attendait, debout, appuyée à la tête du lit, les yeux pleins de larmes et le visage froid. Le favori lui caressa les mains.

— D'abord, des nouvelles de votre papa, puisque ce sont celles qui vous importent le plus... — Ayant prononcé ces paroles, il regarda la *Serpente* et, sans changer de ton, changea d'avis. — Eh bien, votre papa ne sait pas que vous êtes cachée ici...

— Et lui, où est-il ?...

— Calmez-vous !

— Je me contenterais de savoir qu'il ne lui est rien arrivé.

— Asseyez-vous, monsieur... intervint la patronne en offrant la banquette à Visage d'Ange.

— Merci...

— Bien entendu, vous avez à parler ; et si vous n'avez besoin de rien, permettez que je m'en aille. Je reviendrai dans un moment. Je vais sortir pour voir ce qu'il est advenu de Lucio : il est parti depuis ce matin et n'est pas encore revenu.

Le favori fut sur le point de demander à la patronne de ne pas le laisser seul avec Camila.

Mais la *Serpente* était déjà passée dans le petit patio sombre afin de changer de jupon, et Camila disait :

— Que Dieu vous récompense pour tout ce que vous faites, vous m'entendez, madame ?... La pauvre ! elle est si bonne et tout ce qu'elle dit est si drôle. Elle affirme que vous êtes très bon, très riche et très sympathique, qu'elle vous connaît depuis longtemps...

— Oui, elle est vraiment bonne ; cependant on ne pouvait parler devant elle en toute liberté, mieux valait qu'elle s'en aille. Quant à votre père, tout ce que l'on sait, c'est qu'il est en fuite, et tant qu'il n'aura pas passé la frontière nous n'aurons pas de nouvelles sûres. Mais, dites-moi, avez-vous raconté quelque chose à cette femme au sujet de votre père ?

— Non, parce que j'ai cru qu'elle était au courant de tout...

— Eh bien ! il ne faut rien lui dire.

— Et mes oncles ?

— Je n'ai pas pu aller les voir, occupé comme je l'étais à chercher des nouvelles du Général, mais je leur ai déjà annoncé ma visite pour demain.

— Pardonnez mon impatience, mais vous comprenez bien que je me sentirai plus calme près d'eux ; surtout avec mon oncle Juan, mon parrain, qui a été pour moi comme un père...

— Vous vous voyiez souvent ?...

— Presque tous les jours... presque... oui... Oui, parce que, quand nous n'allions pas chez lui, il venait chez nous, avec sa femme ou seul. C'est le frère que mon père aime le mieux. Papa me disait toujours : « Si je viens à te manquer, je te laisserai avec Juan, c'est chez lui que tu dois aller et tu lui obéiras comme à moi-même. » Dimanche encore nous avons dîné tous ensemble.

— En tout cas, sachez que si je vous ai cachée ici, c'était pour vous éviter d'être malmenée par la police et parce que c'est à deux pas de chez vous.

La flamme fatiguée de la chandelle, qui n'était pas mouchée, papillotait comme un regard de myope. Dans cette lumière, Visage d'Ange avait l'air diminué, à moitié malade, et il regardait Camila, plus pâle, plus seule, et plus séduisante que jamais dans sa petite robe jaune citron.

— A quoi pensez-vous ?...

Sa voix avait l'intimité d'un homme apaisé.

— Aux tourments qu'endure mon pauvre papa, fuyant parmi des lieux inconnus et sombres, je ne sais trop comment, avec la faim, le sommeil, la soif et sans soutien. Que la Vierge l'accompagne ! Toute la journée j'ai laissé la chandelle allumée devant elle...

— Ne pensez pas à cela, n'appelez pas le malheur ; les choses arrivent comme il est écrit qu'elles doivent arriver. Nous étions bien loin d'imaginer, vous, que vous me connaîtriez un jour, et moi, que je rendrais service à votre père.

Et s'emparant d'une de ses mains, qu'elle lui laissa caresser, ils regardèrent tous les deux le tableau de la Vierge. Le favori pensait :

Dans le trou de la serrure du ciel
Tu tiendrais juste car le serrurier,
Quand tu naquis alla, avec de la neige,
Prendre l'empreinte de ton corps sur une étoile !

Cette strophe, dont la réminiscence ne s'expliquait pas en un tel instant, resta isolée dans sa tête, comme confondue avec la palpitation qui commençait à soulever leurs deux âmes.

— A votre avis, mon père est-il très loin ? Quand le saura-t-on au juste ?

— Je n'en ai pas la moindre idée, mais c'est une question de jours...

— De beaucoup de jours ?

— Non...

— Mon oncle Juan a peut-être des nouvelles ?...

— Probablement...

— Vous paraissez gêné quand je vous parle de mes oncles...

— Que dites-vous là ? Pas du tout ! Au contraire, je pense que, sans eux, ma responsabilité serait plus grande. Où vous emmènerais-je, s'ils n'étaient là ?...

Visage d'Ange changeait de voix quand il cessait de broder sur la fuite du Général et qu'il parlait des oncles. Il craignait de voir revenir le Général, enchaîné et sous bonne escorte, ou bien froid comme du marbre dans une couverture ensanglantée.

La porte s'ouvrit soudain. C'était la *Serpente* qui entrait, tout affolée. Les barres de sécurité roulèrent par terre. Un souffle d'air fit vaciller la lumière.

— Excusez-moi de revenir si brusquement et permettez que je vous interrompe. Lucio est emprisonné !... Une de mes amies venait de me le dire quand on m'a remis ce petit papier. Il est à la Prison centrale... Des histoires de ce Genaro Rodas ! Ah ! ces hommes ! ces porteurs de pantalons ! Je me suis fait de la bile tout l'après-midi ; à chaque instant mon cœur faisait poum, poum, poum... Ce Genaro a été raconter que vous et Lucio aviez enlevé la demoiselle...

Le favori ne put empêcher la catastrophe. Une poignée de paroles, et l'explosion... Camila, lui et son pauvre amour achevaient de voler en l'air, brisés en une seconde, en moins d'une seconde... Quand Visage d'Ange commença à se rendre compte de la réalité, Camila pleurait désespérément, couchée en travers du lit ; la tenancière n'arrêtait pas de parler, donnant tous les détails de l'enlèvement sans même se douter que ses paroles venaient de précipiter tout un monde dans un gouffre de désespoir et, quant à lui, il lui semblait qu'on était en train de l'enterrer vivant, les yeux ouverts.

Après avoir pleuré un bon moment, Camila se leva comme une somnambule, demandant à la patronne quelque chose pour se couvrir, afin de s'en aller.

— Si vous êtes un gentilhomme comme vous le prétendez — elle se tourna vers Visage d'Ange quand la femme lui eut donné un châle — accompagnez-moi chez mon oncle Juan.

Le favori voulut dire ce qu'on ne peut pas dire, cette parole inexprimable avec les lèvres et qui danse dans les yeux de ceux que la fatalité poursuit et frappe au plus profond de leur espérance.

— Où est mon chapeau ? demanda-t-il, la voix enrouée de tant avaler de la salive d'angoisse.

Et, son chapeau à la main, il se tourna vers l'intérieur du café pour contempler, avant de partir, l'endroit où un beau rêve venait de faire naufrage.

— Mais... objecta-t-il, presque sur la porte, je crains qu'il ne soit trop tard...

— Si nous allions dans une maison étrangère, oui ; mais nous allons chez moi ; sachez que chez n'importe lequel de mes oncles je suis chez moi...

Visage d'Ange la retint doucement par un bras, et, comme s'il s'arrachait l'âme, il lui dit violemment la vérité.

— Chez vos oncles, il ne faut même pas y penser ! Ils ne veulent pas entendre parler de vous, ils ne veulent rien savoir du Général, ils le renient ; votre oncle Juan me l'a déclaré aujourd'hui même...

— Mais vous venez de m'affirmer que vous ne les avez pas vus, que vous leur avez seulement annoncé votre visite... Vous oubliez ce que vous m'avez dit tout à l'heure, et vous calomniez mes oncles, afin de retenir dans ce café la proie que vous avez volée et qui vous échappe. Mes oncles ne veulent pas entendre parler de nous ! ni me recevoir chez eux !... Mais vous êtes fou ! Venez, accompagnez-moi et vous verrez qu'il n'en est rien.

— Je ne suis pas fou, non ! Croyez-moi ; je donnerais ma

vie pour que vous n'alliez pas vous exposer à un affront et,
si je vous ai menti, c'est parce que... je ne sais pas... Je
mentais par tendresse, pour vous éviter jusqu'au dernier
moment la douleur dont vous allez souffrir... Je pensais
retourner les supplier demain, tirer d'autres ficelles, leur
demander de ne pas vous laisser abandonnée dans la rue ;
mais il est trop tard, vous partez, il est trop tard...

Les rues éclairées semblent plus solitaires. La patronne
sortit avec la chandelle qui brûlait devant la Vierge, afin de
les éclairer pendant les premiers pas. Le vent la lui éteignit.
La petite flamme fit comme un signe de croix.

18

Des coups à la porte

Pan — Pan — Pan! Pan — Pan — Pan!

Comme des petits pétards éclatant au ras du sol, les coups de heurtoir coururent dans toute la maison, réveillant le chien qui, aussitôt, se mit à aboyer vers la rue. Le bruit lui avait brûlé le sommeil. Camila tourna la tête vers Visage d'Ange — sur le seuil de la porte de son oncle Juan elle se sentait déjà en sécurité — et lui dit, sûre d'elle :

— Il aboie parce qu'il ne m'a pas reconnue ! Rubis, Rubis ! ajoute-t-elle, appelant le chien qui ne cesse d'aboyer. Rubis ! Rubis ! C'est moi ! Tu ne me reconnais pas, Rubis ? Cours, allons, pour qu'on vienne vite ouvrir...

Et, se retournant à nouveau vers Visage d'Ange :

— Nous allons attendre un petit moment !

— Oui, oui, ne vous inquiétez pas pour moi, attendons !

Il parlait de façon détachée, comme quelqu'un qui a tout perdu, pour qui tout est indifférent.

— Ils n'ont peut-être pas entendu, il faudrait frapper plus fort.

Elle leva et laissa tomber le heurtoir de nombreuses fois ; c'était un marteau de bronze doré, en forme de main.

— Les bonnes doivent être endormies ; pourtant, elles avaient largement le temps d'arriver ! Mon papa, qui souffre d'insomnies, dit avec raison quand il passe de mauvaises nuits : « Heureux celui qui a un sommeil de servante ! »

Seul Rubis donnait signe de vie. Son aboiement s'entendait tantôt dans le vestibule, tantôt dans le patio. Il courait sans se lasser après les coups de heurtoir, pierres lancées contre le silence qui bloquait peu à peu la gorge de Camila.

— C'est étrange ! dit-elle sans s'éloigner de la porte. Ils sont sûrement endormis ; je vais frapper plus fort afin qu'ils viennent !

Pan — Pan — Pan !... Pan — Pan — Pan !

— Maintenant ils vont venir ! Ils n'avaient certainement pas entendu.

— Les voisins sortent avant eux ! dit Visage d'Ange.

Bien qu'on ne vît rien dans la brume, on entendait le bruit des portes.

— Il ne leur est pourtant rien arrivé, n'est-ce pas ?

— Hélas, non ! Frappez, frappez, ne vous inquiétez pas.

— Nous allons attendre un petit moment, voyons s'ils viennent enfin...

Et, mentalement, Camila se mit à compter pour faire passer le temps : 1 — 2 — 3 — 4 — 5 — 6 — 7 — 8 — 9 — 10 — 11 — 12 — 13 — 14 — 15 — 16 — 17 — 18 — 19 — 20 — 21 — 22 — 23... 23... 23... 24... et vin...ingt-cin...inq...

Ils ne bougent pas !

...26 — 27 — 28 — 29 — tre — en-te... 31 — 32 — 33 — 34 — 35... elle avait peur d'arriver à 50... tr — en — te-six, 37, 38...

Soudain, sans savoir pourquoi, elle venait de réaliser que Visage d'Ange lui avait dit la vérité à propos de son oncle Juan et, avec effroi, avec désespoir, elle frappa encore et encore ! Pan — pan — pan ! Ce n'était pas possible ! Elle ne lâchait plus le heurtoir. Pan, pan, pan ! Pan — pan — pan-panpanpan — panpanpanpan...

Pas d'autre réponse que l'interminable aboiement du chien ! Que leur avait-elle fait, sans le savoir, pour qu'ils ne lui ouvrent pas leur porte ? Elle frappa de nouveau. Son espérance renaissait à chaque coup de heurtoir. Qu'allait-elle devenir s'ils la laissaient dans la rue ? Rien que d'y penser elle se sentait défaillir. Elle frappa et refrappa. Elle frappa avec fureur, comme si elle donnait des coups de marteau sur la tête d'un ennemi. Elle sentait ses pieds lourds, sa bouche amère, sa langue rêche et, sur ses dents, la brûlante démangeaison de la peur.

Une fenêtre grinça et on entendit même un bruit de voix.

Tout son corps se réchauffa. Ils viennent ! Dieu soit loué !
Elle était contente de quitter cet homme, dans les yeux noirs
de qui luisaient des phosphorescences diaboliques, comme
dans ceux des chats, cet individu abject, bien qu'il fût aussi
beau qu'un ange. Pendant ce court instant, le monde de la
maison et le monde de la rue, séparés par la porte, se frôlèrent
comme deux astres éteints. La maison vous permet de manger
votre pain secrètement ; le pain mangé secrètement est doux,
il apprend la sagesse ; elle possède la sécurité de ce qui dure
et attire la considération sociale ; elle est comme un portrait
de famille sur lequel le papa se redresse dans son nœud de
cravate, la maman exhibe ses plus beaux bijoux et les enfants
sont peignés et parfumés à l'eau de Cologne véritable. La rue,
au contraire, est un monde instable, dangereux, aventureux,
faux comme les miroirs, lavoir public du linge sale d'alentour.

Combien de fois, étant petite, n'avait-elle pas joué devant
cette porte ! Combien de fois, pendant que son papa et son
oncle Juan parlaient affaires, sur le point de se quitter, ne
s'était-elle pas amusée à regarder de là les bords des toits
voisins, découpés comme des échines écailleuses sur l'azur
du ciel !

— Vous n'avez pas entendu qu'on s'approchait de cette
fenêtre ? C'est vrai, n'est-ce pas ? Mais ils n'ouvrent pas. Ou
bien... nous tromperions-nous de maison... ? Ce serait drôle !

Et, lâchant le heurtoir, elle descendit du trottoir pour
regarder le visage de la maison. Elle ne s'était pas trompée.
C'était bien celle de son oncle Juan. « Juan Canales, Cons-
tructeur », disait sur la porte une plaque de métal. Comme
une enfant, elle fit la moue et se mit à pleurer. Petits chevaux,
ses larmes tiraient des profondeurs de son cerveau la sombre
certitude que Visage d'Ange lui avait dit la vérité en sortant
du Tous-Tep. Elle n'y voulait pas encore croire, bien que ce
fût vrai.

La brume voilait les rues. Décors de stuc laiteux sentant
le pulque et le pourpier.

— Accompagnez-moi chez mes autres oncles ; allons
d'abord chez mon oncle Luis, si vous voulez bien...

— Où vous voudrez...

— Venez, alors... — Les larmes coulaient de ses yeux comme une averse. — Ici, ils n'ont pas voulu m'ouvrir...

Et ils s'en allèrent. Elle, tournant la tête à chaque instant, gardant l'espoir qu'on lui ouvrirait enfin la porte, et Visage d'Ange, sombre. Don Juan Canales aurait de ses nouvelles : laisser sans vengeance un tel affront était impossible. Le chien continuait d'aboyer de plus en plus loin. Bientôt, tout espoir disparut. On n'entendait même plus le chien. Devant l'Hôtel de la Monnaie, ils rencontrèrent un facteur ivre qui jetait les lettres au milieu de la rue, comme en rêve. Il ne pouvait presque pas avancer. De temps en temps, il levait les bras et riait avec un caquètement d'oiseau domestique, luttant contre les fils de sa bave accrochés aux boutons de son uniforme. Camila et Visage d'Ange, d'un même mouvement, se mirent à ramasser les lettres et à les remettre dans sa sacoche, lui conseillant de ne plus les jeter.

— Mer... er... ci... Bi... en... Je... vous... re... mer... er... cie... e. Bi... en ! dit-il en épelant les mots, appuyé aux contreforts du *Coin*. Puis, quand ils le laissèrent, tous les plis dans son sac, il s'éloigna en chantant :

> *Pour monter au ciel !*
> *On a besoin*
> *D'une grande échelle*
> *Et d'une petite !*

Et moitié chantant, moitié parlant, il ajouta sur un autre air :

> *Monte, monte monte,*
> *La Vierge au ciel.*
> *Monte, monte, monte,*
> *Montera vers son royaume !*

— Quand saint Jean baissera son doigt, moi, Gup... Gup... Gumercindo Solares, je ne serai plus facteur, je ne serai plus facteur, je ne serai plus facteur...

Et chantant :

> *Et quand je mourrai*
> *Qui m'enterrera ?*
> *Seules les Petites Sœurs*
> *De la Charité !*

— Ay ! ouy-ouy-ouy, tu es de trop, tu es de trop, tu es de trop !

Il se perdit dans la brume en titubant. C'était un petit homme à grosse tête. Son uniforme était trop grand, et sa casquette trop petite.

Pendant ce temps, don Juan Canales faisait l'impossible pour se mettre en communication avec son frère José Antonio. Le central téléphonique restait muet, et le bruit de la sonnerie commençait à lui donner la nausée. Enfin, une voix d'outre-tombe lui répondit, il demanda la maison de don José Antonio Canales et, contrairement à ce qu'il redoutait, immédiatement la voix de son frère aîné se fit entendre dans l'appareil.

— ... Oui, oui, c'est Juan qui te parle... Je croyais que tu ne m'avais pas reconnu... Eh bien, figure-toi... elle et ce type, oui... bien sûr, bien sûr... bien entendu... oui... oui. Qu'est-ce que tu dis ?... Nooon ! Nous ne lui avons pas ouvert !... Tu penses bien... Et sûrement que d'ici ils auront filé jusque chez toi... Quoi, quoi ?... C'est ce que je pensais... Ils nous ont laissés tout tremblants !... Vous aussi ? Pour ta femme, l'émotion n'a pas dû être bonne. Ma femme voulait aller ouvrir, mais je m'y suis opposé !... Naturellement !... Naturellement, cela va de soi !... Bon, tout le voisinage ameuté après toi... oui, mon vieux... et ici, après moi, encore pire. Ils doivent être furieux... Et de chez toi ils sont sûrement allés chez Luis... Ah ! Non ?... Ils en venaient ?...

Une pâleur cuivrée, de moment en moment humble clarté, jus de citron, jus d'orange, rougeoiement d'un feu à peine allumé, or mat de la première flamme, lumière de l'aube, les surprit dans la rue comme ils revenaient de frapper en vain à la porte de don José Antonio.

A chaque pas Camila répétait :

— Je me débrouillerai bien !

Ses dents claquaient de froid. Ses grands yeux, prairies humides de pleurs, voyaient se lever le jour avec une amertume inconsciente. Elle avait pris l'allure des gens blessés par la fatalité. Sa démarche était gauche, son expression absente.

Les oiseaux saluaient l'aurore dans les jardins des parcs publics et à l'intérieur des maisons, dans les petits jardins des patios. Un concert céleste — trilles et trémolos — montait vers l'azur divin de l'aurore, tandis que les roses se réveillaient, tandis que de son côté le tintement des cloches qui souhaitaient le bonjour à Notre-Seigneur, alternait avec les coups sourds venus des boucheries où l'on hachait la viande ; les gammes des coqs qui battaient la mesure avec leurs ailes, avec les détonations en sourdine des pains tombant au creux des corbeilles dans les boulangeries ; et les voix et les pas des noceurs, avec le bruit de quelque porte ouverte par une petite vieille allant communier, ou par une servante pressée d'apporter le pain au voyageur qui doit prendre le train aussitôt après son déjeuner.

Le jour se levait...

Les urubus se disputaient le cadavre d'un chat à grands coups de bec. Les chiens poursuivaient les chiennes, haletants, les yeux ardents et la langue pendante. Un cabot passa en boitant, la queue entre les jambes, et c'est à peine s'il se retournait, mélancolique et peureux, pour montrer les dents. Le long des murs et des portes, les chiens dessinaient les cataractes du Niagara.

Le jour se levait...

En groupes, les Indiens qui balayaient les rues pendant la nuit rentraient chez eux, les uns après les autres, tels des fantômes vêtus de toile rêche, riant et parlant en une langue qui sonnait comme un chant de cigale dans le silence matinal. Leurs balais sous l'aisselle, ainsi que des parapluies. Les dents blanches comme de la pâte d'amandes dans leurs visages de cuivre. Pieds nus. Déguenillés. Parfois, l'un d'eux s'arrêtait au bord du trottoir et s'inclinait en pressant son nez entre le pouce et l'index pour se moucher. Devant les portes des temples, tous ôtaient leurs chapeaux.

Le jour se levait...

Araucarias inaccessibles, vertes toiles d'araignées jetées pour attraper les étoiles filantes. Nuages de première communion. Sifflets de locomotives étrangères.

La *Serpente* se réjouit de les voir revenir ensemble. Toute la nuit, son chagrin l'avait empêchée de fermer l'œil, et elle s'apprêtait à sortir sans tarder pour aller à la Prison porter le déjeuner de Lucio Vasquez.

Visage d'Ange prit congé, pendant que Camila pleurait sur son incroyable malheur.

— A bientôt ! dit-il sans savoir pourquoi ; désormais, il n'avait plus rien à faire ici.

Et, en partant, pour la première fois depuis la mort de sa mère, il sentit ses yeux pleins de larmes.

19

Les bons comptes et les bons amis [1]

Le Président du Tribunal Spécial finit son chocolat au riz en levant le coude par deux fois afin de le boire jusqu'à la dernière goutte ; puis il essuya sa moustache couleur aile de mouche avec la manche de sa chemise et, s'approchant de la lampe, il regarda au fond du bol pour voir s'il avait bien tout bu. Parmi ses codes crasseux et ses paperasses, silencieux et laid, myope et glouton, on ne pouvait dire, quand il ôtait son col, si c'était un homme ou une femme, ce Licencié en Droit, arbre aux feuilles de papier timbré, dont les racines se nourrissaient dans toutes les couches sociales, jusqu'aux plus humbles et aux plus misérables. Jamais, sans doute, les générations passées n'avaient vu un tel arbre de papier timbré. En levant les yeux de son bol, qu'il avait essuyé du doigt pour s'assurer que rien n'y restait, il vit entrer, par l'unique porte de son bureau, sa servante, un spectre qui traînait les pieds comme si ses souliers étaient trop grands, à petits pas, l'un après l'autre, l'un après l'autre.

— T'as déjà bu ton chocolat, à c' qu'on dirait !

— Oui, Dieu te le rende ; il était très bon ! J'aime quand le breuvage descend dans la gargoulette.

— Où as-tu mis la tasse ? demanda la servante en cherchant parmi les livres qui faisaient de l'ombre sur la table.

— Là, tu ne la vois pas !

— A propos, dis donc, ces tiroirs sont pleins à ras bord

---

1. Le titre original de ce chapitre est une allusion au proverbe espagnol qui préconise pour les comptes et pour le chocolat des qualités contraires : « Les comptes, clairs ; le chocolat, bien dense ».

de papier timbré. Si t'es d'accord, demain je sortirai le vendre, voir ce qu'on en tire.

— Mais que ce soit discret et que ça n'aille pas se savoir. Les gens ont tout de suite de mauvaises idées...

— Tu crois donc que j'ai pas pour deux sous de jugeote ? Il y a là à peu près quatre cents feuilles à vingt-cinq sous et deux cents à cinquante sous. Je les ai comptées pendant que mes fers à repasser chauffaient, cet après-midi même...

Un coup frappé à la porte de la rue lui coupa la parole.

— Quelle façon de frapper... imbéciles ! sursauta le Président du Tribunal.

— Ils frappent toujours comme ça. Souvent je les entends jusque dans la cuisine... Savoir qui c'est...

La servante prononça ces dernières paroles alors qu'elle était sur le point d'aller ouvrir. Elle avait l'air d'un parapluie, avec sa petite tête et ses longues jupes décolorées.

— Je ne suis pas là ! cria le Président du Tribunal... Et, dis donc ! il vaudrait mieux regarder d'abord par la fenêtre...

Quelques instants après, la vieille revint, traînant toujours les pieds, avec une lettre.

— On attend la réponse...

Le Président du Tribunal déchira l'enveloppe avec mauvaise humeur ; il parcourut des yeux la petite carte qu'elle renfermait et, à la servante, d'un ton radouci :

— Dis que j'ai pris bonne note !

Traînant les pieds, elle alla donner la réponse au gamin qui avait apporté le message, puis referma hermétiquement la fenêtre.

Elle mit du temps à revenir, elle donnait sa bénédiction à toutes les portes. Jamais elle n'en finissait d'emporter la tasse sale.

Pendant ce temps, son maître, commodément renversé dans son fauteuil, relisait, sans passer un point ni une virgule, la petite carte qu'il venait de recevoir : un collègue lui proposait une affaire. « La femme Dent d'Or — lui écrivait le licencié Vidalitas — amie de Monsieur le Président et propriétaire d'un célèbre établissement de femmes publiques — est venue ce matin à mon bureau pour me dire qu'elle a vu, à la « Maison-Neuve », une femme jeune et jolie qui lui conviendrait pour son commerce. Elle en offre dix mille pesos. Sachant qu'elle est emprisonnée par ton ordre, je te dérange pour que tu me dises si tu vois un inconvénient à accepter cette petite somme et à donner cette femme à ma cliente... »

— Si tu n'as plus besoin de rien, je vais me coucher.

— Non, rien, bonne nuit...

— Toi aussi... Que les âmes du Purgatoire reposent en paix !

Tandis que la servante s'en allait en traînant les pieds, le Président du Tribunal supputait la somme d'argent que lui rapporterait l'affaire proposée, chiffre après chiffre : un un, un zéro, un autre zéro, un autre zéro, un autre zéro... dix mille pesos !

La vieille revenait :

— J'allais oublier, le Père a fait prévenir que demain il dira la messe plus tôt.

— Ah ! c'est vrai, c'est demain samedi ! Réveille-moi quand les cloches sonneront, entends-tu, parce que j'ai dû veiller la nuit dernière, et je risque de dormir longtemps.

— Bon, je te réveillerai donc...

Là-dessus, elle s'en alla lentement en traînant toujours les pieds. Mais elle revint. Elle avait oublié de porter la tasse sale sur l'évier. Elle était déjà déshabillée quand elle se le rappela. « Heureusement que je m'en suis souvenue, marmonna-t-elle à mi-voix, sinon, pour sûr que... » A grand-peine, elle remit ses souliers — « Pour sûr que... » et elle termina sur un « Dieu me bénisse ! » enveloppé dans un soupir. N'eût été cette manie qu'elle avait de ne rien pouvoir laisser traîner, elle serait bien restée au chaud dans son lit.

Le juge ne se rendit pas compte de la dernière apparition de la vieille, plongé comme il l'était dans la lecture de son dernier chef-d'œuvre : le réquisitoire concernant la fuite du général Eusebio Canales. Il y avait quatre grands coupables : Fedina Rodas, Genaro Rodas, Lucio Vasquez et... — il se pourléchait — l'autre, un personnage qu'il ne portait pas dans son cœur : Miguel Visage d'Ange.

« L'enlèvement de la fille du Général, comme ce nuage

noir que crache le poulpe quand il se sent attaqué, n'a été qu'une ruse pour tromper la vigilance de l'autorité, se dit-il. Fedina Rodas est formelle sur ce point : la maison était vide quand elle s'est présentée à six heures du matin pour voir le Général. Ses déclarations m'ont semblé véridiques dès le premier moment et si j'ai un peu serré la vis, c'est pour être encore plus sûr : ses dires condamnent sans contestation possible Visage d'Ange. S'il n'y avait personne à six heures du matin dans la maison et comme, d'autre part, il appert des rapports de police que le Général était rentré chez lui à minuit, ergo le prévenu s'est enfui à deux heures, au moment où l'autre faisait le simulacre d'enlever la fille...

» Quelle déception pour Monsieur le Président quand il saura que l'homme en qui il a mis toute sa confiance a préparé et dirigé la fuite d'un de ses ennemis les plus acharnés ! Dans quel état sera-t-il en apprenant que l'ami intime du colonel Parrales Sonriente a participé à la fuite d'un des assassins de celui-ci ! »

Il lut et relut les articles du Code militaire, qu'il savait par cœur, concernant la complicité et, tel celui qui se régale avec une sauce piquante, le plaisir brillait dans ses yeux de basilic chaque fois qu'il trouvait dans ces articles de loi — et c'était toutes les deux lignes — cette petite phrase : *la peine de mort*, ou sa variante : *peine capitale*.

« Ah ! don Miguelin Miguelito, vous voici enfin entre mes mains, et pour aussi longtemps qu'il me plaira ! Je ne pensais pas que nous nous retrouverions si vite, hier, quand vous m'avez infligé un affront chez Monsieur le Président ! Et ma vengeance est une vis sans fin, je vous en avertis. »

Et réchauffant l'idée de sa revanche, cœur de balle glacé, il monta les marches du Palais à onze heures du matin, le lendemain. Il portait son réquisitoire et un mandat d'arrêt contre Visage d'Ange.

— Voyez-vous, Monsieur le Juge, lui dit le Président après qu'il eût fini de lui expliquer les faits, laissez tomber cette affaire et écoutez-moi bien. Ni madame Rodas ni Miguel ne sont coupables ; faites remettre cette dame en liberté et déchirez le mandat d'arrêt ; les vrais coupables, c'est vous, imbé-

ciles, serviteurs de quoi ?... A quoi servez-vous ? à rien... A
la moindre velléité de fuite, la police devait tirer sur le
général Canales pour en finir. Tel était l'ordre donné. Mais
la police ne peut voir une porte ouverte sans que les doigts
lui démangent de piller ! Vous croyez que Visage d'Ange
coopérait à la fuite de Canales. Or, c'est à la mort de Canales,
et non à sa fuite, qu'il travaillait... Mais, comme la police est
une superbe pourriture... Vous pouvez vous retirer... Quant
aux deux autres coupables, Vasquez et Rodas, ayez-les à l'œil,
c'est une paire de coquins, surtout Vasquez : il en sait plus
qu'on ne lui en a appris... Vous pouvez vous retirer.

20

Les loups entre eux

Genaro Rodas, dont les pleurs n'avaient pu arracher de ses yeux le regard du Pantin, comparut devant le Président du Tribunal, la tête basse, sans le moindre courage après les malheurs arrivés chez lui, et accablé par la dépression que cause, même aux plus vaillants, la privation de liberté. L'autre ordonna qu'on lui ôtât les menottes et, sur le ton dont on parle à un serviteur, lui commanda de s'approcher.

— Mon cher enfant, lui dit-il au bout d'un long silence qui était en soi une façon de le circonvenir, je sais tout, et si je t'interroge, c'est que je veux entendre de ta propre bouche comment est advenue la mort de ce mendiant, à la Porte du Seigneur...

— Ce qui est arrivé... Genaro se mit à parler précipitamment, mais il s'arrêta aussitôt, comme effrayé par ce qu'il allait dire.

— Oui, ce qui est arrivé...

— Ah ! monsieur, pour l'amour de Dieu ne me faites pas de mal ! Ah ! monsieur ! Ah ! non ! Je vais vous dire la vérité, mais, sur votre vie, monsieur, ne me faites pas de mal !

— Non, n'aie pas peur, mon petit, la loi est sévère pour les criminels endurcis, mais quand il s'agit d'un bon garçon... n'aie pas peur, dis-moi la vérité !

— Ah ! n'allez pas me faire de mal ! J'ai peur !

En parlant ainsi il se tordait, suppliant, comme pour se défendre contre une menace qui flottait dans l'air.

— Mais non, voyons !

— Ce qui est arrivé... C'était l'autre nuit, vous savez bien quand. Cette nuit-là, j'avais rendez-vous avec Lucio Vasquez au coin de la cathédrale, en remontant vers chez les Chinois. Moi, monsieur, j'étais à la recherche d'un emploi et ce Lucio m'avait dit qu'il me ferait embaucher dans la Police Secrète. Nous nous sommes retrouvés comme je vous dis : ça va ? ça va, et ci et ça, et le voilà qui m'invite à prendre un verre dans un petit bistrot qui se trouve un peu plus haut que la Place d'Armes et s'appelle « Le Réveil du Lion ». Mais, au lieu d'un verre, on en boit deux, trois, quatre, cinq et, pour pas vous fatiguer...

— Oui, oui... approuve le Président du Tribunal, tournant la tête vers le greffier aux taches de rousseur qui écrivait les déclarations de l'accusé.

— Alors, voilà, y s'trouve qu'il m'avait pas eu cet emploi dans la Secrète. Alors, je lui ai répondu que ça faisait rien. Et puis... ah ! ça me revient maintenant, c'est lui qu'a payé les consommations. Alors, on est partis ensemble et on est allés du côté de la Porte du Seigneur, où c'est que Lucio m'avait dit qu'il était de service, il attendait un muet qu'avait la rage, il m'a dit après qu'il avait ordre de le descendre. Si bien que moi, je lui dis : je me tire ! Quand on est arrivés près de la Porte, moi je suis resté un peu en arrière. Lui, il traverse la rue à pas comptés, puis, en vue de la Porte, le voilà qui se met à courir. Moi, je cours derrière, croyant qu'on nous poursuivait. Mais vous pensez !... Vasquez a décollé une ombre du mur, c'était le muet ; le muet, en se sentant pris, s'est mis à crier comme si un mur lui était tombé dessus. Alors il sort son revolver et sans lui dire un mot, il lui loge une première balle, puis encore une autre... Ah ! monsieur, moi, j'y suis pour rien, me faites pas de mal, c'est pas moi qui l'ai tué ! Pour avoir cherché du travail... voyez où j'en suis... J'aurais mieux fait de continuer comme charpentier... Quelle idée j'ai eu de vouloir me faire policier !...

Le regard glacé du Pantin revint se coller devant les yeux de Rodas. Le Président du Tribunal, sans changer d'expression, appuya en silence sur un timbre. On entendit des pas et plusieurs geôliers, précédés d'un gardien chef, apparurent à la porte.

— Chef, qu'on donne deux cents coups de bâton à cet homme.

La voix du juge ne s'altéra en rien pour donner cet ordre, on aurait cru entendre le gérant d'une banque ordonnant de verser deux cents pesos au porteur d'un chèque.

Rodas ne comprenait pas. Il leva la tête pour regarder les sbires, pieds nus, qui l'attendaient. Il comprit encore moins quand il vit leurs visages sereins, impassibles, qui ne montraient pas la moindre surprise. Le greffier avançait vers lui sa figure tachée de son et ses yeux sans expression. Le chef parla au juge. Le juge parla au chef. Rodas était sourd. Rodas ne comprenait pas. Mais il eut l'impression de s'oublier dans son pantalon quand le chef lui intima l'ordre de passer dans la pièce voisine, une longue pièce voûtée, et quand, au passage, il le poussa brutalement.

Le Président du Tribunal vociférait contre Rodas quand entra Lucio Vasquez, l'autre accusé...

— On ne peut pas traiter ces gens-là normalement ! Ces gens-là, ce qu'il leur faut, c'est du bâton et encore du bâton !...

Vasquez, bien qu'il se sentît parmi les siens, n'en menait pas large, surtout après avoir entendu ce qu'il venait d'entendre. Avoir contribué bien involontairement — quel pigeon ! — à la fuite du général Canales, était par trop grave.

— Votre nom ?

— Lucio Vasquez.

— Né à...

— Ici...

— Dans la Prison ?

— Non, voyons : la capitale !

— Marié ? Célibataire ?

— Célibataire toute ma vie !

— Répondez convenablement à ce qu'on vous demande. Emploi ou profession ?

— Employé toute ma sainte vie !

— Qu'est-ce que ça veut dire ?

— Employé d'administration, quoi !...

— Vous avez été arrêté ?

— Oui.

— Pour quel délit ?

— Assassinat collectif.

— Age ?

— J'ai pas d'âge.

— Comment, vous n'avez pas d'âge ?

— Je sais pas l'âge que j'ai, collez toujours trente-cinq ans, s'il faut à tout prix avoir un âge !

— Que savez-vous de l'assassinat du Pantin ?

Le Président du Tribunal lança cette question à brûle-pourpoint, ses yeux fixés sur ceux de l'accusé. Ses paroles, contre son attente, ne produisirent aucun effet sur la contenance de Vasquez qui, d'une façon très naturelle — peu s'en fallut qu'il ne se frottât les mains —, répondit :

— Ce que je sais de l'assassinat du Pantin, c'est que c'est moi qui l'ai commis — et, mettant sa main sur sa poitrine, il répéta pour qu'il n'y ait pas de doute : moi !...

— Et cela vous semble, comme qui dirait, une bonne farce ! s'exclama le juge ; ou bien ignorez-vous que ça peut vous coûter la vie ?...

— Peut-être...

— Comment, peut-être ?

Pendant un moment, le juge ne sut quelle attitude adopter. La tranquillité de Vasquez, sa voix de petite guitare, ses yeux de lynx le désarmaient. Pour gagner du temps, il se tourna vers le greffier :

— Ecrivez...

Et, la voix mal assurée, il ajouta :

— Ecrivez que Lucio Vasquez reconnaît avoir assassiné le Pantin avec la complicité de Genaro Rodas.

— Mais c'est déjà écrit, répondit le greffier entre ses dents.

— A ce que je vois, ajouta Lucio sans se départir de son calme et sur un petit ton moqueur qui fit que le magistrat se mordit les lèvres, monsieur le juge ignore beaucoup de choses. A quoi rime cette déclaration ? Sûr que j'allais me salir les mains pour un pareil minable si...

— Respectez le tribunal, ou... je vous démolis !

— Ce que je dis n'a rien de déplacé. Je vous affirme que

je n'aurais pas tué cet homme pour le plaisir de le tuer, je ne suis pas si bête, et qu'en agissant ainsi j'obéissais aux ordres exprès de Monsieur le Président...

— Silence ! Menteur ! Ah !... Ce serait trop facile...

Il ne termina pas sa phrase car, au même instant, les geôliers entraient, tirant Rodas bras pendants, pieds traînant sur le sol, mou comme une chiffe, tel le voile de sainte Véronique.

— Combien lui en avez-vous donné ? demanda le juge au chef qui souriait au greffier, le fouet enroulé autour du cou comme une queue de singe.

— Deux cents !

— Eh bien...

Le greffier sortit le juge de l'embarras où il était :

— Moi je lui en ferais donner deux cents de plus... murmura-t-il en précipitant les mots afin qu'on ne le comprît pas. Le juge entendit le conseil :

— Oui, chef, faites-lui en donner encore deux cents, pendant que je continue avec celui-là.

« Celui-là, mon cul, vieille gueule en selle de bicyclette ! » pensa Vasquez.

Suivis du chef, les geôliers revinrent sur leurs pas en tirant leur lamentable fardeau. Dans le coin réservé aux supplices, ils le jetèrent à plat ventre sur un grabat ; quatre d'entre eux lui tinrent les mains et les pieds, et les autres se mirent à le battre. Le chef comptait. Rodas se recroquevilla aux premiers coups de fouet, mais sans force cette fois, pas comme quelques instants auparavant, quand ils avaient commencé à le battre et qu'il se démenait et hurlait de douleur. Sous les coups des baguettes de cognassier, humides, flexibles, d'un jaune verdâtre, sortait le sang coagulé des blessures de la première séance, qui commençaient à se fermer. Des cris, étouffés comme ceux d'une bête qui agonise sans avoir claire-ment conscience de la douleur, furent ses dernières plaintes. Il pressait sa figure contre le grabat, aphone, le visage crispé et les cheveux en désordre. Sa plainte poignante se confondait avec le halètement des geôliers que leur chef punissait avec son fouet quand ils ne frappaient pas assez fort.

— Ce serait trop facile, Lucio Vasquez, si n'importe quel criminel était remis en liberté sur sa seule affirmation qu'il a agi sur l'ordre de Monsieur le Président ! Où en est la preuve ? Monsieur le Président n'est pas fou pour donner un ordre pareil. Où est le papier qui prouve qu'on vous a prescrit d'agir contre ce malheureux d'une façon si vile et si lâche ?

Vasquez pâlit et, tandis qu'il cherchait une réponse, mit ses mains tremblantes dans les poches de son pantalon.

— Devant les tribunaux, vous savez bien qu'on doit présenter des pièces à l'appui de ce qu'on avance, sinon ! où irions-nous ? Où est cet ordre ?

— Comprenez, cet ordre, je ne l'ai plus. Je l'ai rendu. Monsieur le Président doit savoir.

— Comment ça ? Et pourquoi l'avez-vous rendu ?

— Parce que c'était écrit au bas du papier qu'il fallait le rendre une fois le travail accompli ! Je n'allais pas le garder, n'est-ce pas ?... il me semble... vous me comprenez.

— Pas un mot, pas un mot de plus ! Des sornettes, à moi ! Me faire le coup du Président, à moi ! Bandit, je ne suis plus un écolier pour croire de pareilles bêtises ! Les affirmations d'un individu ne constituent pas des preuves, sauf cas spécifiés dans les Codes, par exemple quand un policier dépose sous la foi du serment. Mais nous ne faisons pas un cours de Droit pénal... et ça suffit... j'ai dit, ça suffit...

— Eh bien ! si vous ne voulez pas me croire, allez le lui demander, peut-être le croirez-vous, lui ! Je n'étais peut-être pas avec vous quand les mendiants ont accusé...

— Silence ! ou je vous fais taire à coups de bâton !... Je me vois interrogeant Monsieur le Président... Ce que je peux vous dire, Vasquez, c'est que vous en savez plus qu'on ne vous en a appris, et que votre tête est en danger !

Lucio baissa la tête, comme guillotiné par les paroles du Président du Tribunal. Le vent, derrière les fenêtres, soufflait avec rage.

21

Tourner en rond

Visage d'Ange arracha frénétiquement son col et sa cravate.
« Rien de plus bête, pensait-il, que la petite explication cherchée
par chacun aux actes d'autrui. Les actes d'autrui... Autrui !...
La critique n'est généralement qu'une aigre médisance. Elle
tait ce qui est favorable et exagère ce qui est quelconque. Un
beau fumier. Ça cuit comme une brosse sur une plaie, pénètre
profondément, en reproche voilé, à poil très fin, qui se dissimule sous l'information familière, amicale ou de simple cha-
rité... Et jusqu'aux bonnes ! Au diable, tous ces ragots ! »

Et, d'un coup, tous les boutons de sa chemise sautèrent.
Une déchirure. Au bruit, on eût dit qu'il s'était ouvert la
poitrine. Les servantes lui avaient rapporté avec force détails
les bruits qui couraient dans la rue sur ses amours. Les
hommes qui n'ont pas voulu se marier pour s'éviter d'avoir à
domicile une femme qui leur répète, telle une élève appliquée
le jour des prix, les propos que l'on tient sur eux — jamais
rien de bon — finissent, comme Visage d'Ange, par l'entendre
de la bouche de leurs servantes.

Il tira les rideaux de sa chambre sans achever d'ôter sa
chemise. Il avait besoin de dormir ou, du moins, que la
chambre fît semblant d'ignorer le jour, ce jour, constatait-il
avec rancune, qui ne pouvait être rien d'autre que ce jour-là.

« Dormir ! se répéta-t-il sur le bord du lit, ayant déjà
enlevé ses souliers et ses chaussettes, la chemise ouverte et
déboutonnant son pantalon. Ah ! mais quel idiot ! Je n'ai pas
retiré mon veston ! »

Sur ses talons, les orteils redressés afin de ne pas appuyer
la plante sur le sol de ciment glacé, il s'en fut accrocher son

veston au dossier d'une chaise et, à petits sauts, rapide et
frileux, sur un pied, comme un échassier, il revint vers son
lit. Et poum !... Il tomba, poursuivi par... par ce maudit sol.
Les jambes de son pantalon, jetées au hasard, tournèrent
comme les aiguilles d'une horloge gigantesque. Le sol, plus
que du ciment, semblait être de glace. Quelle horreur ! De
glace avec du sel. Glace de larmes. Il sauta sur le lit comme
d'un iceberg sur un bateau de sauvetage. Il voulait échapper
à tout ce qui lui arrivait et il tomba sur son lit, qu'il s'imagina
être une île, une île blanche, entourée de pénombre et de faits
immobiles, pulvérisés. Il venait pour oublier, pour dormir,
pour ne plus exister. Plus de raisonnements logiques, ajustés
et démontables comme les pièces d'une machine. Au diable la
vis du bon sens ! Mieux valait le sommeil, le non-sens, cette
douce sécrétion bleue au début, bien qu'il lui arrive d'être
verte, et ensuite noire, qui s'instille par les yeux dans tout
l'organisme et vous prive de vos facultés. O désirs ! Ce qu'on
désire, on l'a et on ne l'a pas. C'est comme un rossignol d'or
auquel nos mains font une cage avec les dix doigts joints.
Un sommeil réparateur, tout d'un bloc, sans visiteurs qui
pénètrent par les miroirs et sortent par les trous de nez.
C'était quelque chose comme ça à quoi il aspirait, quelque
chose comme son bon sommeil d'antan. Bientôt il se rendit
compte de la hauteur où était son sommeil, plus haut que le
toit, dans l'espace clair qui, sur sa maison, était le jour, ce
jour indélébile. Il se coucha à plat ventre. Impossible. Sur le
côté gauche, pour faire taire son cœur. Sur le côté droit.
C'était pareil. Cent heures le séparaient de ses repos parfaits
du temps où il se couchait sans préoccupations sentimentales.
Ses sens lui reprochaient de souffrir ce tourment pour n'avoir
pas pris Camila de force. On sent parfois si proche le côté
obscur de la vie que le suicide apparaît comme l'unique moyen
d'évasion. « Je ne serai jamais plus... », se disait-il. Et il tremblait tout entier intérieurement. Il toucha un pied avec l'autre.
L'absence de clous l'inquiétait sur la croix où il se trouvait.
« Les ivrognes ont un je ne sais quoi qui évoque les pendus
quand ils marchent, pensa-t-il, et les pendus un je ne sais quoi
qui évoque des ivrognes, quand ils envoient des coups de pied

ou que le vent les agite. » Ses sens l'accusaient. « Sexe d'ivrogne... Sexe de pendu... Toi ! Visage d'Ange ! Sexe en caroncules
de dindon !... La bête ne se trompe pas d'un chiffre dans cette
comptabilité sexuelle », se disait-il. « Au cimetière, nous pis-
sons des enfants. La trompette du Jugement... Bon, pas une
trompette. Des ciseaux d'or couperont ce jet continu d'enfants.
Nous, les hommes, nous sommes pareils aux boyaux de porc
que le charcutier remplit de viande hachée pour en faire des
saucisses. Et, à vouloir me dominer pour dispenser Camila
de mes désirs, j'ai omis de garnir une partie de mon être ; à
cause de cela, je me sens vide, inquiet, coléreux, malade, voué
au diable. L'homme se remplit de la femme — viande hachée
— comme un boyau de porc, afin d'être heureux. C'est d'un
vulgaire ! »

Ses draps s'enroulaient autour de lui comme des jupons.
Insupportables jupons mouillés de sueur.

« L'Arbre de la Nuit Triste doit avoir mal aux feuilles !
Aïe ma tête ! Sonorité diluée de carillon... *Bruges la Morte*...
Tire-bouchons soyeux sur sa nuque... nunquam. Mais, tout
près, il y a des gens qui ont un phonographe. Je ne l'avais
encore jamais entendu. Je ne le savais pas. Première nouvelle.
Dans la maison, derrière, il y a un chien. Et même probablement deux. Mais ici, il y a un phonographe. Un seul. Entre les
vociférations du phonographe de ce voisin et les chiens de la
maison de derrière qui écoutent la voix de leur maître, il y a
ma maison, ma tête, moi... Etre près et être loin, c'est ça être
voisins. C'est bien là l'inconvénient d'être le voisin de quelqu'un. Mais ceux-là, vous parlez d'une peine qu'ils se donnent !
Jouer du phonographe. Et dire du mal de tout le monde.
J'imagine ce qu'ils peuvent bien dire de moi. Paire de clo-
portes ! De moi, qu'ils disent ce qu'ils voudront, ça m'est
égal ; mais d'elle... Si jamais j'apprends qu'ils ont dit le
moindre mot sur elle, je les fais membres de la Jeunesse
Libérale. Je les en ai souvent menacés, mais aujourd'hui je
suis décidé à le faire. Ça les empoisonnerait ! Ou peut-être
que non ? Ils sont sans vergogne. Je les entends répéter de
tous côtés : « Il a fait sortir la pauvre jeune fille après minuit,
il l'a traînée chez une entremetteuse qui tient un petit bistrot,

et l'a violée; la Police Secrète gardait la porte afin que personne ne s'approche!» L'air — doivent-ils penser, les toquards! — tandis qu'il la déshabillait, en déchirant ses vêtements, avait la chair et les plumes frémissantes d'un oiseau récemment pris au piège. Et il l'a possédée, doivent-ils se dire, sans la caresser, les yeux fermés, comme quelqu'un qui commet un crime ou qui avale une purge. S'ils savaient qu'il n'en est rien et que je suis là, à me reprocher presque mon comportement chevaleresque. S'ils savaient que tout ce qu'ils supposent est faux. Celle sur qui ils doivent s'exciter l'imagination, c'est elle. Ils doivent l'imaginer avec moi, avec moi et avec eux. Eux en train de la déshabiller; eux en train de faire ce que moi j'ai fait d'après eux. Le coup de la Jeunesse Libérale, c'est trop peu pour cette paire de séraphins. Il faut chercher quelque chose de plus dur. La punition idéale, puisque tous deux sont célibataires — c'est vrai qu'ils sont vieux garçons! — ce serait... avec deux de ces dames... J'en connais justement deux dont Monsieur le Président a plein le dos. Avec elles, donc. Avec elles. Mais l'une d'elles est enceinte. Aucune importance. Au contraire. Celui que Monsieur le Président veut marier ne regarde pas le ventre de la fiancée. Et eux, par peur, ils se marieront, c'est sûr, ils se marieront...»

Il se mit en chien de fusil et, les bras serrés entre les jambes, enfonça sa tête dans les oreillers afin de chercher un apaisement à la douloureuse fulguration de ses idées. Les coins gelés des draps lui réservaient des chocs physiques, des accalmies passagères dans la fuite déchaînée de sa pensée. Là-bas, au loin, il alla chercher finalement ces agréables surprises désagréables, allongeant les pieds, et les sortant des draps pour toucher les barreaux de bronze du lit. Peu à peu, il ouvrit les yeux. Il lui semblait, le faisant, rompre la couture très fine de ses paupières. Il était suspendu à ses yeux, ventouses appliquées au plafond, léger comme la pénombre, les os gélatineux, les côtes réduites à l'état de cartilages et la tête de pâte molle...

Parmi les ombres, une main cotonneuse donnait des coups de heurtoir. La main de coton d'une somnambule... Les maisons sont des arbres à heurtoir... Les villes sont des forêts d'arbres à heurtoirs... Les feuilles du son tombaient à mesure qu'elle frappait... Le tronc intact de la porte après la chute des feuilles du son intact... Il ne lui restait d'autre ressource que de frapper... Eux, ils n'avaient qu'à ouvrir... Mais ils n'ont pas ouvert. De quoi abattre la porte. Cogne que je te cogne ! De quoi abattre la porte. Cogne que je cogne ! Et rien ! De quoi abattre la maison...

— ... Qui ?... Quoi ?...

C'est un faire-part de décès qu'on vient d'apporter.

— Bien, mais ne le lui porte pas, car il doit dormir. Mets-le par ici, sur son bureau.

« Monsieur Joaquim Céron est décédé hier au soir, muni des sacrements de l'Eglise. Son épouse, ses enfants et toute sa famille ont la douleur de vous en faire part, vous demandent de prier pour le repos de son âme et vous prient d'assister aux obsèques qui auront lieu au Grand Cimetière aujourd'hui, à quatre heures de l'après-midi. Les condoléances seront reçues à la porte du cimetière. Maison mortuaire : impasse du Carrossier. »

Involontairement, il avait entendu lire par une de ses servantes le faire-part du décès de don Joaquim Céron.

Il dégagea un de ses bras du drap et le mit sous sa tête. Don Juan Canales se promenait derrière son front, vêtu de plumes. Et, sur l'occiput, il sentait doña Judith, ses seins cyclopéens pris dans le corset crissant, corset de toile métallique et de sable, avec, sur son chignon pompéien, un magnifique peigne à mantille qui lui donnait l'aspect d'une tarasque. Le bras sur lequel il appuyait sa tête fut pris d'une crampe et il l'étendit avec précaution, comme on fait pour un vêtement sur lequel marche un scorpion...

Peu à peu...

Vers son épaule montait un ascenseur chargé de fourmis... Vers son coude descendait un ascenseur chargé de fourmis en aimant... Par le tuyau de son avant-bras, la crampe tombait dans la pénombre... Sa main était un jet d'eau. Un jet de doigts doubles. Jusqu'au sol il sentait les dix mille ongles...

« Pauvre petite, cogne que je cogne et... rien ! espèces de

brutes, de mules ; s'ils ouvrent, je leur crache à la figure...
comme trois et deux font cinq... et cinq font dix... et neuf, dix-
neuf... dix et sûr que je leur crache à la figure ! Au début, elle
frappait avec beaucoup de brio et, à la fin, on eût dit qu'elle
frappait dans la terre avec un pic... Elle ne frappait pas, elle
creusait sa propre sépulture... Quel réveil désespérant !...
Demain, j'irai la voir... Je le peux... Sous prétexte de lui
apporter des nouvelles de son père, je le pense... Oh !... Si
aujourd'hui il y avait des nouvelles... Je peux... bien qu'elle
doute probablement de mes paroles... »

« ... Je ne doute pas de ses paroles ! Il est certain, il est
indubitablement certain que mes oncles ont renié mon père
et qu'ils lui ont dit qu'ils ne voulaient pas me voir, même en
peinture, chez eux ! » Ainsi songeait Camila étendue dans le
lit de la *Serpente* et se plaignant d'avoir mal au dos.

Cependant, dans le café, séparé de la chambre par un mur
de vieilles planches, les clients commentaient entre deux
verres les événements du jour : la fuite du Général, le rapt
de sa fille, les malices du favori... La patronne feignait de ne
rien entendre de tout ce qu'ils racontaient, mais n'en perdait
pas une bouchée.

Un fort étourdissement éloigna Camila de cette racaille
pestilentielle. Sensation de chute verticale dans le silence.
Hésitant entre crier — ce serait imprudent — et ne pas crier,
peur de s'évanouir complètement, elle cria... Un froid pareil
à des plumes d'oiseau mort l'enveloppait comme un suaire.
La *Serpente* accourut aussitôt. Que lui arrivait-il ? Et, l'ayant
à peine vue, avec un teint couleur vert bouteille, les bras
raides comme du bois, les mâchoires serrées, les paupières
closes, elle courut boire une gorgée d'eau-de-vie du premier
flacon qui lui tomba sous la main, revint la lui cracher à la
figure. Son inquiétude était telle qu'elle ne sut pas même,
tant elle avait de peine, à quelle heure les clients s'en allèrent.
Elle suppliait la Vierge de Chiquinquira et tous les saints,
que cette petite n'aille pas lui rester dans les mains.

« ... Ce matin, quand nous nous sommes quittés, mes paroles la faisaient pleurer ; que lui restait-il ?... Ce qui nous paraît incroyable alors que c'est vrai, nous fait pleurer de joie ou de peine... »

Ainsi pensait Visage d'Ange dans son lit, presque endormi, encore conscient, éveillé à une angélique combustion bleutée. Et peu à peu, dormant déjà, flottant sous sa propre pensée, sans corps, sans forme, pareil à un air tiède, mobile au souffle de sa propre respiration...

Dans cette chute de son corps vers le néant, seule subsistait Camila, haute, douce et cruelle comme une croix de cimetière...

Le Rêve, seigneur qui sillonne les sombres mers de la réalité, recueillit Miguel dans une de ses nombreuses barques. D'invisibles mains l'arrachèrent à la gueule ouverte des faits, vagues affamées qui se disputaient les morceaux de leurs victimes en des luttes acharnées.

— Qui est-ce ? demanda le Rêve.

Miguel Visage d'Ange... répondirent des hommes invisibles. Leurs mains, telles des ombres blanches, surgissaient de l'ombre noire, et elles étaient impalpables.

— Portez-le à la barque des... — le Rêve hésita — des amoureux qui, ayant perdu l'espoir d'aimer eux-mêmes, se contentent de se laisser aimer.

Obéissants, les hommes du Rêve le conduisaient vers cette barque, cheminant sur la couche d'irréalité qui recouvre d'une poussière très fine les faits quotidiens de l'existence, quand un bruit l'arracha de leurs mains, telle une griffe.

... le lit...

... les servantes...

Non, pas le faire-part... un enfant !

Visage d'Ange passa sa main sur ses yeux et leva la tête, effaré. A deux pas de son lit, se tenait un enfant haletant et qui ne pouvait pas parler.

Enfin, l'enfant dit :

— C'est... qu'elle... m'en... voie... vous dire... la patronne du café... que vous alliez là-bas... parce que la demoiselle... est très... mal...

Aurait-il entendu cela à propos de Monsieur le Président, le favori ne se serait pas habillé si vite. Il sortit dans la rue avec le premier chapeau venu pris au porte-manteau, sans lacer convenablement ses chaussures, le nœud de cravate mal fait...

— Qui est-ce ? demanda le Rêve.

Ses hommes venaient de pêcher dans les eaux sales de la vie, une rose en train de se faner.

— Camila Canales... lui répondit-on...

— Bien, mettez-la, s'il y a de la place, dans la barque des amoureuses qui ne seront pas heureuses...

— Que dites-vous, docteur ?

La voix de Visage d'Ange avait des intonations paternelles. L'état de Camila était alarmant.

— A mon avis, la fièvre doit encore monter... L'évolution de la pneumonie...

22

La tombe vivante

Son fils avait cessé de vivre... Avec cette façon de se mouvoir, un peu comme des marionnettes, de ceux qui, au milieu du chaos, le chaos de leur vie brisée, coupent peu à peu les liens avec la raison, Fedina éleva le cadavre, qui ne pesait guère plus qu'une coquille sèche, jusqu'à son visage fiévreux. Elle l'embrassait. Elle s'en oignait le visage. Mais soudain elle s'agenouilla — sous la porte filtrait un reflet couleur paille — se penchant vers l'endroit où la lumière de l'aube était une traînée liquide et claire, au ras du sol, presque dans la fente, pour mieux voir la dépouille de son petit.

Avec sa petite figure ridée comme la peau d'une cicatrice, deux cercles noirs autour des yeux, les lèvres terreuses, il ressemblait plus à un fœtus en maillot qu'à un enfant de plusieurs mois. Elle le retira en hâte de la clarté, le serrant contre ses seins gonflés de lait. Elle se plaignait de Dieu dans un langage inarticulé, des mots pétris avec des pleurs ; par moments son cœur s'arrêtait et, comme un hoquet d'agonie, sans cesser ses plaintes elle balbutiait : « Mon fi...i...i...i...ils ».

Ses larmes roulaient sur sa figure immobile. Elle pleura jusqu'à en défaillir, ne pensant plus à son mari qu'on menaçait de faire mourir de faim à la Prison Centrale si elle n'avouait pas ! Elle ne tenait aucun compte de ses propres souffrances physiques : ses mains et ses seins pleins de plaies, ses yeux brûlants, son dos moulu par les coups ; insouciante de son commerce abandonné, elle était détachée de tout, stupide. Puis, quand ses larmes se tarirent, elle se sentit devenir la tombe de son fils ; elle crut l'enfermer de nouveau dans son ventre. Elle s'imagina que son dernier et intermi-

nable sommeil était à elle. Une joie aiguë déchira un instant
l'éternité de sa douleur. L'idée d'être la tombe de son fils lui
caressait le cœur comme un baume. Joie pareille à celle des
femmes de l'Orient sacré qui s'enterraient avec leurs amants.
Mieux encore, elle ne s'enterrait pas avec son enfant, elle en
devenait la tombe vivante, l'ultime berceau, le giron maternel
où tous deux, étroitement unis, ils attendraient jusqu'à ce
qu'on les appelât à Josaphat. Sans essuyer ses pleurs, elle
arrangea ses cheveux comme pour aller à une fête et serra le
cadavre contre ses seins, entre ses bras et ses jambes, accroupie dans un coin du cachot.

Les tombes n'embrassent pas les morts, elle ne devait
donc pas l'embrasser. En revanche elles les serrent beaucoup,
beaucoup, comme elle-même était en train de le faire ! Ce
sont des camisoles de force et de tendresse qui les contrai-
gnent à subir, calmes et immobiles, les chatouillements irri-
tants des vers et les ardeurs de la décomposition. Les ombres,
poursuivies par la clarté qui montait, gagnaient posément les
murs, ainsi que des scorpions. C'était des murs d'os... Des os
tatoués de dessins obscènes. Fedina ferma les yeux — les
tombes sont obscures en dedans — et ne dit pas un mot,
n'émit pas un gémissement : les tombes sont muettes en
dehors.

On était à la moitié de l'après-midi. Odeur des cyprès
lavés par l'eau du ciel. Hirondelles. Des enfants turbulents
fourmillaient dans les rues, encore baignées par le plein
soleil. Les écoles vidaient dans la ville un fleuve de vies
neuves. Les uns sortaient, jouant à chat perché, en de verti-
gineuses allées et venues de mouches. D'autres faisaient cercle autour de deux camarades qui se battaient comme des
coqs rageurs. Saignements de nez, morve, larmes. Certains
couraient, tirant des sonnettes. D'autres assaillaient les étals
de friandises avant que soient épuisés les bouchées fourrées,
les gâteaux à la noix de coco, les petites tartes aux amandes,
les meringues, ou bien ils tombaient, comme des pirates, sur
les corbeilles de fruits, qu'ils abandonnaient, telles des embarcations vides et brisées. Derrière, venaient ceux qui faisaient

du troc, collectionnaient des timbres ou bien fumaient, se forçant pour y arriver.

D'une voiture qui s'arrêta devant la Maison-Neuve descendirent trois jeunes femmes et une vieille double largeur. Leur allure dénonçait clairement leur état. Les jeunes étaient habillées de cretonnes aux couleurs très vives, bas rouges, souliers jaunes aux talons exagérément hauts, la jupe au-dessus du genou laissant voir des pantalons aux grandes broderies sales, et la blouse décolletée jusqu'au nombril. Leur coiffure, appelée « perruque Louis-XV », consistait en une grande quantité de boucles graisseuses, que maintenait de chaque côté un ruban vert ou jaune ; et le fard de leurs pommettes qui évoquait les ampoules électriques rouges des bordels. La vieille, habillée de noir avec un châle mauve, descendit péniblement, s'accrochant de sa main grassouillette chargée de brillants à une des portières.

— Que la voiture nous attende, pas vrai, mâme Chonita ? demanda la plus jeune des trois grâces en élevant sa voix criarde, sans doute afin d'être entendue des pierres elles-mêmes, dans cette voie déserte.

— Oui, bien sûr ; qu'elle attende ici, répondit la vieille.

Et toutes quatre entrèrent dans la Maison-Neuve, où la concierge leur fit fête.

D'autres personnes attendaient dans le vestibule inhospitalier.

— Dis-moi, Chinta, le secrétaire est là ?... demanda la vieille à la concierge.

— Oui, doña Chon, il vient d'arriver.

— Demande-lui, je te prie, s'il veut bien me recevoir ; dis-lui que je lui apporte un petit ordre qui me fait grand besoin.

En attendant le retour de la concierge, la vieille se tut. Pour les personnes d'un certain âge, les lieux gardaient un parfum de couvent, car l'édifice, avant de devenir une prison de femmes, avait été une prison d'amour. Des femmes et des femmes. Sur ses murailles, la voix douce des sœurs flottait comme un vol de colombes. Si l'on n'y voyait pas de lis, la lumière y était blanche, caressante, joyeuse ; aux jeûnes et aux cilices, s'étaient substituées les épines de toutes les tortures qui s'épanouissaient sous le signe de la Croix et des toiles d'araignées.

Quand la concierge revint, doña Chon alla s'expliquer avec le secrétaire. Elle avait déjà parlé avec la directrice. Le Président du Tribunal Spécial ordonnait qu'on lui livrât (en échange des dix mille pesos, ce qu'il n'ajoutait pas) la détenue Fedina Rodas qui, dorénavant, ferait partie du « Doux Enchantement », comme s'appelait le bordel de doña Chon Dent d'Or.

Deux coups, pareils à des coups de tonnerre, résonnèrent dans le cachot noir où la malheureuse demeurait accroupie avec son fils, sans bouger, sans ouvrir les yeux, presque sans respirer. Contraignant sa propre conscience, elle fit comme si elle n'entendait pas. Les verrous pleurèrent alors. Une plainte de vieilles charnières rouillées se prolongea comme une lamentation dans le silence. On ouvrit et on la fit sortir avec des bourrades. Elle fermait les yeux pour ne pas voir la lumière — les tombes sont obscures en dedans. Et, semblable à une aveugle, avec le trésor de son petit mort serré sur son cœur, on la fit sortir. Elle n'était plus qu'une bête achetée pour le commerce le plus infâme.

— Elle fait la muette !
— Elle n'ouvre pas les yeux pour ne pas nous voir !
— Elle doit avoir honte !
— Elle ne veut sans doute pas qu'on réveille son fils !

Tel était le genre de réflexions que Chon Dent d'Or et ses trois grâces firent pendant le trajet. La voiture roulait par les rues mal pavées, faisant un bruit de tous les diables. Le cocher, un Espagnol à l'allure don quichottesque, accablait d'insultes les chevaux qui, plus tard, puisqu'il était picador, lui serviraient aux arènes. A côté de lui, Fedina fit le court chemin qui sépare la Maison-Neuve des maisons mal famées, comme dans la chanson, dans l'oubli le plus absolu du monde qui l'entourait, sans bouger les paupières, sans remuer les lèvres, serrant son fils de toutes ses forces.

Tandis que doña Chon payait la voiture, les autres aidèrent Fedina à descendre et, avec des mains affables de bonnes

camarades, en la poussant doucement, elles la firent entrer
au « Doux Enchantement ».

Quelques clients, presque tous militaires, passaient le
temps dans les salons du bordel.

— Quelle heure qu'il est ? eh ! vous, cria doña Chon au
barman.

Un des militaires répondit :

— Six heures vingt, doña Chonpipe...

— Tu es là toi, grand hibou, je t'avais pas vu !...

— Vingt-cinq, à cette montre... intervint le barman.

La *nouvelle* excita la curiosité de tous. Tous la voulaient
pour passer la nuit. Fedina s'obstinait dans son silence de
tombe, le cadavre de son fils recouvert de ses bras, sans lever
les paupières, se sentant froide et lourde comme une pierre
tombale.

— Allez ! ordonna Dent d'Or aux trois jeunes grâces,
menez-la à la cuisine. Que Manuela lui donne à manger une
bouchée, et faites-la se laver et se peigner un peu.

Un capitaine d'artillerie, aux yeux clairs, s'approcha de
la nouvelle pour farfouiller entre ses jambes. Mais une des
trois grâces la défendit. Ensuite, un autre militaire se colla
à son corps comme s'il enlaçait le tronc d'un palmier, roulant
des yeux blancs et montrant ses magnifiques dents d'Indien,
semblable à un chien accolant une femelle en chaleur. Puis
il l'embrassa, frotta ses lèvres fleurant l'eau-de-vie sur la
joue froide et salée de larmes séchées. Joie de caserne et de
bordel ! La chaleur des putes compense le froid exercice des
balles.

— Allons, grand hibou, singe lubrique, reste tranquille...
intervint doña Chon, mettant fin à tant d'indécence. Ah ! vraiment ! il faudra te calmer.

Fedina ne se défendit pas de ces tripotages malhonnêtes,
se contentant de serrer les paupières et de pincer les lèvres
pour protéger sa cécité et son silence de tombe menacés,
non sans resserrer son étreinte sur la dépouille de son fils,
qu'elle berçait encore comme un enfant endormi.

On la fit passer dans une petite cour où l'après-midi peu
à peu se noyait dans une fontaine. On entendait des plaintes

de femmes, des voix menues, fragiles, des chuchotements de malades, de collégiennes, de prisonnières ou de nonnes, des petits cris aigus et les pas de femmes qui marchaient sur leurs bas. D'une chambre, tomba un jeu de cartes qui s'étala à terre en éventail. On ne sut pas qui l'avait jeté. Une femme, les cheveux en désordre, passa la tête par une petite porte de pigeonnier et, considérant le jeu de cartes comme s'il était l'image même de la fatalité, elle essuya une larme sur sa joue pâle.

Une lanterne rouge éclairait la rue, accrochée à la porte du « Doux Enchantement ». On aurait dit la pupille enflammée d'une bête. Hommes et pierres prenaient une teinte tragique. Le mystère des chambres photographiques. Les hommes venaient se baigner dans cette lumière rouge, comme des varioleux pour effacer toutes leurs cicatrices. Ils exposaient leur figure à cette lumière rouge, honteux qu'on les vît, comme s'ils buvaient du sang, et retournaient ensuite vers la lumière des rues, vers la lumière blanche de l'éclairage municipal, vers la claire lumière de la lampe du foyer, avec l'impression gênante d'avoir voilé une photographie.

Fedina continuait à ne pas se rendre compte de ce qui se passait, toute à sa volonté de n'exister pour rien d'autre que son fils. Les yeux plus fermés que jamais, ainsi que les lèvres, et le cadavre toujours serré contre ses seins trop pleins de lait. Inutile de dire tout ce que firent ses compagnes pour la faire sortir de cette prostration avant d'arriver à la cuisine.

La cuisinière Manuela Calvaire régnait depuis de longues années entre le charbon et les ordures du « Doux Enchantement », c'était une sorte de Père Eternel sans barbe et portant des jupons amidonnés. Les joues flasques de cette respectable et gigantesque matrone se remplirent d'une espèce de substance aériforme qui bientôt prit forme de langage quand elle vit apparaître Fedina.

— Encore une dévergondée ! et d'où sort-elle, celle-là ?... Et que tient-elle là si serré ?

Par gestes, les trois grâces — qui, sans trop savoir pourquoi, n'osaient plus parler — firent comprendre à la cuisinière, en mettant une main sur l'autre en forme de barreaux, que la nouvelle pensionnaire sortait de prison.

— Poule put...ride ! poursuivit l'autre. Et, quand les trois furent parties, elle ajouta : Je te refilerais bien du poison en guise de repas. Tiens, voilà ! Mange ! Là... tiens !... tiens... Et elle la gratifia de quelques coups de broche dans le dos. Fedina s'assit par terre avec son petit mort, sans ouvrir les yeux ni répondre. Elle ne le sentait plus, à force de le porter dans la même position. La Calvaire allait et venait, vociférant et se signant.

Au cours de ses allées et venues, elle sentit une mauvaise odeur. Elle revenait alors de l'évier avec un plat. Sans s'arrêter à des détails, elle donna des coups de pied à Fedina en criant :

— C'est cette pourrie qui pue ! Venez la sortir d'ici ! Otez-là d'ici ! Je ne la veux pas ici !

Au tapage, doña Chon accourut et, à elles deux, de force, comme si elles cassaient les branches d'un arbre, elles ouvrirent les bras de la malheureuse qui, sentant qu'on lui arrachait son fils, ouvrit les yeux, poussa un hurlement et tomba raide.

— C'est le petit qui pue. Mais il est mort ! Quel horreur !... s'écria doña Manuela.

La Dent d'Or ne put souffler mot et, pendant que les prostituées envahissaient la cuisine, courut au téléphone pour informer l'autorité. Toutes voulaient voir et embrasser l'enfant et le couvraient de baisers ; elles se l'arrachaient des mains et des lèvres. Un masque de salive de vice s'étendit bientôt sur la petite figure ridée du cadavre qui sentait déjà mauvais. Alors commencèrent le concert de lamentations et la veillée funèbre. Le commandant Farfan intervint pour obtenir l'autorisation de la police. On vida une des chambres galantes, la plus grande ; on brûla de l'encens afin d'ôter aux tapis la puanteur de sperme rassis ; doña Manuela brûla du goudron dans la cuisine et, sur un plateau de laque noire, parmi des fleurs et des linons, on mit l'enfant tout recroquevillé, sec et jaunâtre, pareil un germe de salade chinoise.

A toutes un fils était mort cette nuit-là. Quatre cierges

brûlaient. Odeur de gâteaux de maïs et d'eau-de-vie, de chairs malades, de mégots et d'urine. Une femme à moitié ivre, un sein à l'air et un cigare à la bouche, qu'elle mâchait autant qu'elle le fumait, répétait en larmes :

> *Dors mon petit enfant,*
> *petite tête de courge,*
> *Car si tu ne t'endors pas*
> *le loup te mangera !*

> *Endors-toi, ma vie,*
> *Car j'ai du travail*
> *à laver tes couches*
> *et me mettre à coudre !*

23

Le rapport à Monsieur le Président

1. ... Alejandra, veuve Bran, domiciliée dans cette ville, propriétaire de la matelasserie : « La Baleine franche », fait savoir que, son établissement commercial étant mitoyen avec le café le « Tous-Tep », elle a pu observer, surtout le soir, la réunion fréquente de quelques personnes sous le prétexte très chrétien de visiter une malade. Elle le fait donc savoir à Monsieur le Président, parce qu'elle s'imagine, d'après les conversations qu'elle a pu entendre à travers les murs, que dans ce café se cache le général Eusebio Canales, et que les gens qui vont là conspirent contre la sûreté de l'Etat et contre la précieuse vie de Monsieur le Président.

2. ... Soledad Belmares, résidant dans cette ville, dit qu'elle n'a plus rien à manger parce qu'elle a épuisé ses ressources et, comme on ne la connaît pas, personne ne lui prête d'argent. Dans cette situation, elle prie Monsieur le Président de lui accorder la liberté de son fils, Manuel Belmares H., et de son beau-frère, Federico Horneros P., dont le Ministre de son pays peut certifier qu'ils ne s'occupent pas de politique : ils sont venus seulement pour gagner leur vie par un travail honnête, et ils n'ont pas commis d'autre faute que d'avoir accepté une recommandation du général Eusebio Canales pour obtenir un emploi à la gare.

3. ... Le colonel Brudencio Perfecto Paz fait savoir : que le voyage qu'il a accompli dernièrement à la frontière avait pour but d'examiner le terrain, l'état des chemins et celui des sentiers, afin de choisir les points à occuper. Il décrit en détail un plan de campagne facile à exécuter sur des points stratégiques favorables en cas de mouvement révolutionnaire.

Il confirme qu'il y a, à la frontière, des gens enrôlés pour venir ici, que ceux qui les recrutent sont Juan Leon Parada et d'autres. Ils ont comme matériel de guerre : des grenades, des mitrailleuses, des fusils de calibre réduit et de la dynamite, pour des mines et tous autres usages. Le groupe armé des révolutionnaires est composé de vingt-cinq à trente individus qui, à tout moment, attaquent les forces du Gouvernement Suprême. La nouvelle que Canales est à leur tête n'a pas pu être confirmée, mais, si elle se vérifie, ils envahiront sûrement le territoire, à moins d'accords diplomatiques en vue d'interner les révolutionnaires. Il est prêt à repousser l'invasion qu'on annonce pour le début du mois prochain, mais il manque d'armes pour la compagnie de tirailleurs ; il a seulement du Cal. 43. A l'exception de quelques rares malades, d'ailleurs soignés comme il convient, la troupe est en bonne forme et reçoit l'instruction quotidiennement de six heures à huit heures du matin. Les hommes ont une tête de bétail par semaine pour leur ravitaillement. Le signataire a déjà demandé au port des sacs de sable, afin de construire des fortins.

4. ...Juan Antonio Mares présente ses remerciements à Monsieur le Président pour l'intérêt qu'il a bien voulu montrer en le faisant soigner par ses docteurs. Etant de nouveau à ses ordres, il le prie de lui permettre de venir à la capitale, ayant plusieurs affaires à porter à sa haute connaissance au sujet des activités politiques de maître Abel Carvajal.

5. ...Luis Raveles M. fait savoir que, se trouvant malade et manquant de ce qu'il faut pour se soigner, il désire retourner aux U.S.A., où il postule un emploi dans un Consulat de la République, mais pas à la Nouvelle-Orléans, ni dans les mêmes conditions qu'auparavant, mais comme un sincère ami de Monsieur le Président. A la fin de janvier dernier, il a eu l'immense chance d'être porté sur la liste des audiences. Mais, alors qu'il était sur le seuil et près d'entrer, il remarqua une certaine défiance de la part de l'Etat-Major ; son nom fut déplacé sur la liste puis, quand son tour arriva, un officier le prit à part dans une pièce, le fouilla comme s'il eût été un anarchiste et lui dit qu'il agissait ainsi parce qu'il

savait qu'il était payé par maître Abel Carvajal pour assassiner Monsieur le Président ; après ça l'audience était terminée. Il a fait tout ce qu'il a pu dans la suite, sans y avoir réussi, pour parler à Monsieur le Président, afin de lui faire connaître certains faits qu'il ne peut confier au papier.

6. ... Nicomedes Aceituno écrit pour informer qu'à son retour dans cette ville, qu'il quitte souvent pour ses affaires commerciales, il a constaté en chemin que l'affiche apposée sur le réservoir d'eau, où figure le nom de Monsieur le Président, avait été lacérée presque totalement : on lui avait arraché six lettres et les autres étaient endommagées.

7. ... Lucio Vasquez, prisonnier à la Prison Centrale par ordre du Conseil de Guerre, demande qu'on lui accorde audience.

8. ... Catarino Regisio fait savoir : qu'étant intendant de la propriété « La Terre » qui appartient au général Eusebio Canales, au mois d'août de l'année dernière ce monsieur reçut un jour quatre amis à qui, étant ivre, il déclara que, si la révolution prenait corps, il avait à sa disposition deux bataillons : l'un était à l'un d'entre eux, il s'adressait à un commandant du nom de Farfan, l'autre à un lieutenant-colonel dont le nom ne fut pas prononcé. Comme les rumeurs de révolution persistent, il fait savoir tout ceci à Monsieur le Président par écrit, vu qu'il lui a été impossible de le faire personnellement, quoique ayant demandé plusieurs audiences.

9. ... Le général Megadeo Rayon transmet une lettre à lui adressée par le curé Antonio Blas Custodio, lequel fait savoir que, depuis qu'il est allé, sur l'ordre de Monseigneur l'Archevêque, remplacer, dans la paroisse de San Lucas, le Père Urguijo, celui-ci le calomnie, agitant par ses méchants propos, avec l'appui de doña Arcadia de Ayuso, tout le monde catholique. Comme la présence du Père Urguijo, ami de maître Abel Carvajal, peut avoir de sérieuses conséquences, ceci est porté à la connaissance de Monsieur le Président.

10. ... Alfredo Toledano, de cette ville, fait savoir que, souffrant d'insomnies, il s'endort toujours tard dans la nuit. C'est à cela qu'il doit d'avoir surpris l'un des amis de Mon-

sieur le Président, Miguel Visage d'Ange, frappant à coups
redoublés à la porte de don Juan Canales, frère du Général du
même nom, qui ne cesse de lâcher des pointes contre le
gouvernement. Il le fait savoir à Monsieur le Président au
cas où cela pourrait intéresser celui-ci.

1. ...Nicomedes Aceituno, commis voyageur, fait savoir
que celui qui a déchiré le nom de Monsieur le Président sur
le réservoir d'eau est le comptable Guillermo Lizaro, en état
d'ivresse.

12. ...Casimiro Rebeco Luno fait savoir qu'il va bientôt
y avoir deux ans et demi qu'il est prisonnier à la Deuxième
Section de Police ; comme il est pauvre et n'a pas de parents
pour intercéder en sa faveur, il s'adresse à Monsieur le Président, le suppliant de bien vouloir ordonner sa mise en liberté :
il est accusé d'avoir ôté, de la porte de l'église où il était
sacristain, l'avis du jubilé pour la mère de Monsieur le Président, sur le conseil d'ennemis du gouvernement ; or ceci
n'est pas vrai ; s'il a agi ainsi, ce fut par erreur et en croyant
ôter un autre avis, car il ne sait pas lire.

13. ...Le docteur Luis Barreño demande à Monsieur le
Président la permission de partir pour l'étranger en voyage
d'études, accompagné de sa femme.

14. ...Adelaïda Peñal, pensionnaire du bordel « Le Doux
Enchantement », de cette ville, s'adresse à Monsieur le Prési-
dent pour lui faire savoir que le chef de bataillon Modesto
Farfan lui a assuré, en état d'ivresse, que le général Eusebio
Canales était l'unique général de valeur qu'il eût jamais connu
dans l'armée, et que sa disgrâce était due à la peur qu'avait
Monsieur le Président des chefs capables ; mais que, malgré
tout, la révolution triompherait.

15. ...Monica Perdomino, malade de l'Hôpital Général,
dans le lit n° 14 de la salle Saint-Raphaël, fait savoir que,
son lit étant voisin de celui de Fedina Rodas, elle a entendu
cette malade, dans son délire, parler du général Canales ;
comme l'autre n'a pas toute sa tête, elle n'a pas pu comprendre ce que l'autre a dit, mais il faudrait que quelqu'un veille
la femme Rodas et prenne des notes. Monica Perdomino fait

savoir ceci à Monsieur le Président, étant une humble admiratrice de son Gouvernement.

16. ... Tomas Javeli fait part de son récent mariage avec mademoiselle Arquelina Suarez, acte dont il fait offrande à Monsieur le Président de la République.

17. ... Léon Timeteo Ruiz, domestique chez Monsieur H. D. Edwards Jr., informe confidentiellement qu'il y a dans cette ville un agent secret nord-américain, lequel fait des investigations sur ce qu'il y a de vrai dans la participation du général Canales et de Carvajal à l'assassinat de la Porte du Seigneur.

28 avril...

24

Maison de mauvaises femmes

— In-*pin*-di-*pi*-é-*pé*-ne-*pe*.

— Moi-*pa* ? Mais-*pé*-chou-*pou*-et-*pé*-te-*pe*.

— *Quitin*-quoi ?

— Rien-*pin* !

— Rien-*pin* !

— Mazette !

— Taisez-vous, allez-vous vous taire ! Dieu ne fait pas plutôt lever l'aube que les voilà à jacasser et bavasser... On dirait des animaux incapables de raison ! cria la Dent d'Or.

Vêtue d'un corsage noir et d'une jupe mauve, Son Excellence ruminait son dîner, assise dans un fauteuil de cuir derrière le comptoir du bar.

Un moment après, elle s'adressa à une servante cuivrée, aux tresses serrées et luisantes :

— Pancha, va dire aux femmes de se pointer ; elles attigent ; les clients vont arriver et elles devraient déjà être à l'horizontale. Faut toujours être en train de les houspiller, crénom d'un chien !

Deux jeunes femmes entrèrent en courant, chaussées de leurs bas.

— La paix, vous autres ! Ah, ouiche, elles sont bien, les fillettes, Jésus Marie, avec leurs jeux !... Et dis-donc, Adélaïde, Adélaïde, on te cause ! Si le Commandant vient, il serait bon que tu lui prennes son épée en gage pour ce qu'il nous doit. Combien doit-il à la maison, vous, grand singe ?

— Neuf cents tout juste, plus trente-six que je lui ai prêtés hier au soir, répondit le barman.

— Ça vaut pas tant que ça, une épée. Vrai... C'est quand

même pas en or, mais c'est toujours mieux que peau de fesses. Adélaïde ! c'est au mur que je cause, pas à toi, pas vrai ?

— Oui, doña Chon, je vous ai entendue... dit, entre deux éclats de rire, Adélaïde ; et elle continua de jouer avec sa compagne, qui la tenait par le chignon.

Le choix de femmes du « Doux Enchantement » occupait en silence les vieux divans. Grandes, petites, grosses, maigres, vieilles, jeunes, adolescentes, dociles, rétives, blondes, rousses, brunes, petits yeux, grands yeux, yeux noirs, blondes, brunes, métisses, sans se ressembler elles se ressemblaient, par l'odeur, elles étaient semblables, elles sentaient l'homme, toutes sentaient l'homme, odeur âcre de vieux mollusque. Dans leurs petites chemises de tissu bon marché ballottaient leurs seins déliquescents. Elles montraient, en s'asseyant, cuisses écartées, leurs jambes maigres, pareilles à des barreaux, leurs jarretières aux couleurs criardes, leurs pantalons tantôt rouges, avec une dentelle blanche, tantôt rose saumon pâle, avec une dentelle noire.

L'attente des clients les rendait irascibles. Elles attendaient comme des émigrantes, avec des yeux de bêtes, entassées devant les miroirs. Pour passer le temps, les unes dormaient, les autres fumaient, celles-ci dévoraient des bonbons à la menthe, celles-là comptaient, sur les guirlandes de papier bleu et blanc qui ornaient le plafond, le nombre approximatif des chiures de mouches ; les ennemies se disputaient, les amies se caressaient, lentement et sans pudeur.

Presque toutes avaient un surnom. On appelait Coutelas celle qui avait de grands yeux ; si elle était petite : Petit Coutelas ; si elle était vieille et grosse : Grand Coutelas ; Camarde, celle qui avait le nez retroussé ; Noire, la brune ; Noiraude, la métisse ; Chinoise, celle qui avait les yeux obliques ; Maïs, celle qui avait des cheveux blonds ; Bègue, celle qui bégayait.

A côté de ces surnoms courants, il y avait la Guérie, la Cochonne, la Pataude, la Melliflue, la Guenon, la Lombric, la Colombe, la Sans-Entrailles, la Pompeuse.

Des hommes venaient dès les premières heures de la nuit passer du temps avec les femmes oisives en conversations

amoureuses, en bisouilleries et agaceries. Toujours des effron-
tés et des grossiers personnages. Doña Chon leur aurait volon-
tiers flanqué des claques, car à ses yeux ils avaient déjà le
défaut impardonnable d'être des fauchés, mais elle les sup-
portait chez elle sans leur casser la figure pour faire plaisir
à ses « reines ». Pauvres d'elles, les « reines » se collaient
avec ces hommes — protecteurs qui les exploitaient, amants
qui les mordaient — par faim de tendresse, de quelqu'un qui
s'occuperait d'elles.

　　Se pointaient également dès les premières heures de la
nuit de jeunes garçons, puceaux. Ils entraient en tremblant,
maladroits et gauches, incapables de parler, pareils à des
papillons éblouis, et ne se sentaient à l'aise que lorsqu'ils
se retrouvaient de nouveau dans la rue. Bonnes proies. Dociles
et pas exigeants. Quinze ans. Bonne nuit. Ne m'oublie pas.
Ils ressortaient du bordel avec dans la bouche un goût de
serpent qui, avant de rentrer, était celui du péché et des
prouesses, et avec cette douce fatigue que l'on ressent d'avoir
trop ri. Ah ! comme on était bien, hors de cette maison
puante ! Ils mordaient l'air comme de l'herbe fraîche et
contemplaient les étoiles comme l'irradiation de leurs propres
muscles.

　　Ensuite, la visite des gens sérieux : l'honnête homme
d'affaires, ardent et ventripotent ; une astronomique quantité
de ventre lui entourait la cage thoracique. L'employé de magasin embrassait comme on mesure une aune de drap, à l'inverse
du médecin qui, lui, semblait toujours ausculter. Le journa-
liste, client qui en fin de compte laissait en gage jusqu'à son
chapeau. L'avocat, entre chat et géranium par sa façon
ombrageuse et vulgaire de faire partie des meubles. Le pro-
vincial aux dents comme du lait. Le fonctionnaire tordu et
qui avec une femme pouvait toujours se l'accrocher. Le
bourgeois adipeux. L'artisan qui sentait le suint. Le richard
qui à chaque instant tâtait discrètement son portefeuille, sa
montre, ses bagues. Le pharmacien plus silencieux et taci-
turne que le coiffeur, moins courtois que le dentiste.

　　Le salon était embrasé à minuit. Hommes et femmes
prenaient feu par la bouche. Les baisers, pétarade lascive de

chair et de salive, alternaient avec les morsures, les confidences avec les coups, les sourires avec les gros rires et le plop des bouchons de champagne avec le plop de bouchons en plomb tirés par quelque bravache.

— Ça, c'est la moitié de la vie ! disait un vieux, appuyé à une table, le regard dansant, les pieds remuants, avec, au front, un faisceau de veines saillantes.

Et, de plus en plus enthousiaste, il demandait à un compagnon de plaisir :

— Je peux aller avec cette femme qui est là-bas ?...

— Oui, mon vieux, elles sont là pour ça...

— Et celle-là qui est près de l'autre... Celle-là me plaît davantage !

— Eh bien avec celle-là aussi.

Une brune qui, par coquetterie, allait pieds nus, traversa la salle.

— Et celle-ci qui va là-bas ?

— Laquelle ? La moricaude ?

— Comment s'appelle-t-elle ?

— Adelaïde, et on l'appelle la Cochonne. Mais ne t'y frotte pas, car elle va avec le commandant Farfan. Je crois bien que c'est sa nana.

— Cochonne, comme elle le caresse ! observa le vieux à voix basse.

La fille enivrait Farfan avec ses artifices de serpent, approchant de lui les philtres ensorcelants de ses yeux, plus beaux que jamais sous l'effet de la belladone ; l'épuisement de ses lèvres pulpeuses — elle embrassait avec la langue comme si elle collait des timbres — et le poids de ses seins tièdes et de son ventre bombé.

— Enlevez-donc cette saleté que vous portez-là ! insinua la Cochonne à l'oreille du commandant Farfan ; sans attendre la réponse — ne jamais remettre au lendemain — elle détacha l'épée du ceinturon et la tendit au barman.

Un train de cris passa en courant, traversa les tunnels de toutes les oreilles et continua de filer...

Les couples dansaient en mesure et sans mesure, avec des mouvements d'animaux à deux têtes. Un homme peinturluré comme une femme jouait du piano. A sa bouche et au piano manquaient quelques touches d'ivoire. « Je suis coquet, coquet et délicat », répondait-il à ceux qui lui demandaient pourquoi il se maquillait, ajoutant pour faire bonne mesure : « Mes amis m'appellent Pepe et Violette les jeunes gens. Je porte une chemise immodeste sans être joueur de tennis, afin de montrer mes seins de rou-cou... rou-cou... rou-cou : Je porte monocle par distinction et redingote par distraction. La poudre de riz (ah ! ces mots que je dis !) et le rouge me servent pour dissimuler les trous que la petite vérole m'a laissés sur la figure en y jetant, par jeu, ses confettis... Ah ! dites tout ce que vous voudrez, j'ai mes habitudes. »

Un train de cris passa à toute vitesse. Sous ses roues écrasantes, entre ses moyeux et ses pignons, une femme se tordait, ivre, molle, livide, couleur de son, appuyant ses mains sur ses aines, barbouillant ses joues et sa bouche de pleurs.

— Aïe mes o...vaiaiaires ! Aïe mes ovaiaiaires ! Aïe mes ovaiaiaires ! Mes ovaiaires aïe... mes ovaires ! Aïe...

Seuls les ivrognes ne se mêlèrent pas au groupe de ceux qui couraient voir de quoi il retournait. Dans la confusion, les hommes mariés demandaient si elle était blessée, afin de s'en aller avant l'arrivée de la police, et les autres, prenant la chose moins au tragique, couraient de-ci de-là pour le seul plaisir de bousculer leurs compagnons.

A chaque instant, le groupe devenait plus nombreux autour de la femme qui se tordait interminablement, les yeux blancs et la langue pendante. Au point aigu de la crise, son râtelier lui échappa. Ce fut du délire, de la folie, chez les spectateurs. Un seul et même éclat de rire salua la rapide glissade des dents sur les dalles de ciment.

Doña Chon mit fin au chahut. Elle était quelque part à l'intérieur, et se précipita comme une poule ébouriffée qui accourt vers ses poussins en gloussant ; elle prit par un bras la malheureuse hurlante et la traîna comme une serpillière jusqu'à la cuisine. Elle l'enferma dans le réduit à charbon avec l'aide de la Calvaire, non sans que cette dernière eût gratifié la malade de quelques piqûres avec la broche.

Profitant de la confusion, le vieux, amoureux de la

Cochonne, la souleva au Commandant qui ne voyait plus rien
tant il était ivre.

— Quelle saleté, cette fille, hein, commandant Farfan ?
s'écria la Dent d'Or en revenant au bar. Pour s'empiffrer et
rester couchée toute la journée, elle a pas mal aux ovaires ;
c'est comme un militaire qui à l'heure de la bataille viendrait
dire qu'il a mal aux...

Un éclat de rire d'ivrognes étouffa sa voix. Ils riaient
comme s'ils crachaient de la mélasse. Elle, cependant, se
retourna pour dire au barman :

— Cette mule bruyante, j'allais la remplacer par la
grande belle fille que j'ai amenée hier de la Maison-Neuve !
J'ai pas de veine qu'elle soit tombée malade !...

— Comment qu'elle aurait fait l'affaire !...

— Quant à moi, j'ai prévenu l'avoué qu'il voye comment
que le Président du Tribunal il va me rendre mon fric... Manquerait plus qu'il garde mes dix mille pesos, ce fils de
putain... Ça, il peut se l'accrocher...

— Parce que ce sera vous, alors !... Car pour ce qui est
de ce likcencieux [1], paraît que c'est rien d'bon !

— Comme tous les bigots !

— Vouais... et likcencieux en plus, n'avez qu'à voir !

— C'est tout vu parce que je te préviens qu'à moi, on ne
la fait pas deux fois !... Et c'est pas à des zéros à gauche, mais
aux gros bonnets en personne...

Elle laissa sa phrase en suspens, pour se pencher à la
fenêtre afin de voir qui frappait.

— Jésusmariejoseph et tous les saints du Paradis ! Quand
on parle du loup ! dit-elle d'une voix forte au monsieur qui
attendait à la porte, sa cape relevée jusqu'aux yeux, baigné
par la lumière pourpre de la lanterne ; et, sans répondre
à son bonsoir, elle courut ordonner à la portière de lui ouvrir
vite.

— Allons, Pancha, va ouvrir, vite ! Dépêche-toi, ouvre,
cours, allons, c'est don Miguelito !

---

1. Les latino-américains donnent généralement le titre de
« Licencié » à tous ceux (magistrats, hommes de loi, etc.) qui ont
fait des études de Droit et ont leur licence.

Doña Chon l'avait reconnu à son pressentiment à elle et à ses yeux de Satan à lui.

— C'est un vrai miracle !

Visage d'Ange, tout en saluant, parcourut le salon du regard, il se rassura en voyant une masse affalée qui devait être le commandant Farfan ; un long filet de bave coulait de sa lèvre pendante.

— Un grand miracle, parce que vous, on peut dire que vous ne prenez guère le temps de visiter les pauvres !

— Allons donc ! doña Chon !

— Vous tombez à pic, j'étais en train de m'en prendre à tous les saints à cause d'un ennui que j'ai, et voilà que les saints vous envoient !

— Eh bien, vous savez que je suis toujours à votre service...

— Merci beaucoup. J'ai un ennui que je vais vous raconter ; mais avant, vous allez boire quelque chose.

— Ne vous dérangez pas...

— Vous parlez d'un dérangement ! Une petite goutte, n'importe quoi, ce que vous voudrez, ce qui vous fera plaisir... Voyons, pour ne pas nous refuser... Un peu d'eau-de-vie... Mais on va vous servir là-bas, chez moi. Venez par ici.

L'appartement de la Dent d'Or, complètement séparé du reste de la maison, était un monde à part. Sur des tables, des commodes et des consoles de marbre, s'entassaient images pieuses, sculptures et reliquaires. Une Sainte Famille s'imposait par ses dimensions et par la perfection du travail. A l'Enfant-Jésus, grand comme un lis, il ne manquait que la parole. A ses côtés brillaient saint Joseph et la Vierge, en costumes étoilés. La Vierge couverte de bijoux et saint Joseph avec un diadème orné de deux perles qui valaient chacune une fortune. Sous un globe, agonisait un Christ brun baigné de sang et, dans une grande vitrine recouverte de coquillages, montait au ciel une sainte Vierge, imitation sculptée du tableau de Murillo, bien que son seul intérêt fût le serpent d'émeraudes enroulé à ses pieds. Voisinant avec les images pieuses, on voyait les portraits de doña Chon (diminutif de Conception, son vrai nom) à vingt ans, quand elle avait à ses pieds un Président de la République qui voulait l'emmener à « Paris de France », deux magistrats de la Cour Suprême et trois bouchers qui se battirent pour elle à coups de couteau, dans une foire. Elle avait relégué dans un coin, par là, pour que ses visiteurs ne la voient pas, la photo du survivant de ce combat, un chevelu qui avec le temps avait fini par devenir son mari.

— Asseyez-vous sur le sofa, don Miguelito, vous serez mieux.

— Vous menez une bonne vie, doña Chon !

— J'essaie de m'éviter des soucis...

— Comme dans une église !

— Allons, ne faites pas le franc-maçon, ne vous moquez pas de mes saints !

— Et en quoi puis-je vous servir...

— Mais d'abord buvez votre eau-de-vie...

— A votre santé, alors !

— A la vôtre, don Miguelito, et excusez que je ne vous tienne pas compagnie, mais j'ai un peu d'inflammation. Mettez par ici le petit... verre, nous allons le poser sur cette table, permettez...

— Merci...

— Eh bien ! Comme je vous le disais, don Miguelito, je suis très ennuyée et je voudrais que vous me donniez un conseil, de ceux que seuls les gens comme vous savent donner. A cause d'une de mes pensionnaires qui, vraiment, n'est bonne à rien, je me suis mise à en chercher une autre et j'ai appris par une amie qu'une femme tout à fait bien était emprisonnée à la Maison-Neuve par ordre du Président du Tribunal. Comme je sais où le bât blesse le bonhomme, je m'en allai tout droit voir mon avocat, don Juan Vidalitas, qui en d'autres occasions m'avait déjà procuré des femmes, afin qu'il écrive de ma part une lettre bien tournée au juge, lui offrant dix mille pesos pour cette bonne femme.

— Dix mille pesos ?

— Comme je vous le dis. L'autre ne se l'est pas fait répéter et il a répondu aussitôt qu'il était d'accord. Au reçu de l'argent, que moi-même j'ai compté sur son bureau en billets de cinq cents, il m'a donné un ordre écrit pour la Maison-Neuve afin qu'on me remette celle qui m'intéressait. Là-bas, j'ai su qu'elle était retenue pour raison politique. Il paraît qu'on l'a *cacturée* chez le général Canales...

— Comment ?

Visage d'Ange, qui suivait distraitement le récit de la Dent d'Or, l'oreille tendue vers la porte, veillant à ce que le commandant Farfan ne s'en aille pas, car il le cherchait depuis des heures, sentit derrière lui un rets en fil de fer, quand il entendit le nom de Canales mêlé à cette affaire. Cette malheureuse était sans doute la servante Chabela dont Camila parlait dans son délire.

— Excusez-moi de vous interrompre... où est cette femme ?

— Vous allez le savoir, mais laissez-moi continuer. L'ordre du juge en main, je suis allée personnellement, accompagnée de deux femmes, chercher ma nouvelle recrue à la Maison-Neuve. Je ne voulais pas qu'on me donne un chat pour un lièvre. Pour faire plus riche, on y va en voiture. On arrive ; je montre l'ordre, on l'examine, on le lit soigneusement, on sort la jeune femme, on me la donne et, bon, on l'amène ici à la maison. Tous l'attendaient, et elle plaît à tous... Enfin, elle était, don Miguelito, je vous dis que ça !

— Et où l'avez-vous mise ?

Visage d'Ange était disposé à emmener la femme sur-le-champ. En écoutant le récit de cette vieille sorcière, les minutes lui semblaient des années.

— Par ici la bonne soupe, que vous vous dites... tous pareils, les beaux messieurs. Mais laissez-moi continuer. Depuis que nous étions sorties avec elle de la Maison-Neuve, j'avais remarqué que la femme s'entêtait à ne pas ouvrir les yeux et à ne rien dire. On lui parlait, et c'était comme si on s'adressait au mur d'en face. Je croyais qu'elle faisait des manières. J'observais aussi qu'elle serrait dans ses bras un paquet à peu près de la taille d'un enfant.

Dans l'esprit du favori, l'image de Camila s'allongea jusqu'à se partager par le milieu, comme un huit, avec ce mouvement très rapide de la bulle de savon qui éclate.

— Un enfant ?

— Effectivement, ma cuisinière, Manuela Calvaire Cristales, découvrit que cette malheureuse berçait un bébé mort, et qui puait déjà. Elle m'a appelée, j'ai couru à la cuisine et à nous deux on a voulu lui ôter de force ; mais à peine on lui a ouvert les bras — pour un peu Manuela les lui cassait —, à peine on lui arrache l'enfant, qu'aussitôt elle ouvre les yeux, exactement comme les morts les ouvriront le jour du Jugement dernier ; elle pousse un cri qu'on a dû l'entendre jusqu'au marché et tombe raide.

— Morte ?

— Sur le moment, on l'a cru. On est venu la chercher et on l'a emportée, enveloppée dans un drap, à Saint-Jean-de-Dieu. Je n'ai pas voulu regarder, ça m'impressionnait. De ses yeux fermés, on m'a dit que les pleurs coulaient comme cette eau qui ne sert plus à rien.

Doña Chon fit une pause, puis ajouta entre ses dents :

— Les filles qui sont allées ce matin passer la visite à l'hôpital ont demandé après elle, et il paraît que son état est grave. Voilà ce qui me tracasse. Vous comprenez, je ne peux pas admettre un seul instant que le juge garde mes dix mille pesos, et je cherche comment faire pour qu'il me les rende, car pour quelle raison irait-il garder ce qui est à moi ; pour quelle raison ?... Je préférerais mille fois en faire cadeau à l'hospice ou aux pauvres !

— Que votre avocat les lui réclame, et quant à cette pauvre femme...

— Mais mon avocat, maître Vidalitas, y est allé déjà deux fois aujourd'hui — excusez-moi de vous couper la parole ! Une fois chez lui, l'autre à son bureau, et à chaque fois il a dit la même chose : qu'y me rendra que dalle. Vous vous rendez compte, ce mec pourri, quand on achète une vache, si elle crève, c'est pas çui qui vend qu'est refait, c'est çui qu'achète... Et ça, quand il s'agit de bêtes, à plus forte raison avec des humains. Voilà ce qu'y dit... Ah, y me prend de ces envies !...

Visage d'Ange garda le silence. Qui était cette femme vendue ? Qui était cet enfant mort ?

Doña Chon montra sa dent d'or d'un air menaçant.

— Ah! mais, je vais lui flanquer une correction comme sa propre mère ne lui en a jamais collée... Si on me met en prison, ce sera pour quelque chose. Dieu sait qu'on a trop de mal à gagner de l'argent pour se le laisser voler comme ça! Vieux menteur, tête d'Indien, maudit faux jeton! Ce matin, déjà, j'ai ordonné qu'on jette de la terre de mort sur sa porte! Il viendra me dire s'il fait de vieux os.

— Et l'enfant? on l'a enterré?

— Ici, à la maison, nous l'avons veillé, les filles sont très sentimentales... Il y a eu des crêpes garnies...

— Une fête...

— Si vous allez par là!

— Et la police, qu'a-t-elle fait?

— Avec de l'argent, nous avons obtenu la licence; le lendemain nous sommes allés enterrer le pauvre petit dans l'île, dans un superbe cercueil tendu de satin blanc.

— Et vous ne craignez pas que la famille vous réclame le cadavre, ou du moins l'avis...

— Manquerait plus que ça! Et qui va le réclamer? Son père est prisonnier à la Centrale pour raison politique, il s'appelle Rodas, et la mère, vous le savez déjà, est à l'hôpital.

Visage d'Ange sourit intérieurement, libéré d'un poids énorme. Ce n'étaient pas des parents de Camila...

— Conseillez-moi, don Miguelito, vous qui avez tant de tête, que dois-je faire pour que ce vieux fourbe me rende mon argent? Dix mille pesos, rendez-vous compte... C'est pas des haricots.

— A mon avis, vous devriez voir Monsieur le Président et vous plaindre à lui. Sollicitez une audience et faites-lui confiance, il arrangera ça. C'est en son pouvoir.

— J'y avais pensé, et c'est ce que je vais faire. Demain, je lui envoie un télégramme de double urgence afin de lui demander une audience. Heureusement, nous sommes de vieilles connaissances: quand il n'était que ministre, il avait une passion pour moi. Il y a longtemps. J'étais jeune et jolie, on aurait dit une gravure, comme vous pouvez voir sur cette photo. Je me souviens que nous habitions du côté du Petit

Ciel avec ma mère — qu'elle repose en paix ! — et, voyez ce
que c'est que la malchance, un perroquet l'éborgna d'un coup
de bec. J'ai pas besoin de vous dire que j'ai fait griller le
perroquet — j'en aurais aussi bien grillé deux — et l'ai
donné à un chien qui, tout faraud, l'a mangé et en a eu
la rage. Le plus gai dont je me souvienne de ce temps-là,
c'est que, devant la maison, passaient tous les enterrements.
Et il en passait et en passait, des morts !... C'est à cause de
cet inconvénient qu'on a rompu à jamais avec Monsieur le
Président. Il avait peur des enterrements ; était-ce ma faute ?
Il était porté à croire n'importe quelle histoire et vraiment
très enfant. La moindre petite chose contre lui, et il croyait
ce qu'on lui racontait, pareil d'ailleurs quand on lui passait
de la pommade. Au début, moi, qu'en pinçais fort pour lui,
j'effaçais à coups de longues bises... Puis je me suis fatiguée et
je l'ai laissé tomber. Pour qu'il prenne son pied, fallait lui
lécher l'oreille, ça lui donnait l'impression d'être mort et que
des vers le bouffaient dans sa tombe. C'est comme si je le
voyais, là où vous êtes assis : son foulard de soie blanche
attaché autour du cou par un petit nœud, son chapeau plat,
ses bottines avec des tirants roses et son costume bleu...

— Et après, ce que c'est que la vie, tout de même ! une
fois Président, il a sûrement été témoin de votre mariage.

— Pas du tout... Mon défunt mari n'aimait pas les céré-
monies. Seuls les chiens ont besoin de témoins et de curieux
qui les regardent pendant qu'ils se marient, disait-il ; après
quoi ils s'en vont avec une bande d'autres chiens derrière
eux, tous la langue pendante et la bave à la gueule. Mais chez
le photographe, pour ça oui, on y est allés. On nous a pris
devant une draperie, entre des colombes empaillées. Y'avait
par terre un tapis tout ce qui a de plus chouette et une peau
de tigre. Moi, je suis sortie légèrement de profil et mon mari
m'enlaçant. Un amour, le petit vieux qui nous tirait le portrait, moustachu et même un peu bossu, mais pour ce qui est
des mirettes, y'avait pas que son appareil qu'en avait, lui
aussi et reluquait, tant j'étais gironde. « Un petit sourire et
enlacez-vous » qu'il disait d'une voix sourde. Mais voilà bien
des idées de vieux, se mettre à évoquer le passé...

Police investigating the situation about
Zury getting killed.

25

Le relais de la mort

Le curé accourut à rase-soutane. « D'autres courent pour moins que cela. Y a-t-il au monde rien qui vaille plus qu'une âme ? Pour moins que ça, d'aucuns sortent de table avec un bruit de tripes... Tri-paix !... Trois personnes en un seul Dieu, vrai de vrai... Le bruit des tripes, là-bas, non pas, ici, ici avec moi, moi, moi, moi, dans ma panse, panse, panse... Jésus, le fruit de tes entrailles... Là-bas, la table mise, la nappe blanche, la vaisselle de porcelaine bien proprette, la servante sèche... »

A l'entrée du prêtre, des voisines le suivirent, friandes d'assister aux transes de l'agonie. Visage d'Ange s'arracha du chevet de Camila avec des pas qui résonnaient comme des racines qu'on casse. La patronne traîna une chaise près du prêtre, puis ils s'éloignèrent tous.

— ...Je confesse à Dieu tout..., disaient-ils en partant.

— *In Nomine Patris, et Filii, et...* ma petite fille, combien de temps y a-t-il que tu ne t'es confessée ?

— Deux mois...

— Tu as fait ta pénitence ?

— Oui, mon Père.

— Dis tes péchés...

— Mon Père, je m'accuse d'avoir menti...

— Pour des choses graves ?

— Non... J'ai désobéi à mon papa et...

(... tic-tac, tic-tac, tic-tac)

— Mon Père, je m'accuse...

(... tic-tac)

— ...d'avoir manqué la messe.

La malade et le confesseur parlaient comme dans des catacombes. Le Diable, l'Ange gardien et la Mort assistaient à la confession. La Mort vidait dans les yeux vitreux de Camila ses yeux vides ; le Diable crachait des araignées, installé à la tête du lit, et l'Ange pleurait dans un coin à gros sanglots.

— Mon Père, je m'accuse de n'avoir pas prié en me couchant ni en me levant et... mon Père, je m'accuse de...

(... tic-tac, tic-tac)

— ... de m'être disputée avec mes amies !

— Pour des questions d'honneur ?

— Non...

— Ma petite fille, tu as offensé Dieu très gravement.

— Mon Père, je m'accuse d'être montée à cheval comme un homme...

— Il y avait d'autres personnes présentes, et cela fut un sujet de scandale ?

— Non, il y avait seulement quelques Indiens.

— Et, de ce fait, tu t'es sentie capable d'égaler l'homme ; c'est donc un péché grave ; puisque Dieu Notre-Seigneur a fait la femme femme, elle doit rester telle et ne pas chercher à imiter l'homme, à l'instar du Démon qui se perdit pour avoir voulu égaler Dieu.

Dans la moitié de la pièce occupée par le café, devant le comptoir, autel de bouteilles aux couleurs variées, Visage d'Ange, la *Serpente* et les voisines attendaient sans souffler mot, échangeant du regard craintes et espoirs, respirant sur un rythme lent, orchestre de souffles, oppressés par l'idée de la mort. La porte, à moitié ouverte, laissait voir dans les rues lumineuses le temple de la Merci, une partie de son porche, les maisons et les rares passants qui se rendaient de ce côté. Visage d'Ange enrageait de voir ces gens aller et venir, indifférents au fait que Camila se mourait ; gros grains de sable dans un tamis de soleil fin ; ombres douées de sens commun ; fabriques ambulantes d'excréments...

Dans le silence, la voix du confesseur traînait des chaînettes de paroles. La malade toussa. L'air brisait les petits tambours de ses poumons.

— Mon Père, je m'accuse de tous les péchés véniels et mortels que j'ai commis et dont je ne me souviens pas.

Les mots latins de l'absolution, la fuite précipitée du Démon et les pas de l'Ange qui, comme une lumière, s'approchait de nouveau vers Camila avec ses ailes blanches et chaudes, tirèrent le favori de sa colère contre les passants, de sa haine enfantine, teintée de tendresse, et lui firent concevoir — la grâce vient par des chemins cachés — la résolution de sauver un homme qui se trouvait en danger de mort; en échange, peut-être Dieu lui donnerait-il la vie de Camila, chose qui, selon la science, était déjà impossible.

Le prêtre s'en alla sans bruit; il s'arrêta sur le seuil pour allumer une cigarette de tabac fort et pour relever le bas de sa soutane, car la règle voulait que dans la rue on le cachât sous la cape. Il semblait fait de cendre douce. Le bruit courait qu'une moribonde l'avait appelé pour se confesser. Derrière lui, sortirent les voisines pomponnées et Visage d'Ange, qui courait mettre son projet à exécution.

La Ruelle de Jésus, le Cheval Blond, et la Caserne de Cavalerie... Là, il demanda à un officier de garde le commandant Farfan. On lui dit d'attendre un moment, et le caporal sortit pour chercher l'officier, en criant:

— Commandant Farfan!... Commandant Farfan!...

La voix s'éteignait dans l'immense cour, sans réponse. Un tremblement de sons répondait sous les auvents des maisons éloignées: Man-dant fan-fan! Man...dant... fan... fan!...

Le favori demeura à quelques pas de la porte, étranger à ce qui se passait autour de lui. Des chiens et des urubus se disputaient le cadavre d'un chat au milieu de la rue, devant le commandant qui, d'une fenêtre garnie de barreaux de fer, s'amusait de cette lutte acharnée, en retroussant les pointes de sa moustache en croc. Deux dames sirotaient des rafraîchissements dans une petite boutique pleine de mouches. De la maison voisine, passé le portail, sortaient cinq petits garçons habillés en marins, suivis d'un monsieur pâle comme un navet et d'une dame enceinte — papa et maman. Un boucher passait parmi les enfants en allumant une cigarette; il portait des vêtements ensanglantés, les manches de chemise retroussées et, sur son cœur, sa hache effilée. Les soldats entraient et sortaient. Sur les dalles du vestibule serpentait une trace de pieds nus humides qui se perdait dans la cour. Les clés de la caserne tintaient contre le fusil de la sentinelle, debout près de l'officier de garde qui occupait une chaise de fer au milieu d'un cercle de crachats.

A pas de biche, une femme à la peau cuivrée, brûlée par le soleil, blanchie et ridée par les ans, s'approcha de l'officier et, relevant son châle de fil afin de parler la tête couverte en signe de respect, elle supplia :

— Excusez-moi, monsieur, mais, sur votre vie, je vous demande la permission de parler à mon fils. La Vierge vous récompensera.

Avant de répondre, l'officier lança un jet de salive puant l'eau-de-vie, le tabac et les dents pourries.

— Comment s'appelle votre fils, madame ?

— Ismaël, monsieur...

— Ismaël comment ?

— Ismaël Monfils, monsieur.

L'officier cracha épais.

— Mais quel est son nom ?

— C'est Monfils, monsieur...

— Allez, il vaut mieux que vous veniez un autre jour, aujourd'hui nous sommes occupés.

La vieille se retira sans baisser son châle, petit à petit, en comptant ses pas comme si elle mesurait son infortune ; elle s'arrêta un court instant au bord du trottoir, puis s'approcha à nouveau de l'officier toujours assis.

— Excusez-moi, monsieur, c'est que je ne suis pas d'ici, je viens de très loin, de plus de vingt lieues, et ainsi, si je ne le vois pas aujourd'hui, Dieu sait quand je pourrai revenir. Faites-moi la grâce de l'appeler...

— Je vous ai déjà dit que nous sommes occupés ; allez-vous-en, ne soyez pas importune.

Visage d'Ange, qui assistait à la scène, mû par le désir de bien agir afin que Dieu rende la santé à Camila, dit à l'officier à voix basse :

— Appelez ce garçon, lieutenant, et voici pour des cigarettes.

Le militaire prit l'argent sans même regarder l'inconnu et ordonna d'appeler Ismaël Monfils. La petite vieille contempla son bienfaiteur comme s'il était un ange.

Le commandant Farfan n'était pas à la caserne. Un secrétaire apparut à un balcon, la plume derrière l'oreille, et informa le favori qu'à ces heures-ci et le soir il ne pouvait le trouver qu'au « Doux Enchantement », car le noble fils de Mars partageait son temps entre les obligations du service et l'amour. Cependant il serait peut-être bon de passer chez lui. Visage d'Ange prit un fiacre. Farfan louait une chambre meublée, au diable vauvert. Par les fentes de la porte en bois de pin, dont les planches avaient joué sous l'action de l'humidité, on voyait un intérieur obscur. Deux, trois fois, Visage d'Ange frappa. Il n'y avait personne. Il partit tout de suite, mais, avant d'aller au « Doux Enchantement », il passerait prendre des nouvelles de Camila. Le bruit de la voiture le surprit quand elle quitta les rues de terre pour les rues pavées. Bruit de sabots et de jantes, de jantes et de sabots.

Quand la Dent d'Or eut fini de lui raconter ses amours avec Monsieur le Président, le favori rentra dans le salon. Il ne fallait pas perdre de vue le commandant Farfan ; d'autre part, il voulait en apprendre plus long sur la femme arrêtée chez le général Canales et vendue par cette canaille de juge pour dix mille pesos.

Le bal battait son plein. Les couples dansaient, au rythme d'une valse à la mode que Farfan, fin saoul, chantait d'une voix éraillée :

> *Pourquoi m'aiment-elles,*
> *les putains ?*
> *Parce que je leur chante*
> *la Fleur du Café...*

Tout à coup, il se redressa et, se rendant compte que la

Cochonne n'était pas là, il cessa de chanter pour pousser des cris entrecoupés de hoquets.

— La Cochonne n'est pas là, n'est-ce pas, morveux ?... Elle est occupée, n'est-ce pas, morveux ? Eh bien ! je m'en vais... Je pense bien, que je m'en vais ; je le... crois bien, que je m'en vais... Je m'en vais... Eh bien ! pourquoi je... m'en irais pas ?... Je le crois bien, que je m'en vais...

Il se leva difficilement en s'aidant de la table, où il s'était incrusté, des chaises, du mur, et il s'en alla en titubant vers la porte, que la servante courut ouvrir.

— Je le cr...ois que je m'en vai-ais ! Celle qui est une putain revient, s'pas, madame Chon, mais moi je m'en vais ! hi, hi, hip... A nous, militaires de carrière, il ne nous reste plus qu'à boire jusqu'à la mort et puis, après, qu'on nous distille au lieu de nous incinérer... Et vivent la saucisse et les bagarres ! Youpi !

Visage d'Ange le rattrapa aussitôt. Il marchait sur la corde lâche de la rue comme un funambule : tantôt le pied droit en l'air, tantôt le pied gauche ; tantôt le gauche, tantôt le droit, tantôt les deux... Sur le point de tomber, il faisait un pas et disait : « Ça va bien, disait la mule au frein ! »

Les fenêtres ouvertes d'un autre bordel éclairaient la rue. Un pianiste chevelu jouait le *Clair de Lune* de Beethoven. Seules les chaises l'écoutaient dans le salon vide, disposées comme des invités autour du piano demi-queue, aussi grand que la baleine de Jonas. Le favori s'arrêta, blessé par la musique ; il colla contre le mur le Commandant, pauvre pantin sans réaction, et approcha pour intercaler les débris de son cœur dans les sons : il ressuscitait d'entre les morts — mort aux yeux chauds — en suspens loin de la terre, pendant que s'éteignait l'éclairage public et que, des toits, s'écoulait le serein, goutte à goutte, clous pour crucifier des ivrognes et clouer des cercueils. Chaque petit marteau du piano, caisse d'aimants, rassemblait les grains de sable très fins du son, puis les lâchait, après les avoir réunis, dans les doigts des arpèges qui dé-dou-blaient leurs phalanges pour frapper à la porte de l'amour fermée pour toujours ; toujours les mêmes doigts ; toujours la même main. La lune dérivait dans un ciel pavé vers des prés endormis ; elle fuyait et, derrière elle, les futaies effrayaient les oiseaux et les âmes, à qui le monde paraît immense et surnaturel quand l'amour naît, puis petit et vide quand l'amour s'éteint.

Farfan se réveilla sur le zinc d'un petit café, entre les mains d'un inconnu qui le secouait, comme on secoue un arbre pour faire tomber les fruits mûrs.

— Vous ne me reconnaissez pas, mon Commandant ?

— Oui, non... pour le moment... sur le moment...

— Souvenez-vous...

— Ah !... ououou, bâilla Farfan en descendant du zinc où il était allongé, aussi moulu qu'une bête de somme.

— Miguel Visage d'Ange, pour vous servir.

Le Commandant se mit au garde à vous.

— Excusez-moi ! Voyez, je ne vous avais pas reconnu. C'est vrai, c'est vous qu'on voit toujours avec Monsieur le Président.

— Très bien ! Ne vous étonnez pas, Commandant, que je me sois permis de vous réveiller comme ça, brusquement...

— Ne vous inquiétez pas.

— Mais il vous faut retourner à la caserne et moi, d'autre part, j'avais à vous parler seul à seul ; or, il se trouve que la propriétaire de ce... disons de ce café, n'est pas là. Hier, je vous ai cherché comme une aiguille tout l'après-midi, à la caserne, chez vous. Ce que je vais vous dire, promettez-moi de ne le répéter à personne.

— Parole de gentilhomme.

Le favori serra avec plaisir la main du Commandant et, les yeux fixés sur la porte, lui dit très bas :

— Je suis bien placé pour savoir qu'il y a un ordre d'en finir avec vous, Commandant. On a donné des instructions à l'Hôpital Militaire afin que vous soit administré un calmant définitif à la première soulographie qui vous obligera à garder le lit. La putain que vous fréquentez au « Doux Enchantement » a rapporté à Monsieur le Président vos farfanronnades révolutionnaires.

Farfan, que les paroles du favori avaient cloué au sol, leva les poings :

— Ah ! la garce !

Et, après avoir fait le geste de la battre, il courba la tête, anéanti.

— Qu'est-ce que je vais faire, mon Dieu ?

— Pour le moment, ne pas vous enivrer ; ainsi vous conjurerez le péril immédiat, et ne...

— Oui, c'est ce que je pensais, mais je ne vais pas pouvoir, ça va être difficile. Qu'alliez-vous me dire ?

— J'allais vous recommander, en outre, de ne plus prendre vos repas à la caserne.

— Je ne sais comment vous remercier...

— Par le silence...

— Naturellement, mais ce n'est pas assez. Enfin ! il se présentera bien une occasion et, certes, vous pouvez compter à jamais sur l'homme qui vous doit la vie.

— Bien sûr. Je vous donne un conseil d'ami : cherchez une manière de plaire à Monsieur le Président.

— Oui, n'est-ce pas ?

— Ça ne coûte rien.

Tous deux ajoutèrent en pensée : « commettre un délit », par exemple, le moyen le plus efficace de capter la confiance du chef ; ou « outrager publiquement les gens sans défense », ou bien « faire sentir la supériorité de la force sur l'opinion du pays » ; ou encore « s'enrichir aux dépens de la nation » ; ou encore..

Verser le sang de son prochain : c'était idéal ; le crime constituait l'adhésion la plus complète du citoyen à Monsieur le Président. Deux mois de prison pour sauver les apparences et tout droit après vers un poste public de confiance, un de ceux qu'on ne donne qu'aux serviteurs ayant un procès en suspens, afin d'avoir la commodité de les remettre en prison conformément à la loi, s'ils ne se tiennent pas bien.

— Ça ne coûte rien.

— Vous êtes très bon...

— Non, Commandant, je ne vous demande pas de reconnaissance ; ma résolution de vous sauver est offerte à Dieu pour la santé d'une malade qui est très, très mal en point. Votre vie sauve pour sauver la sienne.

— Votre épouse, peut-être...

Le mot le plus doux du *Cantique des cantiques* flotta un instant, adorable broderie, parmi des arbres qui donnaient des chérubins et des fleurs d'oranger.

Après le départ du Commandant, Visage d'Ange se palpa pour savoir s'il était bien l'homme qui en avait si souvent envoyé d'autres à la mort, si c'était bien le même qui, maintenant, devant l'azur infrangible du matin, poussait un homme vers la vie.

Commander Visage D'Ange left and was then investigated as soon as he could. Police are in full confusion with the situation.

26

Tourbillons

Il referma la porte — le bulbeux Commandant s'éloignait comme un ballon en toile kaki — et s'en fut sur la pointe des pieds jusqu'à l'arrière-boutique obscure. Il croyait rêver. Entre le rêve et la réalité, la différence est purement mécanique. Endormi, éveillé, comment était-il là ? Dans la pénombre, il sentait cheminer la terre... L'horloge et les mouches tenaient compagnie à Camila presque moribonde. L'horloge laissait couler les petits grains de riz de sa pulsation, afin de marquer son chemin et de ne pas se perdre au retour, quand elle aurait fini d'exister. Les mouches couraient sur les murs, nettoyant sur leurs petites ailes le froid de la mort. D'autres volaient sans repos, rapides et sonores. Il s'arrêta sans bruit près du lit. La malade continuait à délirer.

Jeu de rêves... flaques d'huile camphrée... astres au dialogue lent... contact du vide... invisible, saumâtre et nu... double charnière des mains... l'inutilité des mains dans les mains..., dans le savon parfumé... dans le jardin du livre de lecture... dans l'antre du tigre... dans l'au-delà des perroquets... dans la cage de Dieu...

... Dans la cage de Dieu, la messe de minuit, messe du coq [1] d'un coq avec une goutte de lune sur la crête de coq... il picore l'hostie... il s'allume et s'éteint, s'allume et s'éteint, s'allume et s'éteint... C'est une messe chantée... Ce n'est pas un coq, c'est un éclair de celluloïd dans le goulot d'une grosse bouteille entourée de petits soldats... Eclairs de la Pâtisserie

1. En espagnol, la Messe de Minuit est dite « Messe du Coq ».

de la Rose Blanche par Sainte-Rose [1]... Mousse de la bière du
Coq, pour le coq du village... Pour le coq du village...

> *Nous en ferons un cadavre.*
> *Matatero, tero, là !*
> *Ce métier ne lui plaît pas,*
> *Matatero, tero, là !*

... On entend un tambour là où il n'est pas en train de
se moucher, il fait des bâtons à l'école du vent, c'est un
tambour... Halte-là, ce n'est pas un tambour, c'est une porte
que l'on est en train de frapper avec le mouchoir des coups
et la main de bronze d'un heurtoir ! Comme des tarières, les
coups taraudent tous les coins du silence intestinal de la
maison... tam tam tam... Tambour de la maison... Chaque
maison a son portambour pour appeler les gens qui *la vivent*
et qui lorsqu'elle est fermée sont comme s'ils vivaient la
mort... am tam de la maison... port... am tam de la maison...
L'eau des bassins devient tout yeux quand elle entend réson-
ner le portambour et dire aux servantes avec un accent
chantant : « On frap-pe ! » et les murs se tapisser d'échos
qui vont répétant : « On frap-pe, allezou-vrirr ! » « on frap-pe,
allezou-vrirrr ! », et la cendre s'agite, impuissante face au
chat, qui la garde à vue, avec un frisson doux derrière la
prison du gril, et les roses s'alarment, victimes innocentes de
l'intransigeance des épines, et aussi les miroirs, médiums
absorbés par qui l'âme des meubles morts dit d'une voix
bien vivante : « On frap-pe, allezouvrir ! »
　　La maison tout entière veut aller voir d'un tremblement
de corps comme quand la terre tremble, voir qui frappe que
je frappe que je frappe le portambour : les casseroles cara-
colant, les potiches à pas de laine, les cuvettes, pom, pom,
ponette ! les assiettes à toux de porcelaine, les tasses, les
couverts répandus comme un rire d'argent allemand, les
bouteilles vides, précédées de la bouteille décorée de larmes
de suif qui sert et ne sert pas de bougeoir dans la dernière

---

1. Quartier de la ville de Guatemala.

pièce, les livres de prières, les rameaux bénits qui, quand on frappe, croient défendre la maison contre la tempête, les ciseaux, les conches, les portraits, les vieux cheveux, les huiliers, les boîtes de carton, les allumettes, les clous...

...Seuls, ses oncles font semblant de dormir au milieu de la veille des choses inanimées, dans les îles de leurs lits conjugaux, sous l'armure de leurs couvertures qui puent le bol alimentaire. En vain le portambour arrache-t-il des bouchées à l'ample silence. « On frappe toujours ! » murmure la femme de l'un de ses oncles, celle qui ressemble le plus à un masque. « Oui, mais gare à qui ira ouvrir » lui répond son mari dans le noir. « Quelle heure il est ? Dis-donc, moi qui dormais si bien !... On frappe toujours ! » « Oui, mais gare à qui ira ouvrir ! » « Que vont dire les voisins ? » « Oui, mais gare à qui ira ouvrir ! » « Rien qu'à cause de ça on devrait aller ouvrir, à cause de nous, à cause de ce qu'on va dire de nous, imagine un peu !... On frappe toujours ! » « Oui, mais gare à qui ira ouvrir ! » « Il y a de l'abus ! Où a-t-on jamais vu ça ! Quel manque de considération ! Quelle grossièreté ! » « Oui, mais gare à qui ira ouvrir ! »

La voix rauque de son oncle s'adoucit dans la gorge des servantes. Des fantômes sentant le veau viennent chuchoter dans la chambre à coucher des maîtres : « Monsieur, madame ! Comme on frappe ! » et retournent à leur paillasse, entre les puces et le sommeil, répète que je répète : « Vois-là... mais gare à qui ira ouvrir ! Vois-là... mais gare à qui ira ouvrir ! »

...Tam-tam-tambour de la maison... obscurité de la rue... Les chiens couvrent le ciel avec des tuiles d'aboiements, toit pour étoiles, reptiles noirs et lavandières d'argile aux bras trempés d'une écume d'éclairs d'argent...

— Papa... petit papa... papa !

Dans son délire, elle appelait son papa, sa nourrice morte à l'hôpital, et ses oncles qui, à l'article de la mort, n'avaient pas voulu la recevoir chez eux.

Visage d'Ange lui mit une main sur le front. « Toute guérison est un miracle, pense-t-il en le caressant ; si je pouvais chasser le mal rien qu'avec la chaleur de ma main ! »

Il souffrait, sans savoir où, du malaise confus et inexplicable de celui qui voit mourir une jeune pousse, chatouillement de tendresse, qui traîne son angoisse grimpante sous la peau, et il ne savait que faire. Machinalement, il mêlait pensées et prières : « Si je pouvais me mettre sous ses paupières et remuer les eaux de ses yeux... de miséricorde, et après cet exil... dans ses pupilles couleur des petites ailes de... notre espérance, Salut, du fond de notre exil nous t'implorons... »

« Vivre est un crime... de chaque jour... lorsqu'on aime... donnez-nous aujourd'hui... »

Il pensa à sa maison comme à une demeure étrangère. Sa maison était ici, ici, avec Camila, ici, où il n'était pas chez lui, mais où se trouvait Camila. Et quand Camila ne serait plus là ?... Un chagrin vague aiguillonnait son corps. Et quand Camila ne serait plus là ?...

Une charrette ébranla l'univers à son passage. Sur les étagères du petit café, les bouteilles tintèrent ; un heurtoir fit du bruit ; les maisons voisines tremblèrent... A son propre sursaut, Visage d'Ange sentit qu'il était en train de s'endormir debout. Mieux valait s'asseoir. Près de la table aux médicaments, il y avait une chaise. Une seconde plus tard, il l'avait sous lui. Le petit bruit de l'horloge, l'odeur du camphre, la lumière des cierges offerts à la Merci et à Jésus de la Candelaria, tout-puissants ; la table, les serviettes, les médicaments, le cordon de Saint-François, qu'une voisine avait prêté pour faire fuir le diable, tout s'égrena peu à peu, sans heurts, à rime lente, échelle musicale de la somnolence, dissolution momentanée, malaise savoureux, plus percé de trous qu'une éponge, invisible, à moitié liquide, presque visible, presque solide, latent, sondé par les ombres bleues de rêves sans suite.

... Qui est en train de gratter la guitare ?... Ossifrage, dans le dictionnaire obscur... Ossifrage dans le souterrain obscur chantera la chanson de l'ingénieur agronome... Froids de fil de lame dans le feuillage... Par tous les pores de la Terre, aile quadrangulaire, jaillit un éclat ah ah ah de rire interminable, endiablé... On rit, on crache, que fait-on ? Il ne fait pas nuit, pourtant, l'ombre le sépare de Camila, l'ombre de cet éclat de rire de têtes de mort dans cette friture mortuaire... Le rire se détache des dents, noirâtre, bestial, mais au contact de l'air il se mêle à la vapeur d'eau et monte former les nuages... Des clôtures faites avec des intestins humains divisent la terre... Des ouvertures faites avec des yeux humains divisent le ciel... Les côtes d'un cheval servent de violon à l'ouragan qui souffle... Il voit passer l'enterrement de Camila... Ses yeux nagent dans les flots d'écume qui tiennent les brides du fleuve au noir convoi... Elle doit en avoir des yeux, la Mer Morte !... Ses yeux verts... Pourquoi les gants blancs des palefreniers s'agitent-ils dans l'ombre ?... Derrière l'enterrement, chante un ossuaire de petites hanches d'enfant : « Lune, lune, prends ta prune et jette le noyau dans la lagune ! » Ainsi chante chaque petit os tendre... « Lune, lune, prends ta prune et jette le noyau dans la lagune ! »... Iliaques aux yeux en forme de boutonnières... « Lune, lune, prends ta prune et jette le noyau dans la lagune ! »... Pourquoi la vie quotidienne continue-t-elle ?... Pourquoi marche le tramway ?... Pourquoi ne meurent-ils pas tous ? Après l'enterrement de Camila, rien ne peut plus exister, tout ce qui subsiste est artificiel, postiche, inexistant... Il vaut mieux en rire... La tour penchée à force de rire... Il fouille ses poches pour en amasser des souvenirs... Fine poussière des jours de la vie de Camila... Petits déchets... Un fil... Camila doit être à cette heure-ci... Un fil... Une carte de visite sale... Ah, celle de ce diplomate qui fait entrer vins et conserves sans payer de droits de douane et qui les revend dans le magasin d'un Tyrolien !... Quetoutlunivers chante... Naufrage... Les bouées de sauvetage des petites couronnes blanches... Quetoutlunivers chante... Camila immobile dans ses bras... Rencontre... Les mains du sonneur de cloches... Elles sont en train de sonner les rues... L'émotion fait pâlir... Livide, silencieuse, désincarnée... Pourquoi ne pas lui offrir le bras ? Elle se laisse glisser par les toiles d'araignées de son toucher, jusqu'au bras qui lui manque ! Il n'a que la manche... Dans les fils de fer du télégraphe, pour regarder les fils de fer du télégraphe, il perd du temps et, d'une masure de la Ruelle du Juif, sortent cinq hommes de verre opaque pour lui couper le passage, et tous les cinq ont un filet de sang sur la tempe... Désespérément, il lutte pour s'approcher de l'endroit où Camila l'attend, sentant la colle des timbres-poste... Au loin, on voit le petit mont du Carmel... Dans son rêve, Visage d'Ange bataille pour s'ouvrir un passage avec ses mains... Il est aveuglé... Il pleure... tente de rompre avec ses dents la toile ténue de l'ombre qui le sépare de la four-milière humaine qui, sur la petite colline, s'installe sous des tentes de palmes pour vendre des jouets, des fruits, des gâteaux au miel et à l'anis... Il se hérisse... Par un caniveau, il réussit à passer et court rejoindre Camila, mais les cinq hommes de verre opaque reviennent lui couper le passage... « Voyez, ils sont en train de se la partager en petits mor-ceaux à la fête de l'eucharistie. » Il leur crie... « Laissez-moi passer avant qu'on la déchire toute ! »... « Elle ne peut pas se défendre parce qu'elle est morte ! » « Vous ne voyez donc pas ? Regardez ! Regardez ! Chaque ombre porte un fruit et dans chaque fruit est enchâssé un petit morceau de Camila ! » « Comment en croire ses yeux, je l'ai vu enterrer et j'étais sûr que ce n'était pas elle, elle est ici à la fête de l'eucharistie » ; dans ce cimetière qui sent le coing, la mangue, la poire et la pêche, de son corps on a fait des colombes blanches, des dizaines, des centaines de petites colombes de coton, accro-chées à des banderoles de couleur agrémentées de phrases charmantes : « Mon souvenir », « Amour éternel », « Je pense à toi », « Aime-moi toujours », « Ne m'oublie pas »... Sa voix s'étouffe dans le bruit strident des petites trompettes, des petits tambours, fabriqués avec de la tripe creuse et de la mie durcie ; dans la foule des gens, les pas des pères qui montent en traînant les pieds, les courses des enfants qui se poursuivent ; dans le vole-au-vent des cloches, dans les clo-chettes, dans l'ardeur du soleil, dans la chaleur des cierges, aveugles à midi, dans l'ostensoir resplendissant... Les cinq hommes opaques s'unissent et ne forment plus qu'un seul corps... Papier de fumée endormie... A distance, ils cessent d'être solides... Ils boivent de la limonade... Un drapeau de limonade... Un drapeau de limonade dans les mains, agitées comme des cris... Patineurs... Camila glisse entre des patineurs invisibles au milieu d'un miroir public qui voit avec indifférence le bien et le mal. Le cosmétique de sa voix odorante laisse un goût douceâtre lorsqu'elle parle pour se défendre : « Non, non, pas ici »... « Mais ici, pourquoi non ? »... « Parce que je suis morte ! »... « Quelle importance ? »... « C'est que... »... « C'est que quoi, dis-moi, quoi ? »... Entre eux deux passe un froid de ciel long et en colonne courent des hommes aux pantalons rouges... Camila sort derrière eux... Il sort derrière elle avec le premier pied qu'il sent bien. La colonne s'arrête brusquement sur un dernier rataplantantpis du tambour... Monsieur le Président s'avance... Etre doré !... Taratata ! Le public recule, tremble... Les hommes aux pantalons rouges sont en train de jouer avec leurs têtes... Bravo ! Bravo ! Encore ! Qu'on recommence ! Comme ils sont adroits ! Les hommes aux pantalons rouges n'obéissent pas à la voix du commandement, ils obéissent à la voix du public et recommencent à jouer avec leurs têtes... Trois temps... Un ! ôter la tête... Deux ! la lancer en l'air pour qu'elle se peigne dans les étoiles... Trois ! la recevoir dans les mains et la remettre en place... Bravo ! Bravo ! Encore une fois ! Qu'ils recommencent ! C'est cela ! Qu'ils recommencent !... Il y a de la chair de poule un peu partout... Peu à peu les voix cessent... On entend le tambour... Tous regardent ce qu'ils ne voudraient pas voir... Les hommes aux pantalons rouges ôtent leurs têtes, les lancent en l'air et ne les reçoivent pas quand elles tombent... Devant deux files de corps immobiles, bras attachés dans le dos, les crânes s'écrasent sur le sol...

Deux coups forts sur la porte réveillèrent Visage d'Ange. Quel horrible cauchemar ! Heureusement, la réalité était différente. Celui qui revient d'un enterrement, celui qui sort d'un cauchemar, éprouvent le même bien-être. Il courut voir qui frappait. Des nouvelles du Général, ou bien un appel urgent du Président ?

— Bonjour...

— Bonjour... répondit le favori à un individu plus grand que lui, à la figure toute rosée, petite, qui, en l'entendant parler, inclina la tête et se mit à le chercher avec ses lunettes de myope...

— Excusez-moi, pouvez-vous me dire si c'est ici qu'habite la dame qui fait la cuisine aux musiciens ? C'est une femme habillée de noir...

Visage d'Ange lui ferma la porte au nez. Le myope continuait à le chercher. Ne le voyant pas, il alla s'enquérir à la maison voisine.

— Au revoir, Tomasita. Portez-vous bien.

— Je vais au marché.

Les deux voix résonnèrent en même temps. Sur le seuil de sa porte, la *Serpente* ajouta :

— Toujours en promenade...

— Que dites-vous là !...

— Attention à ne pas vous faire enlever !

— Comme vous y allez ! Qui voudrait d'un vieux machin !

Visage d'Ange s'en fut ouvrir la porte.

— Comment ça s'est passé ? demanda-t-il à la *Serpente* qui revenait de la Maison d'Arrêt.

— Comme d'habitude.

— Qu'est-ce qu'on raconte ?

— Rien.

— Vous avez vu Vasquez ?

— Vous rigolez. Ils lui ont rentré son déjeuner et le panier est ressorti tel quel.

— Alors, c'est qu'il n'est plus à la Maison d'Arrêt...

— J'avais les jambes qui flageollaient quand j'ai vu qu'on rapportait le panier intact ; mais quelqu'un de là-bas m'a dit qu'on l'avait envoyé travailler à l'extérieur.

— Le Directeur ?

— Non. Lui, cette espèce de brute, je l'ai envoyé paître ; il prétendait me tripoter la figure.

— Comment trouvez-vous Camila ?

— Elle suit son chemin, n'est-ce pas ?... La pauvre petite suit son chemin.

— Elle est très, très malade, n'est-ce pas ?

— Elle, une sacrée veinarde, on voudrait bien partir comme ça, sans connaître la vie !... C'est vous que je plains ; vous devriez aller prier le Christ de la Merci. Pourquoi qu'il vous accorderait pas un miracle ? Moi, ce matin, avant de

m'en aller là-bas, j'ai été lui mettre un cierge et je lui ai dit :
« Ecoute, mon noiraud, je viens te voir car ce n'est pas pour
rien que tu es notre petit père à tous, et il faut que tu
m'écoutes. La vie de cette petite est entre tes mains. Fais
qu'elle ne meure pas. Je l'ai déjà demandé à la Vierge en me
levant, et maintenant je viens te déranger pour la même
chose, je te laisse ce cierge en offrande et je m'en vais
confiante en ton pouvoir, mais je reviendrai tout à l'heure
pour te rappeler ma prière ! »

A moitié endormi, Visage d'Ange se souvenait de sa
vision. Parmi les hommes aux pantalons rouges, le juge, avec
une figure de chouette, s'escrimant sur une lettre anonyme ;
il l'embrassait, la léchait, la mangeait, la déféquait et la
remangeait...

In this chapter we learned more about L'ange and how people escaped merica.

27

Sur le chemin de l'exil

La monture du général Canales dérapait dans la faible lumière du crépuscule, ivre de fatigue, la masse inerte de son cavalier accrochée au pommeau de la selle. Les oiseaux survolaient les frondaisons et les nuages, les montagnes, montant par ici, par-là descendant, descendant par ici, par-là montant, comme ce cavalier avant d'être vaincu par le sommeil et la fatigue, sur des pentes impraticables, dans des rivières larges avec des pierres reposant au fond de l'eau agitée pour aviver le pas de la monture, par des flancs boueux sur lesquels glissaient des dalles frangibles vers des précipices à pic, à travers des forêts inextricables furieuses de ronces, et le long de sentiers de chèvres à légende de sorcières et de voleurs de grands chemins.

La nuit avait la langue pendante. Une lieue de campagne humide. Une ombre sépara le cavalier de sa monture, le conduisit dans une cabane abandonnée et s'en alla sans bruit. Puis elle revint aussitôt ; sans doute était-elle allée par là, sans plus, par là où chantaient les grillons, cricricri ! cricricri ! Elle resta un petit moment dans la baraque et s'évanouit comme fumée. Mais bientôt elle revint. Elle entrait et sortait. Elle s'en allait comme pour faire part de sa trouvaille, et elle revenait comme pour vérifier qu'il était toujours là. Le paysage étoilé suivait ses allées et venues de lézard comme eût fait un chien fidèle, remuant dans le silence nocturne une queue de sons : cricricri ! cricricri !

A la fin, l'ombre demeura dans la cabane. Le vent bondissait de branche en branche. Le jour se levait à l'école nocturne des grenouilles qui apprenaient à lire aux étoiles. Atmosphère de digestion heureuse. Les cinq sens de la lumière. Les choses prenaient forme sous les yeux d'un homme accroupi près de la porte de la cabane, recueilli et timide, impressionné par l'aube et par la respiration régulière du cavalier endormi. Hier soir une ombre, aujourd'hui un homme ; c'était lui qui l'avait aidé à descendre de sa monture. Quand il fit jour, l'homme prépara le feu ; il mit en croix les grosses pierres enfumées de l'âtre, remua les vieilles cendres avec une petite branche de pin et, avec un bâtonnet sec et du bois vert, il alluma le feu. Le bois vert ne brûle pas tranquillement, il jacasse comme un perroquet, sue, se contracte, rit et pleure. Le cavalier se réveilla glacé dans ce qu'il voyait et mal à l'aise dans sa propre peau et il se planta d'un bond sur le pas de la porte, pistolet en main, résolu à vendre chèrement sa vie. Sans se troubler devant le canon de l'arme, l'autre, d'un geste négligent, lui montra le pot de café qui commençait à bouillir. Mais le cavalier ne l'écouta pas. Pas à pas il atteignit la porte — la cabane devait être cernée par des soldats — et il ne trouva que la grande plaine en pleine évaporation de couleur rose. Distance. Savonnement bleu. Arbres. Nuages. Chatouillement de trilles. Sa mule somnolait au pied d'un figuier. Sans bouger les paupières, il resta là à écouter, pour être bien sûr de ce qu'il voyait, et n'entendit que le concert harmonieux des oiseaux et le lent glissement d'un fleuve au débit abondant, qui laissait dans l'atmosphère adolescente le frou-frou presque imperceptible du sucre en poudre tombant dans un pot de café chaud.

— J'espère que tu n'es pas de la police !... murmura l'homme qui l'avait aidé à mettre pied à terre, s'efforçant de cacher quarante ou cinquante épis de maïs derrière lui.

Le cavalier leva les yeux pour voir son compagnon. Il remua la tête de gauche à droite, la bouche collée à son écuelle.

— *Tatita*[1] !... murmura l'autre en dissimulant sa satisfaction et en laissant errer dans la pièce ses regards de chien perdu.

— Je suis un fugitif...

L'homme cessa de cacher ses épis de maïs et s'approcha du cavalier pour lui servir encore un peu de café. De douleur, Canales pouvait à peine parler.

— La même chose que moi, monsieur ; moi, je fuis parce que je suis allé voler du maïs. Mais je ne suis pas un voleur ; le terrain était à moi et ils me l'ont pris avec les mules...

Le général Canales fut intéressé par la conversation de l'Indien qui devait lui expliquer comment on peut voler sans être un voleur.

— Tu vas voir, Tatita, que je vole sans être un voleur de métier, car moi, avant d'être comme tu me vois, j'étais propriétaire d'un petit terrain tout près d'ici et de huit mules. J'avais ma maison, ma femme et mes fils et j'étais honnête homme comme toi...

— Oui, et après ?...

— Il y a maintenant trois ans[2], le Commissaire politique, venu pour la fête de Monsieur le Président, m'ordonna d'aller lui porter des pins avec mes mules. Je les portai, monsieur. Que pouvais-je faire d'autre ?... A mon arrivée, en voyant mes mules, il me fit mettre en prison, au secret, puis, avec le maire, un ladino, ils se partagèrent mes bêtes ; et, comme je réclamais ce qui était mon bien, le fruit de mon travail, il me dit que j'étais un abruti et que, si je ne fermais pas ma gueule, il allait me faire mettre aux fers. « C'est très bien, monsieur le Commissaire, lui dis-je, tu feras ce que tu voudras de moi, mais les mules m'appartiennent. » Je ne pus en dire plus, Tatita, parce qu'avec son ceinturon il me donna

1. Petit père. Terme de respect des Indiens parlant aux Blancs. Dans le texte original, l'Indien s'exprime dans un espagnol déformé, phonétiquement et syntaxiquement, qui est celui des Indiens du Guatemala et de bien des gens du peuple mais à un degré moindre.
2. Comme nous le disions dans la note précédente, la traduction ne saurait donner une idée de la réalité linguistique du discours de l'Indien.

un tel coup sur la tête que, pour un peu, j'en serais mort.

Un sourire amer apparaissait et disparaissait sous la moustache du vieux militaire en disgrâce. L'Indien continua sans hausser la voix, sur le même ton :

— Quand je sortis de l'hôpital, on vint du village me prévenir qu'on avait emmené mes fils en taule et que, pour trois mille pesos, on les relâcherait. Mes fils étaient jeunets, j'ai couru chez le commandant pour le supplier de les garder prisonniers, de ne pas les envoyer à la caserne, que j'allais engager mon terrain pour payer les trois mille pesos. Je suis allé jusqu'à la capitale, et là-bas un avocat établit, d'accord avec un monsieur étranger, des papiers constatant qu'ils me prêtaient trois mille pesos sur hypothèque. Ils ont lu ça, mais ce n'est pas ce qu'ils ont mis sur le papier. Peu après, ils m'envoyèrent un employé du Tribunal m'ordonner de déguerpir parce que mon terrain n'était plus à moi puisque je l'avais vendu pour trois mille pesos à un monsieur étranger. Je jurai par Dieu que ce n'était pas vrai, mais ce n'est pas moi qu'ils crurent, c'est l'avocat, et je fus obligé d'abandonner mon terrain pendant que mes fils, malgré les trois mille pesos qu'on m'avait pris, on les envoyait en caserne ; l'un est mort en gardant la frontière, l'autre a déserté, c'est comme s'il était mort, et leur maman, ma femme, est morte de paludisme. Et c'est pour ça, pour ça que je vole, monsieur, même si l'on doit me tuer à coups de bâton ou me jeter en prison.

— ... Et c'est cela que nous, les soldats, nous défendons !

— Quoi tu dis, Tatita ?

Dans le cœur du vieux Canales se déchaînaient les sentiments qui accompagnent les tempêtes que soulève l'injustice dans l'âme de l'homme de bien. Il avait mal à son pays comme si son sang s'était pourri. Il lui faisait mal au dehors et jusqu'à la moelle, à la racine des cheveux, sous les ongles, entre les dents. La réalité ? N'avoir jamais pensé avec sa tête, mais toujours avec son képi ! Servir pour maintenir au pouvoir une caste de voleurs, d'exploiteurs et de mercantis du patriotisme, divinisés, c'est plus triste, parce qu'infâme, que de mourir de faim dans l'ostracisme. De quel droit exiget-on de nous, militaires, la loyauté envers des régimes déloyaux qui trahissent l'idéal, le pays, la race ?...

L'Indien contemplait le général Canales comme un fétiche étrange, sans comprendre les quelques paroles qu'il disait.

— Allons-nous-en, Tatita... la patrouille montée va venir.

Canales lui proposa de passer avec lui dans l'Etat voisin ; et l'Indien, qui sans son terrain était comme un arbre déraciné, accepta. La paie était bonne.

Ils sortirent de la cabane sans éteindre le feu. Chemin ouvert à coups de machette dans la forêt. En avant se perdent les traces d'un jaguar. Ombre. Lumière. Ombres. Lumière. Couture de feuilles. Derrière eux, ils virent la cabane flamber comme un météore. Midi. Nuages immobiles. Arbres immobiles. Désespoir. Eblouissement blanc. Des pierres et encore des pierres. Insectes. Ossements propres, chauds, comme du linge intime frais repassé. Ferments. Tourbillon d'oiseaux étourdis. Eau altérée. Tropique. Variation sans heures, chaleur égale, égale toujours, toujours.

Le Général portait, en guise de pare-soleil, son mouchoir sur la nuque. A côté de lui, au pas de la mule, cheminait l'Indien.

— Je pense qu'en marchant toute la nuit nous pourrons arriver demain matin à la frontière, et il serait bon que nous nous risquions un peu sur le Chemin Royal, car il faut que je passe aux « Aldeas », chez des amies...

— Tata, que vas-tu faire ? Sur le Chemin Royal, la patrouille montée va te surprendre.

— Un peu de courage. Suis-moi car celui qui ne risque rien n'a rien, et ces amies peuvent nous être très utiles.

— Non, tata, je t'en prie !

Et l'Indien ajouta en sursautant :

— Tu entends, tu entends, tata ?

Un galop de chevaux s'approchait, mais bientôt le vent tomba et alors, comme s'ils rebroussaient chemin, il resta peu à peu en arrière.

— Tais-toi !

— C'est la patrouille, tata, je sais ce que je dis, et maintenant il n'y a plus qu'à prendre par ici, bien que nous ayons à faire un grand détour pour arriver aux « Aldeas ».

Derrière l'Indien, le Général obliqua par un chemin de traverse. Il lui fallut mettre pied à terre et descendre en tirant la mule. Au fur et à mesure que le ravin les engloutissait, ils se sentaient, comme dans la coquille d'un escargot, plus à l'abri de la menace qui se resserrait sur eux. Il fit sombre très vite. Les ombres s'accumulaient au fond du ravin endormi. Arbres et oiseaux semblaient des signes mystérieux dans le vent qui allait et venait en un va-et-vient continuel et paisible. Une traînée de poussière rougeâtre près des étoiles, voilà tout ce qu'ils virent de la patrouille : elle passait au galop à l'endroit qu'ils venaient de quitter.

Ils avaient marché toute la nuit.

— En haut de la grimpette, nous verrons « Les Aldeas », patron !

L'Indien partit en avant avec la monture pour prévenir les amies de Canales, trois sœurs célibataires qui passaient leur vie en allant de cantiques en angines, de neuvaines en maux d'oreilles, de névralgies en points-de-côté. Elles déjeunèrent de la nouvelle. Pour un peu, elles se seraient évanouies. Elles reçurent le Général dans la chambre à coucher. Le salon ne leur inspirait pas confiance. Ce n'est pas pour dire mais dans les villages, les visiteurs entrent sans façon en criant « *Ave Maria* », jusqu'à la cuisine. Le militaire leur raconta ses malheurs d'une voix posée, sourde, essuyant une larme à l'évocation de sa fille. Elles, elles pleuraient, affligées, si affligées que, sur le moment, elles en oublièrent leur propre chagrin, la mort de leur mère dont elles portaient le grand deuil.

— Eh bien ! on arrangera votre fuite, au moins le passage de la frontière. Je vais aller aux renseignements chez les voisins... C'est le moment de se rappeler ceux qui font de la contrebande... Ah ! je sais ! Les gués praticables sont presque tous gardés par l'Autorité...

L'aînée, qui parlait ainsi, interrogea ses sœurs des yeux.

— Oui, nous nous chargeons d'organiser la fuite, comme dit ma sœur, Général ; et comme je ne crois pas qu'il serait mauvais que vous emportiez quelques provisions, je m'en vais les préparer.

Et à ces paroles de la cadette, chez qui le choc avait chassé jusqu'au mal de dents, la benjamine ajouta :

— Et comme vous allez passer la journée ici avec nous, moi je reste bavarder avec vous pour que vous ne soyez pas si triste.

Le Général regarda les trois sœurs avec reconnaissance — ce qu'elles faisaient pour lui n'avait pas de prix — les priant à voix basse de lui pardonner un tel dérangement.

— Général, il ne manquerait plus que cela !

— Non, Général, pas un mot de plus !

— Mes petites, je comprends, je le comprends, mais je sais que je vous compromets en restant chez vous !

— Oh ! vous savez, les amis... figurez-vous que depuis la mort de maman...

— Et, dites-moi, de quoi est morte votre mère ?

— Ma sœur va vous le raconter ; nous, nous allons vaquer à nos affaires... répondit l'aînée ; puis elle soupira. Sous son manteau elle dissimulait son corset roulé et alla le mettre à la cuisine, où la cadette préparait les provisions parmi les gorets et la volaille.

— Il ne fut pas possible de la transporter à la capitale et, ici, on n'a pas su trouver sa maladie ; vous savez bien comment ça se passe, Général. Elle a été malade, bien malade, pauvrette. Elle est morte en pleurant, parce qu'elle nous laissait seules au monde. Par force... Mais voyez ce qui nous arrive ; nous n'avons matériellement pas de quoi payer le médecin qui nous réclame, pour quinze visites, à peu près la valeur de cette maison : tout l'héritage de notre père. Excusez-moi un moment, je vais voir ce que veut votre domestique...

Quand la benjamine fut sortie, Canales s'endormit. Yeux clos, corps de plume...

— Que veux-tu, mon garçon ?

— Pour l'amour de Dieu, dis-moi où je pourrais me soulager.

— Là-bas, tu vois... avec les cochons.

La paix provinciale tissait le sommeil du militaire endormi. Gratitude des champs ensemencés, tendresse des lopins verts et des fleurettes toutes simples. La matinée passa avec la peur des perdrix que les chasseurs arrosaient de petit plomb, avec un enterrement que le curé arrosait d'eau bénite et avec les farces d'un jeune bœuf remuant et gambadeur. Dans la cour des vieilles filles, il y eut dans les pigeonniers des événements d'importance ! La mort d'un séducteur, un mariage et trente accouplements sous le soleil... Pour ainsi dire rien !

Pour ainsi dire rien ! sortaient dire les colombes aux fenêtres de leurs pigeonniers ; pour ainsi dire rien !...

A midi, les trois sœurs réveillèrent le Général pour déjeuner. Riz au piment. Bouillon de bœuf. Pot-au-feu. De la poule. Des haricots. Des bananes. Du café.

— *Ave Maria !*

La voix du Commissaire politique interrompit le déjeuner.

Les vieilles filles pâlirent sans savoir que faire. Le Général se cacha derrière une porte.

— Ne vous effrayez pas tant, petites ; je ne suis pas le diable aux onze mille cornes ! Ah ! sapristi, la peur qu'elles ont de moi, qui ai tant de sympathie pour elles !

Les pauvres en perdirent la parole.

— Et... elles ne vous disent même pas d'entrer et de vous asseoir... même par terre !

La cadette offrit une chaise à la première autorité du village.

— ...ci beaucoup ! Mais qui donc mangeait avec vous ? Je vois trois assiettes servies, et la quatrième ?...

Toutes trois fixèrent en même temps l'assiette du Général.

— C'est que... vraiment... bredouilla l'aînée qui n'arrêtait pas de s'étirer les doigts tant elle était gênée.

La puînée vint à son aide :

— Nous ne saurions pas vous expliquer pourquoi, mais,

quoique maman soit morte, nous continuons à mettre son couvert afin de nous sentir moins seules !

— Ma parole, vous allez devenir spirites !

— Et qu'est-ce que nous vous offrons, Commandant ?

— Que Dieu vous le rende ! Mais ma femme vient de me donner à manger, et si je ne suis pas allé faire ma sieste, c'est parce que j'ai reçu un télégramme du Ministère de l'Intérieur avec ordre de vous poursuivre si vous ne payez pas le médecin.

— Mais, Commandant, ce n'est pas juste, vous voyez bien que ce n'est pas juste.

— Je n'en disconviens pas que ce n'est pas juste, mais comme là où Dieu commande, le Diable se tait...

— Bien entendu !... s'écrièrent toutes les trois les larmes aux yeux.

— Venir vous affliger me fait de la peine ; mais voilà, et vous le savez déjà : neuf mille pesos, la maison ou...

Dans la manière dont il fit demi-tour, dans la façon dont il leur tourna le dos, un dos qui semblait un tronc d'arbre, était toute l'abominable résolution du médecin.

Le Général les entendait pleurer. Elles fermèrent la porte de la rue au verrou et avec une barre, craignant que le Commandant ne revînt. Les larmes s'écrasaient dans les assiettes de poulet.

— Que la vie est donc amère, Général ! Que vous êtes heureux, vous qui partez de ce pays pour ne jamais revenir.

— Et de quoi vous menace-t-on ? demanda Canales à l'aînée qui, sans essuyer ses pleurs, dit à ses sœurs :

— Racontez-le, l'une ou l'autre...

— De sortir maman de son tombeau... balbutia la cadette.

Canales regarda les trois sœurs et s'arrêta de mâcher.

— Comment ça ?

— Comme vous l'entendez, de tirer maman hors de sa tombe.

— Mais c'est inique !

— Raconte-lui !

— Oui. Il faut que vous sachiez, Général, que le médecin du village est une crapule de la pire espèce, on nous l'avait bien dit, mais comme l'expérience est une chose qu'on fait soi-même, nous nous sommes laissé avoir. Que voulez-vous ? On a peine à croire qu'il existe des gens aussi méchants...

— Encore des radis, Général ?...

La puînée avança le plat et, pendant que Canales se servait, la cadette continua de raconter :

— Et il nous a eues. Son astuce consiste à faire faire un caveau quand il a un malade gravement atteint, et comme ce à quoi les parents pensent le moins c'est la sépulture, quand vient le dénouement, c'est ce qui s'est passé pour nous, plutôt que de laisser mettre maman à même la terre, nous avons accepté une des places de son caveau, sans savoir à quoi nous nous exposions...

— Comme nous sommes des femmes seules !... observa l'aînée, la voix coupée de sanglots.

— A recevoir une note d'honoraires telle, Général, que le jour où il nous l'a présentée pour un peu nous nous évanouissions toutes les trois. Neuf mille pesos pour quinze visites, neuf mille pesos, cette maison, parce qu'il se marie, ou...

— Ou... si nous ne le payons pas, il a dit à ma sœur — oh ! c'est intolérable ! — que nous sortions notre merde de son caveau !

Canales donna un coup de poing sur la table :

— Sale petit médicastre !

Et il retourna le poing — assiettes, couverts et verres, tout tintait —, ouvrant et fermant les doigts comme pour étrangler non seulement ce bandit diplômé, mais tout un système social qui le faisait aller de honte en honte. « C'est pour cela, pensait-il, qu'on promet aux humbles le Royaume des Cieux, bondieuseries, pour qu'ils supportent tous ces coquins sans se rebeller. Eh bien ! non ; assez de ce Règne des Chameaux ; je ferai la révolution totale de bas en haut, de haut en bas ! Le peuple doit se soulever contre tant d'exploiteurs, de viveurs diplômés, de fainéants qui feraient mieux de travailler la terre. Il faut que chacun démolisse

quelque chose... Chacun... Démolir... Démolir... Démolir...
Et qu'il ne reste plus un seul de ces fantoches debout. »

On fixa le départ à dix heures du soir, d'accord avec un
contrebandier ami de la maison. Le Général écrivit plusieurs
lettres, dont une urgente pour Camila. Il n'y eut pas d'adieu.
Les montures s'éloignèrent, les sabots enveloppés dans des
chiffons. Collées contre le mur, les trois sœurs pleuraient
dans l'ombre d'une ruelle obscure. Comme il débouchait dans
la grand'rue, une main arrêta le cheval du Général. On entendit des pas traînants.

— Quelle peur je viens d'avoir, murmura le contrebandier ; j'en ai perdu le souffle ! Mais il n'y a rien à craindre ;
ces gens-là vont là-bas où ce que le docteur doit donner la
sérénade à sa poule.

Une torche de pin allumée au bout de la rue joignait et
séparait, dans les langues de son éclat lumineux, les ombres
des maisons et des arbres, et les têtes de cinq ou six hommes
groupés au pied d'une fenêtre.

— Lequel d'entre eux est le médecin ? demanda le Général, son pistolet à la main.

Le contrebandier retint le cheval, leva le bras et désigna
du doigt l'homme à la guitare. Un coup de feu déchira l'air
et, comme une banane détachée du régime, un homme tomba.

— Ouille, ouille... qu'avez-vous fait !... Fuyons, allons...
Ils vont nous attraper... allons... enfoncez vos éperons !...

— C'est... ce que... tous... nous devrions... faire... pour...
mettre de l'ordre dans... ce peuple... dit Canales, la voix entre-
coupée par le galop de son cheval.

Le pas des bêtes réveilla les chiens, les chiens réveillèrent
les poules, les poules les coqs, les coqs les gens, ces gens
qui revenaient à la vie sans plaisir, en bâillant, en s'étirant,
avec crainte...

La patrouille vint chercher le cadavre du médecin. Des
maisons voisines, on sortit avec des lanternes. La bénéficiaire
de la sérénade ne pouvait pleurer et, tout étourdie par le
choc, à moitié nue, une lanterne chinoise à la main, livide,
elle laissait son regard se perdre dans la noirceur de la nuit
assassine.

— On arrive à la rivière, mon Général, mais l'endroit par où on va passer, on y passe si on est un homme pour de vrai... c'est moi qui vous le dis ! Ah ! Vie, si tu étais éternelle !...

— Qui parle de peur ? répondit Canales en se redressant sur un cheval noir.

— Voyez-vous ça ! Ah, on a des ailes au train quand on vous poursuit ! Cramponnez-vous bien à moi, que je n'aille pas vous perdre !

Le paysage était diffus, l'air tiède, parfois glacé comme s'il était en verre. Le bruit de la rivière à son passage couchait les roseaux.

Par un ravin ils descendirent en courant, à pied. Le contrebandier avait caché les bêtes dans un lieu repéré pour les récupérer au retour. Des taches de rivière reflétaient parmi les ombres la lumière du ciel constellé. Une étrange végétation flottait, une végétation d'arbres piqués de variole verte, aux yeux couleur de talc et aux blanches dents. L'eau bouillonnait à leurs côtés, endormie, crémeuse, avec une odeur de grenouille...

D'îlot en îlot le contrebandier et le Général sautaient, tous deux pistolet en main, sans mot dire. Leurs ombres les poursuivaient comme des caïmans. Les caïmans comme leurs ombres. Des nuées d'insectes les piquaient. Poison ailé dans le vent. Ça puait la mer, la mer pêchée dans un filet de forêt avec tous ses poissons, ses étoiles, ses coraux, ses madrépores, ses abîmes, ses courants... Les mousses au-dessus de leurs têtes balançaient de longues baves de poulpe, comme un ultime signe de vie. Les fauves eux-mêmes ne se risquaient pas dans ces parages. Canales tournait la tête de tous côtés, perdu au milieu de cette nature fatidique, inabordable et destructrice comme l'âme de sa race. Un caïman, qui sans doute avait goûté à la chair humaine, attaqua le contrebandier ; celui-ci eut le temps de sauter, tandis que le Général, pour se défendre, voulut revenir en arrière et s'arrêta comme sur le bord d'un éclair en voyant un autre saurien qui l'attendait, mâchoires ouvertes. Instant décisif. L'engourdissement de son dos lui envahit tout le corps. Il sentit sur le visage son

cuir chevelu. Il avait la langue paralysée. Il serra les poings.
Trois coups de feu se succédèrent en une seconde et l'écho les
répétait quand, profitant de la fuite de l'animal qui lui cou-
pait le passage, Canales sauta, sain et sauf. Le contrebandier
tira d'autres coups de feu. Le Général, remis de sa peur,
courut lui serrer la main et se brûla les doigts sur le canon
de l'arme que l'autre brandissait.

L'aube pointait quand ils se séparèrent à la frontière. Sur
l'émeraude de la campagne, sur les montagnes aux bois
touffus que les oiseaux transformaient en boîtes à musique,
ainsi que sur les forêts, passaient les nuages en forme de
crocodiles, portant sur leurs dos des trésors de lumière.

Camila becomes sick and a boy is sent to inform Angel that her condition is getting worse.

DES SEMAINES, DES MOIS, DES ANNÉES...

28

Voix dans l'ombre

La première voix :
— Quel jour ça peut bien être, aujourd'hui ?
    La deuxième voix :
— C'est vrai, dites donc, quel jour ?
    La troisième voix :
— Attendez... Moi, on m'a arrêté le vendredi : vendredi... samedi... dimanche... lundi... lundi... Mais depuis combien de temps suis-je ici ?... C'est pourtant vrai, dites donc, quel jour ?
    La première voix :
— Il me semble... Vous savez quoi ?... Que nous sommes très loin, très loin...
    La deuxième voix :
— On nous a oubliés dans une tombe du vieux cimetière, enterrés pour toujours.
    La troisième voix :
— Ne parlez pas comme ça !
    Les deux premières voix :
— Ne par...
— ...lons pas comme ça !
    La troisième voix :
— Mais ne vous taisez pas ! Le silence me fait peur, j'ai peur, il me semble qu'une main allongée dans l'ombre va me saisir à la gorge pour m'étrangler.
    La deuxième voix :
— Parlez, vous, que diable ! Racontez-nous comment va la ville, vous qui êtes le dernier à l'avoir vue ; que deviennent les gens, comment va le monde ?... Par moments, je m'imagine que la ville entière est restée dans les ténèbres comme nous,

prise entre de très hautes murailles, ses rues dans la boue morte de tous les hivers. Je ne sais pas s'il en est de même pour vous, mais à la fin de l'hiver, je souffrais à la pensée que la boue allait sécher. Il me vient une maudite envie de manger quand je parle de la ville, j'ai envie de pommes de Californie...

La première voix :

— Autant dire de l'o...range en barre. Quant à moi, je me contenterais d'une bonne tasse de thé chaud !

La deuxième voix :

— Et penser que dans la ville tout doit aller son train ordinaire, comme s'il ne se passait rien, comme si nous n'étions pas ici, enfermés ! Le tramway doit continuer à rouler. Quelle heure peut-il être avec tout ça ?

La première voix :

— A peu près...

La deuxième voix :

— Je n'en ai pas la moindre idée...

La première voix :

— Il doit être à peu près...

La troisième voix :

— Parlez, continuez à parler, ne vous taisez pas, pour l'amour de ce que vous aimez le plus au monde, car le silence me fait peur, j'ai peur, il me semble qu'une main allongée dans l'ombre va me saisir à la gorge pour m'étrangler !

Et elle ajouta avec angoisse :

— Je ne voulais pas vous le dire, mais j'ai peur qu'on nous batte...

La première voix :

— Vous aviez bien besoin de l'ouvrir ! Ce doit être si dur de recevoir le fouet !

La deuxième voix :

— Ceux qui ont subi le fouet en ressentiront l'affront jusqu'à la troisième génération.

La première voix :

— Vous ne dites que des blasphèmes, mieux vaut vous taire !

La deuxième voix :

— Pour les sacristains, tout est péché...

La première voix :

— Pensez-vous ! On vous a bourré le crâne.

La deuxième voix :

— Je dis que, pour les sacristains, tout est péché dans l'œil d'autrui !

La troisième voix :

— Parlez, continuez à parler, ne vous taisez pas, pour l'amour de ce que vous aimez le plus au monde ! Car le silence me fait peur, j'ai peur, il me semble qu'une main allongée dans l'ombre va nous saisir à la gorge pour nous étrangler !

Dans la geôle où les mendiants avaient passé une nuit, demeuraient prisonniers l'étudiant et le sacristain, en compagnie maintenant de l'avocat Abel Carvajal.

— Mon arrestation, racontait Carvajal, s'est effectuée dans des conditions très inquiétantes pour moi. Le matin, la bonne, qui était sortie acheter du pain, revint avec la nouvelle que la maison était cernée par des soldats. Elle alla le dire à ma femme, ma femme me le répéta, mais je n'y fis pas attention, pensant qu'on venait sans doute arrêter quelque contrebandier d'eau-de-vie. Je finis de me raser, pris mon bain, déjeunai et m'habillai pour aller féliciter Monsieur le Président. J'étais sur mon trente et un.

« Holà, collègue, quel miracle ! » dis-je au Président du Tribunal Spécial, que je trouvai en grand uniforme sur le pas de ma porte. « Je passe vous prendre, me répondit-il, et dépêchez-vous, il est déjà tard ! » Je fis avec lui quelques pas et, comme il me demandait si je ne soupçonnais point pour quel motif les soldats entouraient ma maison, je lui répondis que non. « Eh bien ! je vais vous le dire, Sainte-Nitouche, me répondit-il : ils viennent vous arrêter. » Je vis à son visage qu'il ne plaisantait pas. Un officier me prit alors pas le bras et m'emmena sous bonne escorte. Ils jetèrent ma carcasse dans cette cellule, en habit et haut de forme.

Après une pause, il ajouta :

— Allons, parlez, le silence me fait peur, j'ai peur !...

— Hé ! là ! hé ! là ! Qu'est-ce que c'est que ça ? cria

l'étudiant. Le sacristain a la tête froide comme une pierre meulière.

— Pourquoi dites-vous ça ?

— Parce que je suis en train de le palper et qu'il ne sent plus rien, tiens !

— Moi ? Sûrement pas, attention à ce que vous dites !

— Qui donc, alors ? Vous, Maître ?

— Non...

— Alors, il y a... il y a un mort parmi nous ?

— Non, non, ce n'est pas un mort, c'est moi...

— Mais, qui êtes-vous ?... demanda l'étudiant. Vous êtes diablement gelé !

        Une voix très faible :

— L'un de vous.

        Les trois premières voix :

— Ahhhh !

Le sacristain raconta à l'avocat Carvajal l'histoire de son malheur :

— Je sortis de la sacristie — et il se voyait sortant de la sacristie bien rangée, sentant les encensoirs éteints, les vieux bois, l'or des ornements, les cheveux des morts. — Je traversai l'église — et il se voyait traversant l'église, impressionné par la présence du Saint-Sacrement, par l'immobilité des veilleuses et la mobilité des mouches — et m'en fus ôter du portail l'avis de la neuvaine de la Vierge de la O, sur l'ordre d'un membre de la confrérie, et parce que la neuvaine était terminée. Mais, pour mon malheur, comme je ne sais pas lire, au lieu de cet avis j'arrachai le papier du jubilé de la mère de Monsieur le Président, à l'intention de qui était exposé le Saint-Sacrement... On m'arrêta et on me mit dans cette cellule comme révolutionnaire !

Seul l'étudiant taisait les motifs de son emprisonnement. Parler de ses poumons malades le faisait moins souffrir que dire du mal de son pays. Il se complaisait dans ses maux physiques, afin d'oublier qu'il avait vu le jour dans un naufrage, qu'il avait vu la lumière parmi des cadavres, qu'il avait ouvert les yeux dans une école sans fenêtres où, dès son arrivée, on avait éteint en lui la petite lueur de la foi, sans la remplacer par rien : obscurité, chaos, confusion, mélancolie astrale de châtré. Et, peu à peu, il mâchonna le poème des générations sacrifiées :

Nous visitons les ports du non-être
sans lumière dans la mâture de nos bras,
mouillés de larmes, la peau salée,
comme reviennent de la mer les marins.

J'aime ta bouche dans ton visage — baiser ! —
et dans ma main ta main — ... hier encore... —
Ah, en vain la vie repasse
par la froide rivière de notre cœur !

Déchirée la besace et l'essaim dispersé
les abeilles ont fui tels des bolides
dans l'espace — ... pas encore... —
La rose des vents sans un pétale...
Le cœur allait sautant des tombes.

Ah, crin-crin-crin, charrette qui roule et roule !...
Dans la nuit sans lune vont les chevaux
couverts de roses jusqu'aux sabots,
on dirait qu'ils reviennent des astres
mais c'est seulement du cimetière.

Ah, crin-crin-crin, charrette qui roule et roule,
funiculaire de pleurs, crin-crin-crin,
entre des sourcils de plume, crin-crin-crin !...

Enigmes d'aurores dans les étoiles,
détours d'illusion dans la défaite,
et combien loin du monde, et combien tôt...

Pour atteindre les plages des paupières,
des vagues de larmes luttent en haute mer.

— Parlez, continuez de parler, dit Carvajal après un long silence. Continuez de parler !

— Parlons de la liberté, murmura l'étudiant.

— En voilà une idée ! intervint le sacristain, parler de la liberté en prison !...

— Les malades ne parlent pas de santé à l'hôpital, peut-être !

La quatrième voix intervint soudain :

— ...Il n'y a pas d'espoir de liberté, mes amis, nous sommes condamnés à supporter cela tant que Dieu voudra. Les citoyens qui aspiraient au bonheur de la patrie sont loin ; les uns demandent l'aumône sur une terre étrangère, d'autres pourrissent dans une fosse commune. Un de ces jours, les rues vont se fermer, horrifiées. Les arbres ne donnent plus de fruits comme avant. Le maïs ne nourrit plus. L'eau ne rafraîchit plus. L'air devient irrespirable. Nous ne connaissons plus le repos. Les plaies succèdent aux pestes, les pestes aux plaies et bientôt un tremblement de terre viendra tout anéantir. Qu'il vienne, car nous sommes un peuple maudit. Les voix du ciel nous crient avec le tonnerre : « Vils ! Immondes ! Complices de l'iniquité ! » Sur les murs des prisons, des centaines d'hommes ont laissé les traces de leur cervelle que firent éclater les balles des assassins. Le marbre des palais est encore humide du sang des innocents. De quel côté tourner les yeux pour apercevoir la liberté ?

Le sacristain :

— Vers Dieu qui est tout-puissant !

L'étudiant :

— A quoi bon ! Il ne répond pas...

Le sacristain :

— Parce que c'est là Sa Très Sainte Volonté...

L'étudiant :

— Quel dommage !

La troisième voix :

— Parlez, continuez de parler, ne vous taisez pas ! Pour l'amour de ce que vous avez de plus cher au monde, car le silence me fait peur, j'ai peur, il me semble qu'une main allongée dans l'ombre va nous saisir à la gorge pour nous étrangler !

— Mieux vaut prier...

La voix du sacristain emplit de résignation chrétienne l'air de la cellule. Carvajal qui, parmi ceux de son quartier, passait pour libéral et mangecurés, murmura :

— Prions...

Mais l'étudiant s'interposa :

— Ça ne rime à rien. Au lieu de prier, essayons de forcer cette porte et d'aller vers la révolution.

Deux bras qu'il ne voyait pas le serrèrent fortement, et il sentit sur sa joue la brosse d'une petite barbe mouillée de larmes :

— Vieux maître du Collège Saint-Joseph, tu peux mourir tranquille. Tout n'est pas perdu dans un pays où la jeunesse parle ainsi.

La troisième voix :

— Parlez, continuez de parler, continuez de parler !

29

Conseil de guerre

Le dossier du procès intenté contre Canales et Carvajal pour
sédition, rébellion et trahison avec toutes les circonstances
aggravantes, s'enflait tant de feuillets qu'il était impossible
de le lire d'une seule traite. Quatorze témoins unanimes
juraient que, se trouvant, la nuit du 21 avril, Porte du Seigneur, lieu où habituellement ils se réfugiaient pour dormir
parce qu'ils étaient pauvres, ils avaient vu le général Eusebio
Canales et l'avocat Abel Carvajal se jeter sur un militaire
en qui, après identification, on reconnut le colonel José
Parrales Sonriente, et l'étrangler malgré la résistance que
celui-ci leur opposa dans une lutte corps à corps où il se
battit comme un lion sans pouvoir se défendre avec ses armes,
ayant été assailli par des forces supérieures aux siennes et par
surprise. Ils déclaraient, de plus, qu'une fois le crime commis,
l'avocat Carvajal avait dit en s'adressant au général Canales :
« Maintenant que nous avons supprimé *l'homme à la petite
mule*, les chefs militaires ne verront plus d'inconvénient à
remettre leurs armes et à vous reconnaître, vous, Général,
comme Chef Suprême de l'Armée. Courons donc, car le jour
peut venir, et portons-en la nouvelle à ceux qui sont réunis
chez moi, afin que l'on procède à l'arrestation et à l'exécution
du Président de la République, puis à l'organisation d'un
nouveau gouvernement. »

Carvajal n'en revenait pas ; chaque page du dossier lui
réservait une surprise. Plus exactement, ça lui donnait envie
de rire. Mais les charges étaient trop graves pour en plaisanter. Et il continuait à lire. Il lisait à la lumière d'une
fenêtre donnant sur une cour étroite, dans la petite salle,

dépourvue de meubles, des condamnés à mort. Cette nuit se réunirait le Conseil de Guerre des Officiers généraux qui allait juger l'affaire, et on l'avait laissé là tout seul, avec l'acte d'accusation, afin qu'il préparât sa défense. Mais on avait attendu le dernier moment. Il tremblait. Il lisait sans comprendre ni s'arrêter, tenaillé par l'ombre qui dévorait le manuscrit, cendre humide qui se désagrégeait peu à peu dans ses mains. Il ne réussit pas à lire grand-chose. Le soleil se coucha, la lumière devint floue et une angoisse d'astre qui se perd lui brouilla les yeux. La dernière ligne, deux mots, une formule, une date, la page... Vainement, il tenta de voir le numéro de la page. Semblable à une tache d'encre noire, la nuit se répandait sur les feuillets, et, exténué, il s'affala sur le dossier, comme si au lieu de le lire on le lui avait attaché au cou avant de le jeter dans un abîme. Les chaînes des prisonniers de droit commun résonnaient le long des cours perdues et, plus loin, on percevait le bruit étouffé des véhicules dans les rues de la ville.

— Seigneur, mes pauvres chairs glacées ont plus besoin de chaleur et mes yeux ont plus besoin de lumière que tous les hommes réunis de l'hémisphère que le soleil va éclairer maintenant. S'ils connaissaient ma peine, plus charitables que toi, mon Dieu, ils me rendraient le soleil afin que je finisse de lire...

Au toucher, il comptait et recomptait les pages qu'il n'avait pas lues. Quatre-vingt-onze. Et il passait et repassait le bout de ses doigts sur le visage des feuillets à gros grains, tentant, dans son désespoir, de lire comme les aveugles.

La veille, on l'avait transféré de la Deuxième Section de Police à la Prison Centrale, avec un grand déploiement de force, dans une voiture fermée, en pleine nuit ; cependant, il fut si content de se voir dans la rue, de s'entendre dans la rue, de se sentir dans la rue, que l'espace d'un instant il crut qu'on le ramenait chez lui : les mots se diluèrent dans sa bouche amère, entre le chatouillement et les larmes.

Les sbires le trouvèrent avec l'acte d'accusation dans les bras et le caramel des rues humides dans la bouche. Ils lui arrachèrent les papiers et, sans lui adresser la parole, le poussèrent vers la salle où était réuni le Conseil de Guerre.

— Mais, Monsieur le Président, osa dire Carvajal au Général qui présidait le Conseil, comment pourrais-je me défendre, si on ne m'a même pas donné le temps de lire l'acte d'accusation ?

— Nous n'y pouvons rien, répondit l'autre ; les délais légaux sont courts, les heures passent et l'affaire est urgente. On nous a réunis pour marquer au « fer ».

Tout ce qui suivit fut pour Carvajal un rêve, moitié rite, moitié bouffonnerie. Il en était le principal acteur et les regardait tous, du haut de la balançoire de la mort, impressionné par le vide hostile qui l'entourait. Mais il n'avait pas peur, il n'éprouvait rien, ses inquiétudes s'effaçaient sous sa peau engourdie. Il passerait pour courageux. La table du tribunal était recouverte d'un drapeau, comme l'exige le règlement. Uniformes militaires. Lecture de documents. Beaucoup de papiers. Serments. Le Code militaire comme un pavé sur la table, sur le drapeau. Les mendiants occupaient les bancs des témoins. Pattecreuse, avec une figure réjouie d'ivrogne, raide, peigné, frisé, édenté, ne perdait pas un mot de ce qu'on disait, ni un geste du Président du Tribunal. Salvador le Tigre suivait le Conseil avec une dignité de gorille, tout en curant ses narines aplaties ou ses dents granuleuses dans sa bouche accrochée à ses oreilles. La Veuve, grand, osseux, sinistre, tordait son visage dans une moue de cadavre pour sourire aux membres du Tribunal. Lulo, replet, ridé, nain, avec des accès de rire et de colère, d'affection et de haine, fermait les yeux et se bouchait les oreilles afin que l'on sût qu'il ne voulait rien voir ni entendre de ce qui se passait là. *Don Juan à la jaquette courte*, engoncé dans son indispensable redingote, menu, préoccupé, sentant la famille bourgeoise dans ses habits à moitié démodés — nœud papillon taché de sauce tomate, souliers vernis éculés, manchettes postiches, plastron mobile et, dernière touche d'une élégance de grand seigneur : son chapeau de paille et sa surdité d'épaisse muraille, Don Juan, qui n'entendait rien, comptait les soldats disposés contre les murs tous les deux pas autour de la salle. Près de lui se tenait Richard le Musicien, la tête et une partie de la figure enfouies dans un foulard à grands carreaux de couleurs vives, le nez rouge, la barbe en balayette, souillée par des aliments. Richard le Musicien parlait tout seul, les yeux fixés sur le ventre gonflé de la sourde-muette qui bavait sur les bancs et se grattait les poux sous l'aisselle gauche. Après la sourde-muette, venait Perroquet, un Noir qui n'avait qu'une seule oreille, comme un pot de chambre. Et après Perroquet, venait la Petite Guenon, très maigre, borgne, moustachue et puant le vieux matelas.

Après lecture de l'acte d'accusation, le Procureur, un militaire peigné en brosse, avec une petite tête sortant d'une veste militaire au col deux fois trop grand, se leva afin de réclamer la tête du coupable. Carvajal regarda de nouveau les membres du Tribunal, cherchant à savoir s'ils étaient sensés. Le premier sur qui tombèrent ses yeux n'aurait pu être plus ivre. Sur le drapeau se détachaient ses mains, brunes comme celles des paysans qui jouent aux tableaux vivants dans une fête villageoise. Après lui, venait un officier au teint très foncé, tout aussi saoul. Quant au Président, qui donnait la plus parfaite image de l'alcoolique, il était sur le point de tomber tellement il était cuité.

Il ne put se défendre. Il essaya de dire quelques mots mais, immédiatement, il eut l'impression douloureuse que personne ne l'écoutait ; et, en effet, personne ne l'écoutait. Les paroles se désagrégeaient dans sa bouche comme du pain mouillé.

La sentence, rédigée et écrite d'avance, avait quelque chose d'immense auprès des simples exécutants, auprès de ceux qui allaient la signer, pantins d'or et de charcuterie que baignait de haut en bas la diarrhée du quinquet ; auprès des mendiants aux yeux de crapaud et dont l'ombre de couleuvre tachait de ronds noirs le pavé orange ; auprès des soldats qui suçaient leur jugulaire, auprès des meubles, silencieux comme ceux des maisons où l'on a commis un crime.

— Je fais appel de la sentence !

Carvajal enterra sa voix jusqu'au fond de sa gorge.

— Pas d'histoires, riposta le juge ; ici, il n'y a pas de pelle, ni d'appel, inutile de reculer pour mieux sauter !

Un verre d'eau immense, qu'il put prendre parce qu'il

avait l'immensité dans les mains, l'aida à avaler ce qu'il cherchait vainement à expulser de son corps : l'idée de la souffrance, de tout le côté mécanique de la mort, le choc des balles sur les os, le sang sur la peau tiède, les yeux glacés, les vêtements tièdes, la terre. Il rendit le verre peureusement et resta la main tendue, jusqu'à ce qu'il eût trouvé la résolution du mouvement. Il ne voulut pas fumer la cigarette qu'on lui offrit. Il pinçait son cou avec ses doigts tremblants, tournant vers les murs de la salle blanchis à la chaux un regard sans espace, détaché du pâle ciment de son visage.

Par un passage étroit, plein de courants d'air, on l'emmena, à demi mort, la bouche amère, les jambes molles, une grosse larme au coin de chaque œil.

— Allons, buvez un coup, maître, lui dit un lieutenant aux yeux de héron.

Il porta la bouteille à sa bouche, qui lui semblait immense, et but.

— Lieutenant, dit une voix dans l'ombre, demain vous passerez aux batteries, car nous avons ordre de ne tolérer aucune sorte de complaisance avec les condamnés politiques.

Quelques pas plus loin, on l'enterra dans un cachot de trois pieds de long sur deux et demi de large, où se trouvaient déjà douze condamnés à mort, immobiles faute d'espace, serrés les uns contre les autres comme des sardines en boîte, satisfaisant leurs besoins debout, et pataugeant ensuite dans leurs propres excréments. Carvajal fut le n° 13. Après le départ des soldats, la respiration pénible de cette masse d'hommes à l'agonie remplit le silence du souterrain, que troublaient au loin les cris d'un emmuré.

Deux ou trois fois, Carvajal se surprit à compter machinalement les cris de ce malheureux, condamné à mourir de soif : soixante-deux !... soixante-trois !... soixante-quatre !...

La puanteur des excréments remués et le manque d'air l'étourdissaient et il roulait tout seul, arraché à ce groupe d'êtres humains, comptant les cris de l'emmuré le long des précipices infernaux du désespoir.

Lucio Vasquez allait et venait non loin de là, hors des cellules, ictérique, complètement jaune, les ongles et les yeux couleur d'envers de feuille de chêne. Au milieu de ses misères, seul le soutenait l'espoir de se venger un jour de Genaro Rodas, qu'il considérait comme responsable de son malheur. Son existence se nourrissait de cette lointaine espérance, noire et douceâtre comme de la mélasse. Il était prêt à attendre pendant l'éternité pourvu qu'il puisse se venger — tant de nuit noire nichait dans sa poitrine de ver dans les ténèbres — et seule l'idée du couteau qui déchirait la tripe et faisait de la blessure une bouche ouverte, mettait un peu de lumière dans ses pensées pleines de rancœur. Les mains raidies par le froid, immobile comme un lombric de boue jaune, heure après heure, Vasquez savourait sa vengeance. Le tuer ! Le tuer ! Et, comme s'il tenait déjà son ennemi à portée, il glissait sa main dans l'ombre, il sentait le manche glacé du couteau et, fantôme répétant ses gestes, en imagination il se jetait sur Rodas.

Le cri de l'emmuré le secouait.

— *Per Dio, per favori...* De l'eau ! de l'eau ! de l'eau ! de l'eau ! *Per Dio, per favori !* de l'eau ! de l'eau ! au... au... au !

L'emmuré se jetait contre la porte, qu'au dehors avait effacée un mur de briques, contre le plancher, contre les murs.

— De l'eau, *Tineti !* de l'eau, *Tineti !* de l'eau, *per Dio, per favori, Tineti !*

Sans larmes, sans salive, sans rien d'humide, sans rien de frais, la gorge en buisson ardent, tournant dans un monde de lumière et de taches blanches, son cri martelait sans relâche.

— De l'eau, *Tineti !* de l'eau, *Tineti !* de l'eau, *Tineti !*

Un Chinois, à la figure piquée de petite vérole, soignait les prisonniers. De siècle en siècle, il passait, comme le dernier souffle de vie. Existait-il, cet être étrange, à demi divin, ou bien était-ce une fiction collective ? Les excréments remués et le cri de l'emmuré leur donnaient le vertige et peut-être, peut-être, cet ange bienfaisant était-il seulement une vision fantastique ?

— De l'eau, *Tineti !* de l'eau, *Tineti ! Per Dio, per favori,* de l'eau, de l'eau, de l'eau, de l'eau !...

Les soldats allaient et venaient sans cesse en tapant les

dalles de leurs semelles et, parmi eux, quelques-uns riaient
et répondaient à l'emmuré en riant aux éclats.

— Tyrolien, Tyrolien... *per* quoi as-tu manché la poule
verte qui *parla* comme la chent humaine ?

— De l'eau, *per Dio, per favori*, de l'eau, *signore*, de l'eau,
par bonté !

Vasquez remâchait sa vengeance, et le cri de l'Italien qui
laissait dans l'air un relent de soif. Une décharge lui coupa
le souffle. On était en train de fusiller. Il devait être trois
heures du matin.

30

Mariage in extremis

— Une malade grave dans le voisinage !

De chaque maison sortit une vieille fille.

— Une malade grave dans le voisinage !

Avec sa figure de troufion et des gestes de diplomate, celle de chez les *Deux Cents*, la nommée Petronila, elle qui faute de mieux aurait aimé s'appeler Berthe. Habillée comme au temps des Mérovingiens et le visage en pois chiche, une amie des *Deux Cents*, prénommée Silvia. Avec son corset — autant dire son armure ! — incrusté dans sa chair, ses souliers étroits serrant ses cors et sa chaîne de montre autour du cou comme une corde de potence, une certaine connaissance de Silvia nommée Engracia. Avec son visage en forme de cœur comme une tête de vipère, la voix rauque, trapue et masculine, une cousine d'Engracia, qui aussi bien aurait pu passer pour une « cuissine » d'Engracia, très portée sur la quotidienneté des calamités d'almanach, annonciatrice de comètes, d'Antéchrists et de temps où, selon les prophéties, les hommes grimperont aux arbres, fuyant les femmes trop ardentes qui les y poursuivront.

Une malade grave dans le voisinage ! Quelle aubaine ! Elles ne le pensaient pas, mais elles le disaient presque, se réjouissant d'un événement où elles auraient beau jeu pour aiguiser leurs ciseaux, car il tisserait largement assez de toile pour que chacune d'elles pût y couper à sa mesure.

La *Serpente* les recevait.

— Mes sœurs sont prêtes, annonçait celle des *Deux Cents*, sans dire à quoi elles étaient prêtes.

— Quant au linge, s'il en manque, bien entendu vous pouvez compter sur moi, observait Silvia.

Et Engracia, chère Engracia, qui, lorsqu'elle ne sentait pas le pétrole Hahn, répandait une odeur de bouillon de bœuf, ajoutait, en articulant les paroles à moitié, suffoquée par son corset :

— Moi, j'ai dit un *Ave* aux Ames du Purgatoire à la fin de mon Heure d'Oraison.

Elles parlaient à voix basse, tassées dans l'arrière-boutique, prenant garde de ne pas troubler le silence qui, tel un produit pharmaceutique, environnait le lit de la malade, ni déranger le monsieur qui la veillait nuit et jour. Un monsieur très bien. Très bien. Sur la pointe des pieds, elles s'approchaient du lit, plus pour voir la figure du monsieur que pour s'inquiéter de Camila, spectre aux longs cils, au cou maigre, maigre, et aux cheveux en désordre. Et comme elles soupçonnaient anguille sous roche — derrière tout dévouement n'y a-t-il pas anguille sous roche ? — elles n'eurent de cesse qu'elles ne soient arrivées à arracher à la patronne la clef du secret. C'était son fiancé. Son fiancé ! Son fiancé ! « Ainsi, c'est ça ? C'est son fiancé ! » Chacune répète la petite parole dorée, sauf Silvia ; celle-ci s'en alla discrètement dès qu'elle sut que Camila était la fille du général Canales et ne revint plus. « Il vaut mieux ne pas se mêler aux ennemis du Gouvernement. Je ne dis pas qu'il ne soit pas son fiancé et tout à fait pour Monsieur le Président, mais moi, je suis la sœur de mon frère et mon frère est député et je pourrais le compromettre. Dieu m'en préserve ! »

Dans la rue, elle se répéta encore : « Dieu m'en préserve ! »

Visage d'Ange ne prêta pas attention aux vieilles filles qui, dans leur intention miséricordieuse, non contentes de visiter la malade, s'approchèrent pour consoler le fiancé. Il les remercia sans même entendre ce qu'elles disaient — des mots... —, l'âme toute tendue vers la plainte machinale et angoissante de Camila à l'agonie, et ne répondit pas à leurs effusions. Abattu par sa peine, il sentait son corps se refroidir. Impression de pluie et d'engourdissement dans les membres, de démêlés avec des fantômes proches et invisibles dans un

espace plus vaste que la vie, où seul l'air demeure, seule la
lumière, seule l'ombre, seules les choses.

Le médecin rompait la ronde de ses pensées.

— Alors, Docteur...

— Seul un miracle !

— Vous reviendrez, n'est-ce pas ?

La patronne n'arrêtait pas un instant, et même ainsi le
temps pour elle était trop court. Ayant la permission de faire
des lessives pour les voisins, elle mettait le linge à tremper
le matin très tôt, puis portait à la Prison le déjeuner de
Vasquez, dont elle était sans nouvelles ; au retour, elle savon-
nait, rinçait, étendait et, pendant que le linge séchait, elle
courait chez elle faire son ménage et vaquer à ses petites
affaires : changer la malade, allumer des cierges aux saints,
secouer Visage d'Ange afin qu'il mange un peu, recevoir le
docteur, aller à la pharmacie, supporter les punaises de
sacristie, comme elle appelait les vieilles filles, et se chamailler
avec la propriétaire de la matelasserie. « Les matelas pour les
verrats ! » criait-elle sur le seuil de sa porte, en faisant comme
si elle chassait des mouches avec un chiffon ! « Les matelas
pour les verrats ! »

— Seul un miracle !

Visage d'Ange répéta les paroles du médecin. Un miracle,
la continuation arbitraire de ce qui est périssable, le triomphe
de la parcelle humaine sur l'absolu stérile. Il sentait le besoin
de crier à Dieu qu'il fît le miracle, pendant que le monde lui
glissait le long des bras, inutile, hostile, incertain, sans raison
d'être.

Et tous attendaient le dénouement d'un moment à l'autre.
Un chien qui hurlait, un coup de cloche au clocher de la
Merci faisaient se signer les voisins, qui s'exclamaient entre
deux soupirs : « Elle repose enfin... Allons, son heure était
venue ; pauvre fiancé !... Que faire ? Nous n'y pouvons rien.
Que la volonté de Dieu soit faite ! Nous sommes peu de chose,
en somme ! »

Petronila rapporta ces événements à un de ces hommes
qui vieillissent en gardant une figure de gamin, professeur
d'anglais et d'autres anomalies, familièrement appelé *Ticher*.

Elle voulait savoir s'il était possible de sauver Camila par des moyens surnaturels, et *le Ticher* devait le savoir, parce qu'en dehors de l'enseignement de l'anglais il consacrait ses loisirs à l'étude de la théosophie, du spiritisme, de la magie, de l'astrologie, de l'hypnotisme, des sciences occultes, et était même l'inventeur d'une méthode qu'il appelait : *Citerne de sorcellerie pour trouver des trésors cachés dans les maisons hantées.* Jamais *le Ticher* n'aurait su expliquer son amour pour l'Au-delà. Dans sa jeunesse, il avait eu un penchant pour le sacerdoce mais une femme mariée, au savoir et à la poigne supérieurs aux siens, s'interposa entre lui et les ordres mineurs, et il jeta la soutane aux orties tout en gardant les habitudes ecclésiastiques. Il abandonna le Séminaire pour l'Ecole de Commerce et aurait brillamment terminé ses études s'il n'avait dû fuir son professeur de comptabilité, qui s'éprit follement de lui. La mécanique lui ouvrit ses bras noirs de suie, la mécanique des forges, et il fut embauché dans un atelier proche de chez lui, pour tirer le soufflet ; mais, peu habitué au travail et de constitution délicate, il abandonna bientôt cet emploi... Quel besoin avait-il de travailler, lui, unique neveu d'une tante richissime dont le désir fut de le pousser vers le sacerdoce, entreprise dans laquelle à hue et à dia s'entêtait la bonne dame ? « Retourne à l'église, lui disait-elle, et ne reste pas là à bâiller ; retourne à l'église ; tu ne vois pas que le monde te dégoûte, que tu es un peu fou, fou et faible comme un jeune chevreau ; tu as tout essayé et rien ne te convient : militaire, musicien, toréador ?... Ou alors, si tu ne veux pas être prêtre, consacre-toi à l'enseignement, donne des cours d'anglais, par exemple. Si le Seigneur ne t'a pas choisi, toi, choisis les enfants ; l'anglais est plus facile que le latin et plus utile. Donner des cours d'anglais, c'est faire croire aux élèves que le professeur parle cette langue, même s'ils ne le comprennent pas ; c'est du reste encore mieux s'ils ne le comprennent pas. »

Petronila baissa la voix, comme elle faisait toujours quand elle parlait le cœur sur la main.

— Un fiancé qui l'adore, qui l'idolâtre, *Ticher*, qui, bien qu'il l'ait enlevée, l'a respectée en attendant que l'Eglise bénisse leur union éternelle, cela ne se voit pas tous les jours...

— Et encore moins par les temps qui courent, enfant, ajouta, en passant dans la pièce avec un bouquet de roses, la plus grande des *Deux Cents*, une femme qui avait toujours l'air d'être perchée sur son escabeau de corps.

— Un fiancé, *Ticher*, qui la comble de soins et qui, sans doute, va mourir avec elle... hélas !

— Et vous dites, Petronila — *le Ticher* parlait posément, — que messieurs les médecins de la Faculté se sont déclarés incompétents pour l'arracher des bras de la Parque ?

— Oui, monsieur, incompétents ; ils l'ont condamnée trois fois.

— Et vous dites, Nila, que seul un miracle peut la sauver ?

— Figurez-vous... Le fiancé est dans un état qui fend le cœur...

— Eh bien ! moi, j'ai la clé : nous provoquerons le miracle. A la mort on ne peut opposer que l'amour, car tous deux sont également forts, comme dit le *Cantique des cantiques* ; et si, comme vous me l'assurez, le fiancé de cette demoiselle l'adore, je veux dire, l'aime profondément, je veux dire avec son cœur et son cerveau, je veux dire avec l'idée de l'épouser, il peut la sauver de la mort. Selon ma théorie des greffes, seul le sacrement du mariage peut être efficace dans ce cas.

Petronila fut sur le point de s'évanouir dans les bras du *Ticher*. Elle mit la maison sens dessus dessous, elle alla chez ses amies, mit en mouvement la *Serpente* qu'elle chargea de parler au curé et, ce même jour, Camila et Visage d'Ange s'épousèrent au seuil de l'Inconnu. La main droite fiévreuse du favori étreignit une main longue, fine et froide comme un coupe-papier d'ivoire, cependant que le prêtre lisait les mots latins sacramentels. Les *Deux Cents* assistaient à la cérémonie — Engracia et *le Ticher* vêtu de noir. Quand ce fut fini, *le Ticher* s'écria : *Make thee another self, for love of me...*

31

Sentinelles de glace

Dans l'entrée de la Prison brillaient les baïonnettes de la garde, assise sur deux rangs, soldat contre soldat, comme en voyage dans un wagon obscur. Parmi les véhicules qui passaient, brusquement une voiture s'arrêta. Le cocher, le corps jeté en arrière afin de tirer sur les rênes avec plus de force, se balança d'un côté à l'autre, telle une poupée de chiffons sales, en mâchocrachotant une injure. Pour un peu, il tombait à la renverse. Le long des murailles lisses et hautes de l'édifice patibulaire glissèrent les grincements de roues châtiées par les freins, et un homme ventripotent, qui avait peine à toucher le sol avec ses jambes courtes, prit pied peu à peu. Le cocher, sentant la voiture s'alléger du poids du Président du Tribunal, serra sa cigarette éteinte entre ses lèvres desséchées — rester seul avec les chevaux, quel bonheur ! — et lâcha les rênes pour aller attendre en face, à côté d'un jardin aussi transi que l'âme de Judas, au moment même où une dame s'agenouillait aux pieds du juge en implorant à grands cris qu'il l'écoutât.

— Relevez-vous, madame, je ne peux pas vous écouter comme ça ; non, non, relevez-vous, je vous en prie... sans avoir l'honneur de vous connaître...

— Je suis la femme de maître Carjaval...

— Relevez-vous...

Elle lui coupa la parole.

— Le jour et la nuit, à toute heure, partout, chez vous, chez votre mère, à votre bureau, je vous ai cherché, monsieur, sans parvenir à vous rencontrer. Vous seul savez ce qu'est devenu mon mari, vous seul savez, vous seul pouvez me le dire. Où est-il ? Qu'est-il devenu ? Dites-moi, monsieur, s'il est vivant ! Dites-moi, monsieur, qu'il est vivant ! — Elle s'était relevée, mais elle ne levait pas la tête ; la nuque cassée par le chagrin, elle ne cessait de pleurer.

— Dites-moi, monsieur, qu'il est vivant !

— Justement, madame, le Conseil de Guerre qui statuera sur le sort de mon collègue a été convoqué d'urgence pour cette nuit.

— Aaaaah !

Chatouillement de cicatrice sur les lèvres qu'elle ne put joindre de plaisir. Vivant ! A cette nouvelle, son espoir renaquit : encore vivant !... et puisqu'il était innocent, libre...

Mais le Président du Tribunal, sans modifier son expression froide, ajouta :

— La situation politique du pays ne permet au Gouvernement d'avoir en aucune façon pitié de ses ennemis, madame. Je ne vous en dis pas plus. Voyez Monsieur le Président et demandez-lui la vie de votre mari, qui peut être condamné à mort et fusillé, selon la loi, dans les vingt-quatre heures.

— ...Ah, ah, ah !

— La loi est supérieure aux hommes, madame, et à moins que Monsieur le Président ne le gracie...

— ...Ah, ah, ah !

Elle ne put parler. Aussi blanche que le mouchoir qu'elle déchirait entre ses dents, elle resta sur place, inerte, absente, gesticulante, les mains perdues dans les doigts.

Le juge s'en alla par la porte hérissée de baïonnettes. La rue, qu'avait animée un moment le va-et-vient des voitures revenant de la promenade principale de la ville, occupées par des dames et des messieurs élégants, resta de nouveau lasse et déserte. Un train minuscule sortit d'une ruelle parmi des étincelles et des coups de sifflet et s'en alla en boitant sur les rails...

— ...Ah, ah, ah !

Elle ne put parler ; deux tenailles de glace impossibles à ouvrir lui serraient le cou, et son corps glissa peu à peu de ses épaules vers le sol. Elle n'était plus qu'une robe vide avec une tête, des mains et des pieds. Dans ses oreilles roulait un fiacre qu'elle trouva dans la rue. Elle l'arrêta. Les chevaux grossirent comme des larmes quand ils courbèrent la tête et se replièrent sur eux-mêmes pour stopper. Elle ordonna au cocher de l'emmener à la propriété du Président le plus vite possible, mais sa hâte était telle, sa hâte si désespérée que, bien que les chevaux allassent à bride abattue, elle ne cessait de réclamer sans cesse au cocher d'aller plus vite... elle aurait dû être déjà là-bas... bride abattue... Elle devait sauver son mari... bride abattue... bride abattue... bride abattue... Elle s'empara du fouet... elle devait sauver son mari... Les chevaux, fustigés avec cruauté, accélérèrent leur course, le fouet leur brûlait les flancs... sauver son mari... elle aurait dû déjà être là-bas... Mais le véhicule n'avançait pas, elle sentait qu'il n'avançait pas, que les roues tournaient sans avancer autour de leurs axes endormis, qu'ils étaient toujours au même point... et elle devait sauver son mari... oui, oui, oui, oui, oui... ses cheveux se dénouèrent, le sauver... sa blouse se déchira, le sauver... Mais le véhicule ne roulait pas, elle sentait qu'il ne roulait pas, seules les roues de devant tournaient, elle sentait que celles de derrière restaient en arrière, que la voiture s'allongeait comme le soufflet d'un appareil photographique, et elle voyait les chevaux de plus en plus petits... Le cocher lui avait arraché le fouet... Il ne pouvait continuer à la laisser agir ainsi... Si, si, si, si... mais si... mais non... mais si... mais non... mais si... mais non... Mais pourquoi non ?... Comment ça, non ? Mais si, mais non... Elle arracha ses bagues, sa broche, ses boucles d'oreilles, son bracelet, et les jeta dans la poche de la veste du cocher, en le conjurant de ne pas arrêter le fiacre. Elle devait sauver son mari. Mais ils n'arrivaient pas. Arriver, arriver, arriver, mais ils n'arrivaient pas... Arriver, demander et le sauver, mais ils n'arrivaient pas... Pierres, ornières, poussière, boue séchée, herbes, mais ils n'arrivaient pas. Ils demeuraient sur place, fixes comme les poteaux télégraphiques, ou plutôt ils allaient en arrière, comme les champs non ensemencés, comme les orties, comme les lueurs dorées du crépuscule, comme les croisées des chemins et les bœufs immobiles.

Enfin, ils obliquèrent vers la résidence présidentielle par un ruban de route qui se perdait entre des arbres et des ruisseaux. Son cœur l'étouffait. Le chemin se frayait passage entre les petites maisons d'un village propre et désert. Ils commencèrent à croiser par là des voitures qui revenaient du domaine présidentiel : landaus, sulkys, calèches, occupés par des personnes presque semblables par le visage et le vêtement. Le bruit avançait, le bruit des roues sur les pavés, des sabots des chevaux... Mais ils n'arrivaient pas, mais ils n'arrivaient pas... Mêlés à ceux qui rentraient en voiture — bureaucrates en disponibilité et militaires à l'obésité courtaude et bien habillée —, s'en retournaient à pied les métayers appelés par le Président, de toute urgence, il y avait des mois et des mois ; les villageois avec des souliers comme des bourses de cuir, les maîtresses d'école qui, à chaque instant, s'arrêtaient pour reprendre leur souffle, — aveuglées de poussière, les souliers abîmés, les jupes relevées — et les cortèges d'Indiens qui, bien que municipaux, avaient le bonheur de ne rien comprendre à tout ça. Le sauver, oui, oui, oui, mais ils n'arrivaient pas ! D'abord, arriver, arriver avant la fin de l'audience, arriver, supplier, le sauver... Mais ils n'arrivaient pas ! Et pourtant, on n'était plus loin ; plus que la sortie du village. Ils auraient déjà dû y être, mais le village n'en finissait pas. Par ce chemin étaient passées les statues de Jésus et de la Vierge des Douleurs, un Jeudi Saint. Les meutes de chiens, attristés par la musique des trompettes, aboyèrent au passage de la procession, devant le Président exposé à un balcon sous un dais de tapis et de fleurs de bougainvilliers. Jésus passa, vaincu sous le poids de la croix, devant César, et c'est vers César que se tournèrent les hommes et les femmes admiratifs. Souffrir ne fut pas assez. Pleurer des heures et des heures ne fut pas assez. Ce ne fut pas assez non plus que des familles et des villes vieillissent de chagrin ; pour augmenter l'affront il fallait que, devant les yeux de Monsieur le Président, passât l'image du Christ à l'agonie et il passa, les yeux voilés sous un dais d'or qui était une infamie, entre deux files de pantins, au son des musiques païennes.

Le fiacre s'arrêta à la porte de l'auguste résidence. L'épouse de Carvajal courut vers l'intérieur, le long d'une avenue d'arbres touffus. Un officier sortit pour lui barrer le passage.

— Madame, madame...

— Je viens voir le Président...

— Monsieur le Président ne reçoit pas, madame, allez-vous-en...

— Si, si, si, il reçoit, oui, il me recevra, moi qui suis la femme de l'avocat Carvajal... et elle suivit son chemin, échappant au militaire qui la poursuivit en la rappelant à l'ordre. Elle parvint jusqu'à une petite maison faiblement éclairée dans la tristesse du crépuscule.

— On va fusiller mon mari, Général !...

Les mains derrière le dos, se promenait, dans le couloir de cette maison qui semblait un jouet, un homme grand, roux, tout tatoué de galons et c'est à lui qu'elle s'adressa avec espoir :

— On va fusiller mon mari, Général !...

Le militaire qui la suivait depuis la porte ne cessait de répéter qu'il était impossible de voir le Président.

Au mépris de sa bonne éducation, le Général lui répondit en scandant les mots :

— Monsieur le Président ne reçoit pas, madame, faites-nous le plaisir de vous en aller, je vous en prie...

— Hélas ! Général !... Hélas ! Général, que vais-je devenir sans mon mari, que vais-je devenir sans mon mari ? Non, non, Général, il me recevra, j'y vais, j'y vais, annoncez-moi, songez qu'ils vont fusiller mon mari !

On entendait son cœur battre sous sa robe. Ils ne la laissèrent pas s'agenouiller. Ses tympans flottaient, troués par le silence qui seul répondait à ses prières.

Les feuilles sèches craquaient dans le crépuscule, comme si elles avaient peur du vent qui les traînait. Elle se laissa tomber sur un banc. Hommes de glace noire. Artères stellaires. Les sanglots résonnaient sur ses lèvres comme des franges amidonnées, presque comme des couteaux. La salive coulait des coins de sa bouche avec des gargouillis de gémissement. Elle se laissa tomber sur un banc qu'elle mouilla de larmes comme si c'était une pierre à affûter. On l'avait chassée à

hue et à dia du lieu où se trouvait peut-être le Président. Le
passage d'une patrouille lui secoua un froid dans le corps.
Ça sentait le saucisson, la mélasse et le pin échevelé. Le banc
disparut dans l'ombre comme une planche à la mer. Elle alla
de côté et d'autre, dans l'obscurité, afin de ne pas naufrager
avec le banc, afin de rester vivante. Les sentinelles postées
entre les arbres l'arrêtèrent, une fois, deux fois, de nombreuses
fois, souvent, refusant de la laisser passer, d'une voix âpre, la
menaçant, quand elle insistait, avec la crosse ou le canon de
leur arme. Exaspérée d'implorer à droite, elle courait à gauche.
Elle butait contre les pierres, elle se blessait dans les buissons.
D'autres sentinelles de glace lui barraient le passage. Elle
suppliait, luttait, tendait la main comme une mendiante et,
quand personne ne l'écoutait plus, elle se mettait à courir du
côté opposé...

Les arbres balayèrent une ombre vers un fiacre, une
ombre qui, à peine avait-elle posé le pied sur le marchepied,
repartit comme une folle pour tenter de supplier une dernière
fois. Le cocher se réveilla et, quand il sortit la main de sa
poche pour prendre les rênes, il fut sur le point de lâcher
les babioles qu'il y réchauffait. L'attente n'en finissait pas ; il
avait hâte de gagner les bonnes grâces de Minga. Anneaux,
bagues, bracelet.. il avait de quoi mettre en gage. Il se gratta
un pied avec l'autre, rabattit son chapeau sur ses yeux et
cracha. D'où pouvaient bien sortir tant d'obscurité et tant de
crapauds ?... La femme de Carvajal revint vers le fiacre comme
une somnambule. Assise dans la voiture, elle ordonna au
cocher d'attendre un petit moment ; peut-être ouvriraient-ils
la porte ?... Une demi-heure... une heure...

Le fiacre roulait sans bruit ; de deux choses l'une, ou elle
était sourde, ou ils étaient toujours arrêtés... Le chemin se
précipitait vers le fond d'un ravin par une pente à pic, pour
remonter ensuite comme une fusée à la recherche de la ville.
La première muraille blanche. La première maison blanche.
Dans le creux d'un mur, un avis de *Onofroff*... Elle sentait que
tout se soudait à sa peine... L'air... Tout... Dans chaque larme,
un système planétaire... Des mille-pattes de serein tombaient
des tuiles sur les trottoirs étroits... Son sang s'arrêtait de

circuler... Comment allez-vous ? Moi, je vais mal, je vais très mal !... Et demain, comment irez-vous ?... Pareil, et après-demain, pareil !... Elle s'interrogeait et se répondait... Et pire après-demain...

Le poids des morts fait tourner la terre la nuit et, le jour, le poids des vivants... Quand il y aura plus de morts que de vivants, la nuit sera éternelle, elle n'aura pas de fin, il manquera le poids des vivants pour que revienne l'aurore.

Le fiacre s'arrêta. La rue continuait, mais pas pour elle, qui était devant la prison où, sans doute... Pas après pas, elle alla se coller contre le mur. Elle ne portait pas encore le deuil, mais déjà elle avait un toucher de chauve-souris... Peur, froid, dégoût, elle domina tout pour étreindre la muraille qui répéterait l'écho de la décharge... Après tout, maintenant qu'elle était là, il lui semblait impossible qu'on fusillât son mari, comme ça, comme ça, d'une décharge, avec des balles, avec des armes, des hommes comme lui, des gens comme lui, avec des yeux, avec une bouche, avec des mains, avec des cheveux sur la tête, avec des ongles aux doigts, avec des dents dans la bouche, avec une langue, avec une luette... Ce n'était pas possible que des hommes comme ça le fusillent, des gens ayant la même couleur de peau, le même accent, la même façon de voir, d'entendre, de se coucher, de se lever, d'aimer, de se laver la figure, de manger, de rire, de marcher, ayant les mêmes croyances et les mêmes doutes...

32

Monsieur le Président

Convoqué en toute hâte à la maison présidentielle, Visage d'Ange se pencha attentivement sur Camila, élasticité du regard anxieux, humanisation de l'aspect vitreux de l'œil, et tel un reptile peureux, il s'enroula autour de l'incertitude de savoir s'il y allait ou pas. Monsieur le Président ou Camila ? Camila ou Monsieur le Président ?

Il sentait encore dans son dos les poussées amicales de l'aubergiste et le tissu de sa voix suppliante. C'était une occasion d'intercéder en faveur de Vasquez. « Allez-y, moi je reste ici à soigner la malade... » Dans la rue, il respira profondément. Il roulait en fiacre vers la maison présidentielle. Trépidation des sabots sur les pavés, flux liquide des roues. Le Ca-de-nas Rou-ge... La Ru-che... Le Vol-can. Il épelait soigneusement les noms des magasins ; on les lisait mieux la nuit que le jour. Le Gua-da-le-te... Le Che-min-de-fer... La Pou-le et ses Pous-sins... Parfois ses yeux butaient sur des noms chinois : Lon-Ley-Lon et Cⁱᵉ... Quan See Chan... Fu Quan Yen... Chon Chan Lon... Sey Yon Sey... Il continuait à penser au général Canales. On l'appelait pour le mettre au courant... Ce n'était pas possible !... Pourquoi n'était-ce pas possible ?... On l'a pris et on l'a tué ou bien... on ne l'a pas tué, mais on l'a ramené enchaîné... Un nuage de poussière se leva soudain. Le vent jouait à toréer la voiture. Tout était possible ! Dans la campagne, le véhicule roula plus vite, comme un corps qui passe de l'état solide à l'état liquide. Visage d'Ange crispa ses mains sur ses genoux et soupira. Le bruit de la voiture se perdait parmi les mille bruits de la nuit qui avançait, lente, posée, numismatique. Il crut entendre le vol d'un oiseau. Ils dépassèrent un pâté de maisons. Des chiens quasi morts aboyaient.

Le sous-secrétaire à la Guerre l'attendait sur le seuil de son bureau et, sans l'annoncer, — juste le temps de lui serrer la main et de poser sur le rebord d'un pilier le havane qu'il fumait, — il le conduisit aux appartements de Monsieur le Président.

— Général, — Visage d'Ange prit par un bras le sous-secrétaire, — vous ne savez pas pourquoi le patron veut me voir ?...

— Non, don Miguelito, je l'ignore.

Maintenant, il savait de quoi il s'agissait. Un court éclat de rire répété deux ou trois fois lui confirma ce que la réponse évasive du sous-secrétaire lui avait laissé supposer. Dès le pas de la porte, il vit une forêt de bouteilles sur une table ronde et des plats de viandes froides, de sauces et de condiments. Les chaises en désordre, quelques-unes à terre, complétaient le tableau. Les fenêtres aux vitres blanches, opaques, couronnées de crêtes rouges, jouaient à picorer la lumière qui leur parvenait des lampes allumées dans les jardins. Officiers et soldats veillaient sur pied de guerre, un officier par porte et un soldat par arbre. Du fond de la pièce, Monsieur le Président s'avança, la terre marchant sous ses pieds et la maison sur son chapeau.

— Monsieur le Président ! salua le favori, et il allait se mettre à ses ordres quand celui-ci l'interrompit.

— Ni... ni... mer... veux... Ni... ni... mer... veux !...

— Monsieur le Président parle de la déesse !

Son Excellence s'approcha de la table en sautillant et, sans prendre garde à l'éloge chaleureux que le favori faisait de Minerve, il lui cria :

— Miguel, sais-tu que celui qui a découvert l'alcool cherchait l'élixir de longue vie ?

— Non, Monsieur le Président, je ne le savais pas, s'empressa de répondre le favori.

— C'est étrange, car c'est dans Swit Marden...

— Etrange, je crois bien, pour un homme de vaste culture comme Monsieur le Président, qu'on tient à juste titre, dans le monde, pour un des premiers hommes d'Etat des temps modernes, mais pas pour moi.

Son Excellence cacha ses yeux sous ses paupières afin de fuir la vision renversée des choses que lui donnait l'alcool à ce moment-là.

— Eh ! J'en sais long, moi !

En disant cela, il laissa tomber sa main dans la forêt noire des bouteilles de whisky et emplit un verre pour Visage d'Ange.

— Bois, Miguel...

Un étouffement lui coupa la parole, quelque chose de noué dans la gorge ; il se frappa la poitrine du poing pour faire passer la crise, les muscles de son cou maigre contractés, les veines de son front gonflées et, avec l'aide du favori qui lui fit boire quelques gorgées d'eau de Seltz, il retrouva la parole à petits rots.

— Ah ! ah ! ah ! ah ! éclata-t-il de rire en montrant Visage d'Ange, ah ! ah ! ah ! ah ! à l'article de la mort... et un éclat de rire suivant l'autre, à l'article de la mort, ah ! ah ! ah ! ah !...

Le favori pâlit. Dans sa main tremblait le verre de whisky avec lequel il venait de porter un toast.

— Mon...

— SIEUR le Président sait tout, l'interrompit Son Excellence. Ah ! ah ! ah ! ah ! à l'article de la mort, et sur le conseil d'un faible d'esprit, comme sont tous les spirites... Ah ! ah ! ah ! ah !

Visage d'Ange serra le verre comme un frein, afin de ne pas crier, afin de boire son whisky ; il venait de voir rouge, il avait failli s'élancer sur le maître et lui renfoncer dans la gorge son éclat de rire misérable, feu d'un sang plein d'alcool. Un train lui passant dessus lui aurait fait moins mal. Il se dégoûta lui-même. Il demeurait le chien bien dressé, intelligent, satisfait de sa ration de crasse, de son instinct qui lui conservait la vie. Il sourit pour dissimuler sa rancœur, la mort dans ses yeux de velours, tel l'empoisonné dont le visage gonfle peu à peu.

Son Excellence poursuivait une mouche.

— Miguel, tu ne connais pas le jeu de la mouche ?

— Non, Monsieur le Président...

— Ah ! c'est vrai que toi ah ! ah ! ah !... à l'article de la mort !... oh ! oh ! oh ! oh ! oh !... hi ! hi ! hi ! hi ! hi ! hi !... oh ! oh ! oh ! oh ! oh !... ouh ! ouh ! ouh !

Et, toujours riant aux éclats, il poursuivait la mouche qui allait et venait d'un côté à l'autre, le pan de sa chemise à l'air, la braguette ouverte, les souliers dénoués, la bave à la bouche et les yeux striés d'excroissances couleur de jaune d'œuf.

— Miguel, dit-il en s'arrêtant, essoufflé, sans réussir à l'attraper, le jeu de la mouche est on ne peut plus amusant et facile à apprendre ; la seule chose dont on ait besoin c'est de la patience. Dans mon village natal, je passais mon temps, quand j'étais gosse, à jouer des sous à la mouche.

En parlant de son village natal, il fronça les sourcils, le front rembruni ; il se retourna vers la carte de la République, à laquelle il tournait alors le dos, et envoya un coup de poing sur le nom de son village.

Un bref coup d'œil rétrospectif vers les rues qu'il avait parcourues enfant, pauvre, injustement pauvre, qu'il avait parcourues adolescent, obligé de gagner sa vie pendant que les fils de famille allaient de bringue en bringue. Il se vit diminué au creux de ses contemporains, isolé de tous, sous la lumière de la chandelle qui lui permettait d'étudier la nuit, pendant que sa mère dormait sur un lit pliant et que le vent, à l'odeur de bélier et aux cornes de courant d'air, heurtait les rues désertes. Et il se vit plus tard dans son cabinet d'avocat de troisième ordre, au milieu des charcutières, des joueurs, des tripières, des voleurs de bestiaux, regardé de haut par ses collègues qui eux suivaient des affaires à sensation.

L'un après l'autre, il vida force verres. Dans sa figure de jade, ses yeux brillaient, gonflés, et, sur ses petites mains, ses ongles se détachaient, ourlés de demi-lunes noires.

— Ingrats !

Le favori le soutint par le bras. Son Excellence promena son regard plein de cadavres sur la salle en désordre et répéta :

— Ingrats !

Puis il ajouta à mi-voix :

— J'aimais et j'aimerai toujours Parrales Sonriente. J'allais le faire Général, parce qu'il a piétiné mes compatriotes, parce qu'il leur a fait plier l'échine et n'eût été ma mère, il les aurait exterminés pour me venger de tout ce que je leur reproche et que je suis seul à savoir... Ingrats !... Et je ne peux admettre en aucune façon qu'on l'ait assassiné, quand de tous les côtés on complote contre ma vie, quand mes amis m'abandonnent, quand mes ennemis se multiplient et... non ! non ! De cette Porte, il ne restera pas une pierre...

Les paroles dérapaient sur ses lèvres, comme des véhicules sur une route glissante. Il s'appuya contre l'épaule du favori, la main crispée sur son estomac, les tempes tumultueuses, les yeux sales, l'haleine froide, et il ne tarda pas à rejeter un jet de liquide orangé. Le sous-secrétaire apporta en courant une cuvette dont le fond était émaillé aux armes de la République et à eux deux, après l'aspersion que le favori reçut presque entièrement, ils le traînèrent jusqu'à son lit.

Il pleurait et répétait :

— Ingrats ! Ingrats !

— Je vous félicite, don Miguelito, je vous félicite, murmura le sous-secrétaire tandis qu'ils sortaient. Monsieur le Président a ordonné qu'on publie dans les journaux la nouvelle de votre mariage, et lui-même s'est fait mettre en tête de la liste des témoins.

Ils passèrent dans le couloir. Le sous-secrétaire haussa la voix.

— Et avec ça qu'au début il n'était pas très content de vous. Un ami de Parrales Sonriente ne devait pas faire, me dit-il, ce que Miguel a fait : en tout cas, il aurait dû me consulter avant de se marier avec la fille d'un de mes ennemis. On veut avoir votre peau, don Miguelito, on veut avoir votre peau... Bien entendu, j'ai essayé de lui faire comprendre que l'amour est salopard, sournois, et menteur.

— Merci beaucoup, Général.

— Sacré lascar ! continua le sous-secrétaire d'un ton jovial ; et, entre deux éclats de rire, poussant Miguel vers son bureau à petites tapes affectueuses dans le dos, il poursuivit : Venez, venez voir le journal ! Nous avons demandé la photo-

graphie de Madame à son oncle Juan. Très bien, mon ami,
très bien !

Le favori enfonça ses ongles dans la feuille de chou. En
plus du témoin principal figuraient l'ingénieur don Juan
Canales et son frère José Antonio.

« Mariage dans le grand monde : Hier soir se sont mariés
la ravissante Camila Canales et monsieur Miguel Visage
d'Ange. Les deux conjoints... » De là, ses yeux descendirent
sur la liste des témoins. « Mariage parrainé devant la Loi
par Son Excellence Monsieur le Président Constitutionnel de
la République, chez qui eut lieu la cérémonie ; par messieurs
les ministres d'Etat, par les généraux (il sauta la liste) et par
les oncles de la fiancée, l'ingénieur don Juan Canales, et
don José Antonio du même nom. »

Le *National*, était-il dit en conclusion, illustre aujourd'hui
ses colonnes mondaines avec la photographie de mademoiselle Canales et présente aux époux, avec ses félicitations, tous
ses vœux de bonheur.

Visage d'Ange ne sut plus où porter ses regards.

« La bataille de Verdun continue. On s'attend, cette nuit,
à un effort désespéré des troupes allemandes... » Il cessa de
regarder la page des télégrammes et relut l'article qu'illustrait
le portrait de Camila. Le seul être qui lui fût cher entrait
déjà dans la ronde bouffonne où ils dansaient tous.

Le sous-secrétaire lui arracha le journal.

— Vous n'en croyez pas vos yeux, n'est-ce pas, heureux
homme...

Visage d'Ange sourit.

— Mais, mon ami, vous avez besoin de vous changer,
prenez ma voiture...

— Merci beaucoup, Général...

— Tenez, elle est là-bas ; dites au cocher qu'il vous recon-
duise vivement et qu'il revienne me chercher. Bonne nuit et
mes meilleurs vœux. Ah ! emportez le journal, pour que
Madame le voie, et félicitez-la de la part de son humble
serviteur !

— Je vous suis très reconnaissant pour tout. Bonne nuit !

La voiture dans laquelle était monté le favori démarra

sans bruit, comme une ombre tirée par deux chevaux de fumée. Le chant des grillons faisait un toit à la solitude de la campagne qui sentait le réséda, la solitude tiède des champs de maïs précoces, les pâturages mouillés de rosée et les haies des jardins aux jasmins luxuriants.

— Oui ; s'il continuait à se moquer de lui, il l'étrangl...a par la pensée, cachant sa figure derrière le dossier du véhicule, par crainte que le cocher ne devine ce que ses yeux voyaient : une masse de chair glacée portant l'écharpe présidentielle en travers de la poitrine, la face au nez camus rigide, les mains recouvertes par les manchettes, seuls étant visibles le bout des doigts, et les souliers ensanglantés.

Son humeur belliqueuse s'accommodait mal des cahots de la voiture. Il aurait voulu être immobile, de cette première immobilité de l'assassin qui s'assoit dans la prison pour reconstituer son crime, immobilité apparente, extérieure, compensation nécessaire à la tempête de ses idées. Son sang lui picotait la peau. Il tendit sa figure vers la nuit fraîche, tout en essuyant le vomissement du maître avec son mouchoir humide de sueur et de larmes.

« Ah ! — il jurait et il pleurait de rage — si je pouvais me nettoyer de l'éclat de rire qu'il a vomi sur mon âme ! »

Une voiture occupée par un officier dépassa la sienne en la frôlant. Le ciel clignait des yeux sur son éternelle partie d'échecs. Les chevaux déchaînés couraient vers la ville, enveloppés d'un nuage de poussière. « Echec à la Reine ! » se dit Visage d'Ange en voyant disparaître l'eschalation qui emportait cet officier à la recherche d'une des concubines de Monsieur le Président. On aurait dit un messager des dieux.

Dans la gare centrale retentissait le bruit des marchandises déchargées à grands heurts, entre les éternuements des locomotives fumantes. La rue s'emplissait de la présence d'un nègre penché à la balustrade verte d'une maison à étages, du pas incertain des ivrognes et d'un orgue de Barbarie que traînait un homme à l'aide d'une courroie passée au front, comme une pièce d'artillerie après la défaite.

33

Les points sur les i

La veuve de Carvajal erra de maison en maison, mais dans toutes on la reçut froidement, sans que l'on osât se risquer, dans certaines, à lui manifester la peine que causait la mort de son mari, par crainte de se mettre sur les bras une ennemie du gouvernement, sans compter celles où une bonne venait crier par la fenêtre grossièrement : « Qui demandez-vous ? Ah ! Monsieur et madame sont sortis... »

La glace qu'elle recueillait au cours de ses visites fondait chez elle. Elle rentrait pour pleurer, prostrée devant les portraits de son mari, sans autre compagnie qu'un fils encore petit, une servante sourde qui parlait fort et ne cessait de dire à l'enfant : « L'amour d'un père, seule bonne affaire », et un perroquet qui répétait sans cesse : « Perroquet royal, du Portugal, vêtu de vert, sans un demi-réal ! Donne la patte, perroquet ! Bonjour, Licencié ! Perroquet, la patte ! Les urubus sont au lavoir. Ça sent le chiffon brûlé. Loué soit le Très Saint Sacrement de l'Autel, la Reine Très Pure des Anges, la Vierge conçue sans la tache du péché originel... hélas !... hélas ! » Elle était sortie dans l'intention de faire signer une supplique qu'elle adresserait au Président pour que lui fût rendu le cadavre de son mari, mais nulle part elle n'osa en parler : on la recevait si mal, avec tant de contrainte, entre des petites toux et des silences lugubres, qu'elle était rentrée en cachant sous son châle noir le feuillet vierge de toute signature autre que la sienne.

On détournait la tête pour ne pas la saluer ; on la recevait sur le pas de la porte sans la formule d'usage : « Entrez, je vous prie » ; on lui faisait sentir qu'elle était contaminée par une maladie invisible, pire que la pauvreté, pire que le choléra, pire que la fièvre jaune, et cependant pleuvaient *les anomynes*, comme disait la servante sourde chaque fois qu'elle trouvait une lettre sous la petite porte de la cuisine, laquelle donnait sur une ruelle obscure et peu passante, messages à l'écriture tremblée, qu'on venait déposer sous le couvert de la nuit, et dans lesquels le moindre compliment était de l'appeler sainte, martyre, victime innocente, outre qu'on y portait son mari aux nues et qu'on relatait avec d'horribles détails les crimes du colonel Parrales Sonriente.

Un beau matin, sous la porte, apparurent deux lettres anonymes. La servante les apporta en les tenant avec le coin de son tablier, parce qu'elle avait les mains mouillées. La première disait :

« Madame, ce n'est pas là le moyen le plus correct pour vous manifester, à vous et à votre malheureuse famille, la profonde sympathie que m'inspire la personnalité de votre mari, le digne citoyen, l'avocat don Abel Carvajal, mais permettez-moi de le faire ainsi par mesure de prudence, puisqu'on ne peut pas confier au papier certaines vérités. Un jour, je vous ferai connaître mon vrai nom. Mon père fut une des victimes du colonel Parrales Sonriente, l'homme que les ténèbres de l'enfer attendaient, véritable soudard dont les mauvaises actions passeront à la postérité si quelqu'un se décide, pour écrire l'histoire de ses forfaits, à tremper sa plume dans le venin d'une couleuvre venimeuse. Il y a de nombreuses années, mon père fut assassiné par ce lâche, dans un chemin isolé. On ne découvrit rien, bien entendu, et le crime serait resté ignoré si un inconnu n'en avait fait connaître les détails à ma famille par lettre anonyme. J'ignore si votre mari, homme exemplaire, héros qui a déjà un monument élevé dans le cœur de ses concitoyens, fut effectivement le vengeur des victimes de Parrales Sonriente (car, à ce sujet, beaucoup de versions circulent), mais j'ai cru devoir, en tout cas, vous apporter l'assurance de ma sympathie et vous affirmer, madame, que tous nous pleurons, avec vous, la disparition d'un homme qui a délivré la Patrie d'un des nombreux

bandits galonnés qui, soutenus par l'or nord-américain, l'ont
saignée et réduite à la pourriture.

« Je vous baise les mains.

« X, Chevalier de Calatrava. »

Vide, caverneuse, avec une paresse intérieure qui la para-
lysait dans son lit des heures entières, allongée comme un
cadavre, plus immobile parfois qu'un cadavre, son activité
n'allait pas au-delà de la table de nuit, couverte par les objets
d'usage immédiat afin d'éviter de se lever, et de quelques
crises de nerfs quand on ouvrait la porte, qu'on donnait un
coup de balai ou qu'on faisait du bruit auprès d'elle. L'ombre,
le silence, la saleté donnaient forme à son renoncement, à
son désir de se sentir seule, avec sa douleur, à cette partie
de son être qui était morte en elle en même temps que son
mari, et qui peu à peu la gagnerait corps et âme.

« Très chère madame, commença-t-elle, lisant à haute
voix l'autre lettre anonyme, j'ai su par quelques amis que
vous avez collé votre oreille aux murs du Pénitencier, la nuit
où l'on a fusillé votre mari. Si vous avez entendu et compté
les décharges, neuf salves, vous n'avez pu distinguer celle
qui a arraché du monde des vivants l'avocat Carvajal, que
Dieu ait son âme. Sous un faux nom, car les temps qui courent
n'incitent pas à se fier au papier, et non sans hésiter beaucoup
à cause de la douleur que je vais vous causer, j'ai décidé de
vous dire tout ce que je sais à ce sujet, ayant été témoin de
la tuerie. Devant votre mari marchait un homme maigre,
cuivré, dont les cheveux blancs cachaient presque le front.
Je ne pus et n'ai toujours pas pu savoir son nom. Ses yeux,
enfoncés très profondément, conservaient, malgré la souffrance que dénonçaient ses larmes, une grande bonté, et on
lisait dans ses pupilles que c'était un homme à l'âme noble et
généreuse. L'avocat suivait en trébuchant, sans lever les yeux
du sol, que peut-être il ne voyait même pas, le front baigné
de sueur et une main sur la poitrine, comme pour empêcher
son cœur d'éclater. En débouchant dans la cour, et se voyant
entouré de soldats, il se frotta les yeux du revers de la main,
afin de se rendre compte exactement de ce qu'il voyait. Il

était vêtu d'un costume passé trop petit pour lui, les manches du veston lui arrivaient sous les coudes et le pantalon sous les genoux. Habits sales, vieux, déchirés, comme tous ceux que portent les condamnés, parce qu'ils donnent les leurs aux amis qu'ils laissent dans le tombeau des cellules, ou les échangent contre les faveurs des gardiens. Un petit bouton d'os fermait sa chemise râpée. Il ne portait ni col, ni souliers. La présence de ses compagnons d'infortune, également à moitié nus, lui rendit courage. Quand on eut fini de lui lire la sentence de mort, il leva la tête, promena son regard douloureux sur les baïonnettes et dit quelque chose qu'on n'entendit pas. Le vieillard qui était à côté de lui essaya de parler, mais les officiers s'avancèrent et le firent taire en le menaçant de leurs sabres qui, à la lueur de l'aube et entre leurs mains tremblantes, ressemblaient aux flammes bleutées de l'alcool, tandis que, sur les murailles, une voix butait contre son propre écho : « Pour la Nation !... » Une, deux, trois, quatre, cinq, six, sept, huit, neuf décharges suivirent. Sans savoir comment, je les ai comptées sur les doigts et, depuis lors, j'ai l'impression étrange d'avoir un doigt en trop. Les victimes se tordaient en fermant les yeux, comme pour fuir la mort à tâtons. Un voile de fumée nous séparait de cette poignée d'hommes qui, en tombant, tentaient l'impossible pour s'accrocher les uns aux autres, afin de ne pas rouler seuls dans le vide. Les coups de grâce claquèrent comme éclatent les fusées mouillées : trop tard et mal. Votre mari eut la chance de mourir à la première décharge. En haut, on voyait le ciel bleu, inaccessible, mêlé à un écho presque imperceptible de cloches, d'oiseaux, de rivières. J'ai su que le Président du Tribunal s'est chargé de donner une sépulture aux cada... »

Fébrilement, elle tourna la page... Cada... Mais le mot restait inachevé ; il n'était ni là, ni sur les autres pages ; la lettre s'arrêtait là, la suite manquait. En vain relut-elle tout le papier ; elle fouilla l'enveloppe, elle défit le lit, souleva les oreillers, chercha à terre, sous la table, fouillant et retournant tout, mordue par le désir de savoir où était enterré son mari.

Dans la cour, le perroquet jacassait :

« Perroquet royal, du Portugal, vêtu de vert, sans un demi-

réal. Voilà le Licencié qui arrive ! Hurrah ! perroquet royal.
Il me l'a dit, le menteur. Je ne pleure pas, mais je me
souviens ! »

La servante du Président du Tribunal laissa la veuve de
Carvajal à la porte pendant qu'elle s'occupait de deux femmes
qui parlaient en criant dans l'entrée.

— Ecoutez donc, écoutez, disait l'une d'elles, vous lui
direz que je ne l'ai pas attendu parce que, zut ! je ne suis pas
l'Indienne de service pour me geler le derrière sur ce banc de
pierre pareil à sa jolie figure ! Dites-lui que je suis venue voir
s'il veut bien se décider à me rendre de bon gré les dix mille
pesos qu'il m'a escroqués pour une femme de la Maison-
Neuve qui ne m'a pas tirée d'affaire, car le jour où je suis
allée la chercher elle a eu la *syncopied*. Dites-lui donc que
c'est la dernière fois que je le dérange, mais que je vais me
plaindre au Président.

— Lons-nous-en, doña Chon, vous fâchez pas, laissons
cette vieille figure de mer... credi.

— Mademoi... tenta de dire la servante, mais la demoiselle
l'interrompit :

— La ferme, hein !

— Répétez-lui bien ce que je vous dis, qu'il aille pas
prétendre, après, que je l'ai pas prévenu à temps. Vous lui
direz que doña Chon et une fille, elles sont venues, qu'elles
ont attendu et comme y venait pas, elles sont reparties mais
qu'elles lui font dire qu'à bon entendeur...

Plongée dans ses pensées, la veuve de Carvajal ne se rendit
pas compte de ce qui se passait. Semblable à une morte dans
un cercueil à couvercle vitré, sa tenue de deuil ne laissait
apparaître que son visage. La servante lui toucha l'épaule —
toiles d'araignées tactiles avait la vieille au bout des doigts —
et lui dit d'entrer. Elles entrèrent. La veuve parla avec des
mots qui ne se résolvaient pas en sons clairs, mais en un
murmure de lecteur fatigué.

— Oui, madame, laissez-moi c'te lettre, quand y viendra,
et y va pas tarder à arriver, devrait être déjà là, j'y donnerai

et j'y parlerai, pour tâcher moyen qu'y vous accorde ce que vous demandez.

— Oui, je vous en supplie !

Un individu vêtu de toile couleur de café, suivi d'un soldat qui le gardait, mitraillette à l'épaule, poignard à la ceinture, cartouchière pleine sur les reins, entra au moment où la veuve de Carvajal sortait.

— Vous m'excuserez, dit-il à la servante, mais est-ce que le Licencié est là ?

— Non, y' est point.

— Et où pourrais-je l'attendre ?

— Asseyez-vous par là, et le soldat de même.

Le prisonnier et son gardien occupèrent en silence le banc de pierre, que la servante leur montra de mauvaise grâce.

Le patio sentait la verveine sauvage et le bégonia coupé. Un chat se promenait sur la terrasse. Un sansonnet, captif dans une cage en jonc, s'essayait à voler. Au loin, on entendait le jet d'eau de la fontaine, hébété à force de tomber, somnolent.

Le Président du Tribunal secoua ses clefs en fermant la porte et, les mettant dans sa poche, il s'approcha du prisonnier et du soldat. Tous deux se levèrent.

— Genaro Rodas ? interrogea-t-il en flairant l'air, car toujours, quand il rentrait chez lui, il croyait sentir dans sa maison la puanteur du caca de chat.

— Oui, monsieur, pour vous servir.

— Ton gardien comprend l'espagnol ?

— Pas très bien, répondit Rodas et, se tournant vers le soldat, il ajouta : Dis donc, toi, tu comprends castille ?

— Moitié comprends.

— Alors, trancha le Président du Tribunal, il vaut mieux que tu restes là ; moi je vais parler avec le monsieur ; attends-le là, il va revenir, il va parler avec moi.

Rodas s'arrêta sur la porte du bureau. Le Président du Tribunal lui ordonna d'entrer et, sur une table chargée de livres et de papiers, il se mit à poser les armes qu'il portait sur lui : un revolver, un poignard, un coup de poing, un casse-tête.

— On a dû te faire connaître la sentence.

— Oui, monsieur, en effet...

— Six ans et huit mois, si je ne me trompe.

— Mais, monsieur, je n'ai pas été le complice de Lucio Vasquez ; ce qu'il a fait, il l'a fait sans mon aide. Quand je m'en suis rendu compte, le Pantin roulait déjà, ensanglanté, sur les marches de la Porte, presque mort. Qu'est-ce que j'allais faire ? Je n'y pouvais rien. C'était un ordre. A ce qu'il m'a dit, c'était un ordre.

— A l'heure qu'il est, Dieu l'a jugé...

Rodas regarda à nouveau le Président du Tribunal, comme doutant de ce que la sinistre figure lui confirmait. Ils gardèrent un instant le silence.

— Ce n'était pas un méchant homme... soupira Rodas, amenuisant sa voix afin d'ensevelir sous les mots le souvenir de son ami. Entre deux battements, son cœur avait reçu la nouvelle et, maintenant, il la sentait dans son sang... Qu'est-ce qu'on y peut ?... On n'y peut rien !... *Velours*, qu'on y avait collé, parce qu'il était vraiment au poil et qu'avec lui, les combines, ça marchait comme sur du velours.

— Les actes d'accusation vous condamnaient, lui comme auteur du crime et toi comme complice.

— A mon avis, ça se discutait.

— C'est justement la défense qui, connaissant l'opinion de Monsieur le Président, a réclamé la peine de mort pour Vasquez et le maximum de la peine pour toi.

— Pauvre de lui ! Moi, au moins, il me reste les yeux pour pleurer.

— Tu peux même t'en tirer complètement, car Monsieur le Président a besoin de quelqu'un comme toi qui ait été un peu prisonnier pour raison politique. Il s'agit de surveiller un de ses amis que, pour certains motifs, il soupçonne de le trahir.

— Je suis à vos ordres...

— Tu connais don Miguel Visage d'Ange ?

— Seulement de nom. J'en ai entendu parler. C'est lui qui a enlevé la fille du général Canales, je crois ?

— Lui-même ! Tu le reconnaîtras facilement à ce qu'il est

très beau : un homme grand, bien fait, aux yeux noirs, au visage pâle, les cheveux soyeux, les gestes élégants. Un fauve. Le Gouvernement a besoin de savoir tout ce qu'il fait, quelles personnes il voit, quelles personnes il salue dans la rue, quels endroits il fréquente le matin, l'après-midi, le soir, et sa femme de même ; pour tout cela, je te donnerai des instructions et de l'argent.

Les yeux stupides du prisonnier suivirent les mouvements du Président qui, en prononçant ces dernières paroles, prit une plume sur la table, la trempa dans un gros encrier où trônait, entre deux godets d'encre noire, une statue de la déesse Thémis, et lui tendit la plume en ajoutant :

— Signe ici ; demain je te ferai remettre en liberté ; tu peux déjà préparer tes affaires pour sortir.

Rodas signa. La joie dansait dans son corps comme un taureau de carnaval chargé de poudre.

— Vous ne savez pas combien je vous suis reconnaissant, dit-il en sortant ; il récupéra le soldat, faillit l'embrasser et s'en retourna à la Prison aussi ravi que s'il montait au ciel.

Mais le Président jubilait encore plus en regardant le papier que Rodas venait de signer et qui, en substance, disait :

« Je certifie avoir reçu de doña Conception Camucino (a) dite "la Dent d'Or", propriétaire du bordel "Le Doux Enchantement", la somme de dix mille pesos en monnaie nationale, somme qu'elle m'a donnée pour compenser en partie les torts et les maux qu'elle m'a causés en pervertissant ma femme Fedina Rodas, dont elle a surpris la bonne foi, aussi bien que celle des autorités, en offrant de l'employer comme servante et en l'immatriculant comme pensionnaire sans aucune autorisation. GENARO RODAS. »

Derrière la porte, il entendit la voix de la bonne.

— On peut entrer ?

— Oui, entre...

— Je viens voir si tu as besoin de quelque chose. Je m'en vas à l'épicerie, et aussi te dire que deux de ces femmes de mauvaise vie, elles ont demandé après toi et elles m'ont laissé la commission que si tu leur rends pas les dix mille pesos que tu leur as volés, elles iront se plaindre au Président.

— Et quoi d'autre ?... dit le juge avec des signes d'ennui, en se baissant pour ramasser un timbre-poste.

— Et il est venu aussi une dame en deuil habillée de noir, je crois que c'est la femme de celui qu'on a fusillé...

— Duquel d'entre eux ?

— Monsieur Carvajal...

— Et qu'est-ce qu'elle veut ?...

— La pauvre m'a laissé cette lettre ; je crois qu'elle veut savoir où est enterré son mari.

Pendant que le juge parcourait des yeux, avec mauvaise humeur, le papier bordé de noir, la servante continua :

— Faut te dire que j'y ai promis d'insister, vu qu'elle m'a fait pitié, et la pauvre est partie pleine d'espoir.

— Je t'ai déjà dit mille fois que je n'aime pas te voir bavarder avec n'importe qui. Il ne faut pas donner d'espoir. Quand comprendras-tu qu'il ne faut pas donner d'espoir ? Dans cette maison, la première chose que nous devons tous savoir, jusqu'au chat, c'est qu'on ne doit donner d'espoir, d'aucune sorte, à personne. On ne se maintient à des postes comme le mien que si on exécute les ordres à la lettre ; et la règle de conduite édictée par Monsieur de Président est de ne donner d'espoir à personne, il faut les piétiner tous et les châtier, parce que c'est comme ça. Quand cette dame reviendra, tu lui rendras son petit papier bien plié et tu lui diras qu'elle n'a pas besoin de savoir où son mari est enterré...

— Te fâche pas, tu vas te rendre malade ; j'y dirai comme ça ; Dieu te bénisse, avec tes affaires.

Et elle sortit en emportant le papier et traînant les pieds l'un après l'autre, l'un après l'autre, dans un bruit de jupons.

En arrivant à la cuisine, elle froissa la lettre et la jeta sur les braises. Le papier se tordit comme un être vivant en une flamme qui pâlit bientôt, changée sur la cendre en mille petits vers en fils d'or. Le long des étagères chargées de pots d'épices, pareilles à des ponts, un chat noir s'avança ; il sauta sur le banc de pierre du foyer, près de la vieille, se frotta contre son ventre stérile, et fixa ses yeux d'or au cœur du feu qui achevait de consumer le papier avec une curiosité satanique.

34

Lumière pour aveugles

Camila se retrouva au milieu de la pièce, s'appuyant d'un côté au bras de son mari, et de l'autre sur une canne. La porte principale donnait sur un patio sentant le chat et les pavots, la fenêtre, sur la ville d'où on l'avait amenée convalescente, dans une chaise à porteurs, et une petite porte sur une autre chambre. En dépit du soleil qui brûlait dans les lueurs vertes de ses pupilles, et de l'air pesant comme une chaîne qui remplissait ses poumons, Camila se demandait si c'était bien elle qui marchait. Ses pieds étaient trop grands, ses jambes comme des échasses. Absente, elle marchait hors du monde, les yeux ouverts, tout juste née, sans présence. Les toiles d'araignées écumaient le pas des fantômes. Elle était morte sans avoir cessé d'exister, comme en un rêve, et elle revivait en mêlant ce qui était elle pour de vrai avec ce qu'elle était maintenant en train de rêver. Son père, la maison natale, sa nounou Chabela, faisaient partie de sa première existence. Son mari, la maison où ils se trouvaient, de son existence nouvelle. C'était elle et ce n'était pas elle qui marchait. Sensation de revenir à la vie dans une autre vie. Elle parlait d'elle comme d'une personne appuyée sur la canne des lointains, elle avait des complicités avec les choses invisibles et, si on la laissait seule, elle se perdait en une autre, absente, les cheveux glacés, les mains sur sa jupe longue de jeune mariée et les oreilles pleines de bruits.

Elle ne tarda pas à aller et venir, mais elle n'en était pas moins malade, pas malade, absorbée par l'évaluation de tout ce qu'elle avait en trop depuis que son mari avait posé les lèvres sur sa joue. Elle avait trop de tout. Elle le retint près d'elle comme l'unique chose lui appartenant dans un monde étranger. On jouissait de la lune sur la terre et dans la lune, face aux volcans en instance de nuage, sous les étoiles, vermine d'or dans un pigeonnier vide.

Visage d'Ange sentit que sa femme grelottait sous ses flanelles blanches : non pas de froid, non pas pour les raisons qui font trembler les gens, mais comme frissonnent les anges... Il la reconduisit à sa chambre, à petits pas. Le mascaron de la fontaine... le hamac immobile... L'eau immobile comme le hamac... les pots de fleurs humides... Les fleurs de cire... Les couloirs rapiécés de lune...

Ils se couchèrent en se parlant d'une chambre à l'autre. Une petite porte faisait communiquer les deux pièces. Des boutonnières endormies, les boutons sortaient en produisant un léger bruit de fleur coupée ; les souliers tombaient avec un fracas d'ancre, et les bas se détachaient de la peau comme la fumée se détache des cheminées.

Visage d'Ange parlait de ses objets de toilette personnels rangés sur une table, à côté d'un porte-serviettes, afin de créer une ambiance familiale, bête et intime, dans cette grande maison qui semblait inhabitée, et pour éloigner sa pensée de la petite porte, étroite comme la porte du ciel, qui ouvrait sur l'autre chambre.

Puis, il se laissa tomber sur son lit, abandonné à son propre poids, et resta un long moment sans bouger, au milieu de la houle continue et mystérieuse de ce qui entre eux était en train de se faire et de se défaire avec fatalité. Il l'enlève, pour la faire sienne de force, et survient l'amour, à l'aveugle instinct. Renonçant à son dessein, il tente de l'emmener chez ses oncles et ceux-ci lui ferment leur porte. Il la tient de nouveau à sa merci et, puisque les gens clabaudent, n'ayant plus rien à perdre étant perdue de réputation, il peut la faire sienne. Elle, qui le sait, veut fuir. La maladie l'en empêche. Son état s'aggrave en quelques heures. Elle agonise. La mort va trancher le nœud. Il le sait et se résigne par moments, mais, plus souvent, il se révolte contre les forces aveugles. Cependant, la mort est là où l'appelle le désespoir, et le destin attendait la dernière épreuve pour les lier.

Enfantine, d'abord, lorsqu'elle n'avait pas réappris à marcher, puis adolescente lorsqu'elle avait commencé à se lever et à faire ses premiers pas ; du soir au matin, ses lèvres prennent la couleur du sang, les corbeilles de son corsage se remplissent de fruits et elle se trouble et devient moite chaque fois que s'approche d'elle celui auquel elle n'a jamais pensé comme à un époux.

Visage d'Ange sauta de son lit. Il se sentait séparé de Camila par une faute que ni l'un ni l'autre n'avait commise, par un mariage auquel ni l'un ni l'autre n'avait donné son consentement. Camila ferma les yeux. Les pas s'éloignèrent vers une fenêtre.

La lune entrait et sortait des niches flottantes des nuages. La rue roulait comme un fleuve d'os blancs sous des ponts d'ombre. Par moments, tout s'estompait, patine de relique ancienne. Par moments, tout reparaissait, rehaussé d'un fil d'or. Une vaste paupière noire recouvrit ce jeu de paupières séparées. Son cil immense se détacha du plus haut des volcans, il s'étendit avec un mouvement d'araignée sur le squelette de la ville, et l'ombre s'endeuilla. Les chiens secouèrent leurs oreilles comme des heurtoirs, il y eut un envol d'oiseaux nocturnes, gémissement et gémissement de cyprès en cyprès et trafic affairé de cordes d'horloges. La lune disparut complètement derrière le sommet d'un cratère dressé, et les voiles de mariée de la brume se logèrent entre les maisons. Visage d'Ange ferma la fenêtre. Dans la chambre de Camila, on entendait sa respiration lente, pénible, comme si elle s'était endormie la tête sous les couvertures, ou comme si, sur sa poitrine, pesait un fantôme.

C'est vers cette époque qu'ils allèrent se baigner. L'ombre des arbres tachait les chemises blanches des marchands chargés de cruches, de balais, de sansonnets dans des cages de jonc, de pin, de charbon, de fagots, de maïs. Ces gens voyageaient en groupes, parcourant de longues distances, sans poser le talon, sur la pointe des pieds. Le soleil transpirait avec eux. Ils haletaient. Ils agitaient les bras. Ils disparaissaient comme des oiseaux.

Camila s'arrêta à l'ombre d'une ferme pour regarder

cueillir du café. Les mains des cueilleuses se dessinaient sur
le feuillage métallique avec des mouvements d'animaux
voraces ; elles montaient, descendaient, se nouaient, affolées,
comme pour chatouiller l'arbre ; puis elles se séparaient,
comme si elles déboutonnaient sa chemise.

Visage d'Ange entoura de son bras la taille de Camila, et
la conduisit le long d'un sentier accablé par le chaud sommeil
des arbres. Ils sentaient leur tête et leur torse, mais tout le
reste, jambes et mains, flottait avec eux, parmi des orchidées
et des lézards étincelants, dans la pénombre qui les trans-
formait en sombre miel de talc à mesure qu'ils pénétraient
dans la forêt. On sentait le corps de Camila à travers la
blouse fine, comme on sent, à travers la feuille tendre du
maïs, le grain mou, laiteux et humide. Le vent dépeignait
leurs cheveux. Le soleil s'endormait dans l'eau. Des présences
invisibles flottaient dans l'ombreuse proximité des fougères.
D'une maison au toit de zinc sortit le gardien des bains, la
bouche pleine de haricots ; il les salua d'un signe de tête et
tout en avalant la bouchée qui lui gonflait les deux joues, il
resta planté à les regarder, pour se donner à respecter. Ils lui
demandèrent deux cabines. Il répondit qu'il allait leur apporter les clefs. Il alla chercher les clefs et il leur ouvrit deux
petites cabines séparées par un mur. Chacun d'eux occupa
la sienne mais, avant de se séparer, ils coururent se donner
un baiser. Le gardien, qui avait des orgelets, détourna la tête.

Perdus dans la rumeur du bois, loin l'un de l'autre, ils se
sentaient tout drôles. Un miroir brisé en deux regardait Visage
d'Ange se déshabiller avec une hâte juvénile. Ah ! être homme,
alors qu'on pourrait être arbre, nuage, libellule, bulle ou
remous ! Camila poussa un cri en sentant l'eau froide sur
ses pieds à la première marche du bain ; de nouveaux cris
à la deuxième, plus aigus à la troisième, encore plus aigus à
la quatrième et... plouf ! Sa chemise se gonfla comme une
crinoline, comme un ballon, mais l'eau l'aspira presque aussitôt et sur le tissu aux couleurs vives, bleu, jaune, vert, s'im-
prima son corps : seins et ventre fermes, légère courbe des
hanches, douceur du dos, les épaules un peu maigres. Après
son plongeon, revenue à la surface, Camila perdit contenance.

Le silence fluide des roseaux était complice de quelqu'un qui se trouvait par là, un esprit bizarre qui rôdait autour des bains, un serpent couleur de papillon : la *Siguamonta*. Mais elle entendit la voix de son mari qui demandait derrière la porte si on pouvait entrer, et elle se sentit rassurée.

L'eau sautait avec eux comme un animal joyeux. Dans les toiles d'araignées lumineuses des reflets accrochés aux murs, on voyait les ombres de leurs corps grandes comme des araignées monstrueuses. L'atmosphère était toute pénétrée par l'odeur du suquinay, la présence absente des volcans, l'humidité des petits ventres des grenouilles, l'haleine des moutons qui tétaient des prairies transformées en liquide blanc, la fraîcheur des cascades qui naissaient en riant, le vol inquiet des mouches vertes. Un voile impalpable de H muets, le chant mélodieux d'un oiseau, le volètement d'un autre, les enveloppaient.

Le gardien apparut sur la porte, demandant si les chevaux qu'on envoyait de « Las Quebraditas » étaient pour eux. Le temps de sortir du bain et de s'habiller. Camila sentit une chenille dans la serviette de toilette qu'elle avait posée sur ses épaules, pour se peigner, afin de ne pas mouiller sa robe avec ses cheveux humides. La sentir, crier, Visage d'Ange accourant et tuant la chenille fut une seule et même chose. Mais Camila avait perdu tout intérêt : la forêt entière lui faisait peur, sa respiration exudante, sa torpeur insomnieuse étaient comme celles des chenilles.

Au pied d'un figuier, les chevaux chassaient les mouches avec leur queue. Le valet qui les avait amenés s'approcha pour saluer Visage d'Ange, son chapeau à la main.

— Ah ! c'est toi, bonjour, que fais-tu par là ?

— Je travaille, depuis que vous m'avez rendu le service de me faire sortir de la caserne. Il y aura bientôt un an que je suis par ici.

— Comme le temps passe...

— C'est ce qu'il paraît, mais à mon avis, patron, c'est le soleil qui force un peu et que les oiseaux migrateurs y sont pas encore passés.

Visage d'Ange demanda à Camila si elle était prête à partir : il s'était arrêté pour payer le gardien.

— Quand tu voudras...

— Mais tu n'as pas faim ? Tu ne veux rien manger ? Le gardien pourra peut-être nous vendre quelque chose.

— Des œufs ! intervint le valet et, de la poche de sa veste, qui avait plus de boutons que de boutonnières, il sortit un mouchoir où étaient enveloppés trois œufs.

— Merci beaucoup, dit Camila, ils ont l'air très frais.

— Merci à vous, madame, et pour ce qui est des œufs, y sont tout frais ; les poules les ont pondus ce matin même et j'y ai dit à ma femme : « Tu me les mets de côté, j'ai dans l'idée de les porter à don Miguel. »

Ils prirent congé du gardien, toujours avec sa goutte au nez à cause de ses yeux et la bouche pleine de haricots.

— Mais moi je disais, ajouta le palefrenier, que madame devrait gober les œufs, car d'ici là-bas c'est un peu loin et il se peut qu'elle ait faim.

— Non, non, je ne les aime pas crus et ils peuvent me faire mal, répondit Camila.

— Je disais ça parce que je vois que madame est un peu pâle !

— C'est que, telle que vous me voyez, je commence juste à me lever...

— Oui, dit Visage d'Ange, elle a été très malade.

— Mais maintenant, vous allez vous remettre, observa l'autre, tout en serrant les sangles des sous-ventrières. Les femmes, c'est comme les fleurs, ce qu'il leur faut, c'est d'être arrosées souvent ; vous allez devenir belle avec le mariage.

Camila baissa les paupières, rougissante, surprise comme une plante qui au lieu de feuilles verrait lui pousser des yeux partout ; mais auparavant, elle regarda son mari et ils se désirèrent du regard, scellant ainsi l'accord tacite qui manquait entre eux.

35

Cantique des cantiques

Si le hasard ne nous avait pas réunis! leur arrivait-il de se dire. Et ils avaient si peur d'avoir couru ce danger que, s'ils étaient séparés, ils se cherchaient; s'ils étaient l'un près de l'autre, ils s'embrassaient; s'ils étaient enlacés, ils se serraient plus fort et, non contents de s'étreindre, ils échangeaient de longs baisers, et non contents d'échanger des baisers, ils se contemplaient, et à contempler leur union, ils se trouvaient si clairs, si heureux, qu'ils tombaient dans une transparente amnésie, en parfaite harmonie avec les arbres, nouvellement gonflés de sève, et avec les petits morceaux de chair enveloppés de plumes bigarrées, qui volaient, plus légers que l'écho.

Mais les serpents étudièrent le cas : « Si le hasard ne les avait pas réunis, seraient-ils heureux ?... » Dans les ténèbres, on mit aux enchères la démolition de l'inutile enchantement du Paradis, et les ombres à l'affût, vaccin de péché humide, commencèrent à prendre racine dans la voix vague des soupçons, et le calendrier à tisser des toiles d'araignée dans les recoins du temps.

Ni elle ni lui ne pouvaient se dispenser d'aller à la réception que donnait ce soir-là le Président de la République dans sa résidence champêtre.

Ils eurent l'impression d'être déjà dans une maison étrangère, ne sachant que faire, tristes de se voir ensemble entre un canapé, un miroir et d'autres meubles, hors du monde merveilleux où ils avaient passé les premiers mois de leur mariage, ayant pitié l'un de l'autre, pitié et honte d'être eux-mêmes.

Une horloge sonna des heures dans la salle à manger, mais il leur semblait se trouver si loin que, pour aller là-bas, ils eurent l'impression qu'il fallait prendre un bateau ou un ballon. Et ils étaient là-bas...

Ils mangèrent sans parler, suivant des yeux la pendule qui les rapprochait de la fête, à petits coups. Visage d'Ange se leva pour mettre son frac et il eut froid en glissant ses mains dans les manches, comme quelqu'un qui s'enveloppe dans une feuille de bananier. Camila voulut plier sa serviette, mais ce fut la serviette qui plia ses mains, et elle resta là, prisonnière entre la table et la chaise, sans forces pour faire le premier pas. Elle retira son pied. Le premier pas était là. Visage d'Ange revint voir l'heure et retourna dans sa chambre pour prendre ses gants. Ses pas retentirent au loin comme dans un souterrain. Il dit quelque chose. Quelque chose. Sa voix était confuse. Un instant plus tard, il revint dans la salle à manger avec l'éventail de sa femme. Il ne savait plus ce qu'il était allé chercher dans sa chambre et regardait de tous côtés. A la fin il se souvint, mais il les avait déjà enfilés.

— Attention à ne pas laisser les lumières allumées, éteignez-les et fermez bien les portes, puis couchez-vous de bonne heure, recommanda Camila aux servantes qui les regardaient partir.

La voiture disparut avec eux au trot des chevaux corpulents, dans un cliquetis de pièces de monnaie provoqué par les harnais. Camila était enfouie sur le siège de la voiture, sous le poids d'une irrémédiable somnolence, la lumière morte des rues dans les yeux. De temps en temps, le balancement de la voiture la soulevait du siège, petits sauts interrompant le mouvement de son corps qui suivait le rythme de la voiture.

Les ennemis de Visage d'Ange racontaient que le favori n'était plus en faveur, insinuant, dans le Cercle des Amis de Monsieur le Président, qu'au lieu de l'appeler par son nom, on devrait l'appeler Miguel Canales. Bercé par le tressautement des jantes, Visage d'Ange savourait d'avance la stupeur que leur causerait sa présence à la fête.

La voiture, s'arrachant à la pierraille des rues, glissa le

long d'une pente de sable fin comme l'air, avec un bruit de clapotis entre les roues. Camila eut peur ; on ne voyait rien dans l'obscurité de la campagne, à part les astres ; on n'entendait rien sous le serein qui mouillait, si ce n'est le chant des grillons ; elle eut peur et elle se crispa comme si on la traînait vers la mort par un chemin ou un semblant de chemin, limité d'un côté par un abîme vorace et de l'autre par l'aile de Lucifer, étendue comme un rocher dans les ténèbres.

— Qu'as-tu ? lui dit Visage d'Ange, l'attirant doucement par les épaules afin de l'éloigner de la portière.

— Peur !

— Chut ! tais-toi...

— Le cocher va nous faire verser, dis-lui qu'il n'aille pas si vite ; mais dis-le-lui ! Tu n'es vraiment pas drôle, tu sais ! On dirait que tu ne te re..s compte de rien ! Dis-le-lui, au lieu de rester muet !...

— Dans ces voitures... commença Visage d'Ange, mais une étreinte de sa femme le fit taire en même temps qu'un coup sec des ressorts. Ils crurent rouler dans un abîme.

— C'est fini... dit-il, c'est fini... ce sont, sans doute, les roues qui sont passées sur une fondrière...

Le vent soufflait au sommet des roches, avec des plaintes de voilure déchirée. Visage d'Ange passa la tête par la portière pour crier au cocher de faire plus attention. Celui-ci tourna sa figure lugubre, piquetée de petite vérole, et mit les chevaux à un pas d'enterrement.

La voiture s'arrêta à la sortie d'un petit village. Un officier en capote s'avança vers eux en faisant sonner ses éperons ; il les reconnut et ordonna au cocher de passer. Le vent soupirait entre les feuilles des maïs desséchés et cassés. Les arbres dormaient. La silhouette d'une vache se devinait dans un enclos. Deux cents mètres plus loin, deux officiers s'approchèrent pour les reconnaître, mais la voiture ne s'arrêta presque pas. Et, alors qu'ils étaient sur le point de descendre, dans la résidence présidentielle, trois colonels s'approchèrent pour fouiller la voiture.

Visage d'Ange salua les officiers de l'Etat-Major. (Il était

beau et méchant comme Satan.) Une tiède nostalgie de nid
flottait dans la nuit inexplicablement vaste vue de là. Une
petite lueur à l'horizon signalait l'endroit où un fort d'artillerie
veillait à la protection de Monsieur le Président de la République.

Camila baissa les yeux devant un homme à l'expression
méphistophélique, au dos voûté, aux yeux en forme de S
couché et aux jambes longues et maigres. Au moment même
où ils passaient, l'homme levait le bras d'un geste lent et
ouvrait la main comme si au lieu de parler il allait lâcher une
colombe.

— Portenius de Béthanie, dit-il, fut fait prisonnier dans
la guerre contre Mithridate et emmené à Rome. Il y enseigna
l'Alexandrin : nous le tenons de lui, Properce, Ovide, Virgile,
Horace et moi...

Deux dames d'âge mûr causaient sur le seuil du salon où
le Président recevait ses invités.

— Oui, oui ! disait l'une d'elles en passant la main sur
ses cheveux bouclés, je le lui ai dit, qu'il devait se faire réélire.

— Et lui, qu'a-t-il répondu ? Cela m'intéresse...

— Il a seulement souri, mais moi je sais qu'il se fera
réélire. Pour nous, Candidita, c'est le meilleur Président que
nous ayons jamais eu. Pour vous dire que, depuis qu'il est là,
Moncho, mon mari, n'a pas cessé d'avoir un bon emploi.

Derrière ces dames, *le Ticher* pontifiait au milieu d'un
groupe d'amis.

— Celle à qui l'on donne un mari, c'est-à-dire la maridée,
est marrie si on la démarie...

— Monsieur le Président s'est enquis de vous, disait le
Président du Tribunal Spécial à droite et à gauche. Monsieur
le Président s'est enquis de vous, Monsieur le Président s'est
enquis de vous...

— Merci beaucoup, répondit *le Ticher.*

— Merci beaucoup, répondit, se croyant visé, un jockey
noir, aux jambes arquées et aux dents en or.

Camila aurait voulu passer inaperçue. Mais impossible.
Sa beauté exotique, ses yeux verts, clairs, sans âme, son corps
fin, dessiné par sa robe de soie blanche, ses seins menus, ses

mouvements gracieux, et surtout son origine — la fille du
général Canales ! — la faisaient remarquer.

Une dame commenta, dans un groupe :

— Elle est vraiment quelconque. Une femme qui ne porte
pas de corset... On voit bien qu'elle sort de sa campagne...

— Et qu'elle a fait transformer sa robe de mariée pour
assister à la réception, cancanna une autre.

— Quand on n'a pas de quoi faire bonne figure, figurez-
vous... crut bon d'ajouter une dame au cheveu rare.

— Ce que nous sommes méchantes ! Moi, je parlais de
la robe parce qu'on voit bien qu'ils sont sans ressources.

— Bien sûr qu'ils le sont, vous en avez de bonnes !
observa la dame au cheveu rare ; et elle ajouta à voix basse :
il paraît que Monsieur le Président ne lui donne plus rien
depuis qu'il s'est marié avec celle-là...

— Pourtant, Visage d'Ange lui est tout acquis...

— Lui était, voulez-vous dire. A ce qu'il paraît — moi, je
ne fais que répéter — ce Visage d'Ange n'a enlevé celle qui
est devenue sa femme que pour jeter de la poudre aux yeux
de la police afin que son beau-père, le Général, puisse
s'échapper, et c'est comme ça qu'il s'est échappé !

Camila et Visage d'Ange continuaient d'avancer au milieu
des invités vers le fond de la salle, où se trouvait le Président.
Son Excellence parlait avec un prêtre, Docteur Irréfragable,
au milieu d'un groupe de dames qui, en approchant du
maître, ravalaient ce qu'elles étaient en train de dire, comme
quelqu'un qui, avalant une bougie allumée, n'ose plus respirer
ni ouvrir les lèvres ; de banquiers poursuivis en justice et
libérés sous caution ; de gratte-papier jacobins qui ne quit-
taient pas des yeux Monsieur le Président, sans oser le saluer
quand il les regardait, ni s'en aller quand il ne faisait plus
attention à eux ; de « lumières » de village, le flambeau de
leurs idées politiques éteint, avec un rien d'humanisme dans
leur dignité de petites têtes de lion vexées de se sentir une
queue de souris.

Camila et Visage d'Ange s'approchèrent pour saluer le
Président. Visage d'Ange présenta sa femme. Le maître lui
tendit sa main droite, petite, au contact glacé, et, en pro-

nonçant son nom, il appuya son regard sur elle comme pour
lui dire : « Voyez bien qui je suis ! » Cependant le chanoine
saluait avec les vers de Garcilaso l'apparition d'une beauté
qui avait le nom et la beauté singulière de celle qu'aimait
Albanio :

> *Une seule œuvre voulut la Nature*
> *Faire comme celle-ci, et sitôt après, elle brisa*
> *Le moule où fut coulée telle figure.*

Les serveurs offraient du champagne, des petits gâteaux,
des amandes salées, des bonbons, des cigarettes. Le champagne allumait le feu sans flamme de la soirée protocolaire
et tout, comme sous l'effet d'un enchantement, semblait réel
dans les calmes miroirs, et fictif dans les salons, telle la
sonorité feuillue d'un instrument primitivement composé de
calebasses et, une fois civilisé, de petits cercueils.

— Général !... — La voix du Président résonna. — Faites
sortir les messieurs, je veux rester seul avec les dames.

Par les portes qui s'ouvraient sur la nuit claire, les
hommes sortirent en groupes compacts, sans souffler mot,
les uns se hâtant pour montrer leur empressement à exécuter
l'ordre du maître, les autres, afin de mieux dissimuler leur
contrariété par leur empressement. Les dames se regardèrent,
sans oser ramener leurs pieds sous leurs chaises.

— Le Poète peut rester... insinua le Président.

Les officiers fermèrent les portes. Le Poète ne savait où
se mettre, intimidé par tant de dames.

— Récitez, Poète ! ordonna le Président, mais quelque
chose de beau : le *Cantique des cantiques*...

Et le Poète se mit à réciter ce qu'il se rappelait du texte
de Salomon.

Qu'il me baise des baisers de sa bouche !
. . . .
Je suis noire, mais je suis belle, filles de Jérusalem,
Comme les tentes de Kédar, comme les pavillons de Salomon.

Ne prenez pas garde à mon teint noir :
C'est le soleil qui m'a brûlée.

. . . .

Mon bien-aimé est pour moi un bouquet de myrrhe,
Qui repose entre mes seins.

. . . . , ...

J'ai désiré m'asseoir à son ombre,
Et son fruit est doux à mon palais.
Il m'a fait entrer dans la maison du vin ;
Et la bannière qu'il déploie sur moi, c'est l'amour.

. . . . , ...

Je vous en conjure, filles de Jérusalem,
Ne réveillez pas, ne réveillez pas l'amour,
Avant qu'elle le veuille.

. . . . , . . .

Que tu es belle, mon amie, que tu es belle !
Tes yeux sont des colombes, derrière ton voile.
Tes cheveux sont comme un troupeau de chèvres,
Suspendues au flanc de la montagne de Galaad.
Tes dents sont comme un troupeau de brebis tondues,
Qui remontent de l'abreuvoir ;
Toutes portent des jumeaux,
Aucune d'elles n'est stérile.

. . . . , . . .

Il y a soixante reines, quatre-vingts concubines.

Le Président se leva, funeste. Ses pas retentirent comme les foulées du jaguar qui fuit par les pierrailles d'un torrent à sec. Et il disparut par une porte, les rideaux qu'il avait écartés pour passer lui fouettant le dos.

Poète et auditoire demeurèrent médusés, minuscules, vides, malaise atmosphérique comme lors d'un coucher de soleil. On annonça le dîner. Les portes s'ouvrirent et, tandis que les messieurs qui avaient attendu dans le couloir, regagnaient la salle en grelottant, le Poète s'avança vers Camila et l'invita à souper. Elle se leva et allait lui prendre le bras, quand une main l'arrêta. Elle retint un cri. Visage d'Ange était resté caché derrière une tenture auprès de sa femme ; tous le virent sortir de sa cachette.

La marimba secouait ses membres éclissés, attachée à la résonance de ses petits cercueils.

36

La révolution

On ne voyait rien par devant. Par derrière avançaient les reptiles silencieux, étirés, escarmouches de sentiers qui déployaient des ondulations fluides, lisses, glacées. On pouvait compter les côtes de la terre dans les marécages à sec, maigre, sans hiver. Les arbres montaient respirer au plus haut des frondaisons, denses, laiteuses. Les feux de bivouac faisaient briller les yeux des chevaux fatigués. Un soldat urinait, le dos tourné. On ne lui voyait pas les jambes. Il aurait fallu le lui expliquer, mais on ne le lui expliquait pas, ses camarades étant trop affairés à fourbir leurs armes avec de la graisse et des bouts de jupons qui sentaient encore la femme. La mort les emportait successivement, elle les desséchait dans leurs lits un par un, sans profit pour leurs enfants ni pour personne. Mieux valait risquer sa peau pour voir ce qui en sortirait. Les balles ne sentent rien quand elles traversent le corps d'un homme ; elles croient que la chair c'est de l'air tiède, doux, de l'air un peu gras. Et elles piaillent comme de vilains oiseaux. Il aurait fallu le lui expliquer, mais on ne le lui expliquait pas, occupés qu'ils étaient à affiler leurs machettes achetées par la révolution dans une quincaillerie à qui on avait mis le feu. Peu à peu, le tranchant se faisait, tel le rire dans le visage d'un nègre. Chantez, compère, disait une voix, voilà un bout de temps que je vous ai pas entendu chanter !

> *Pourquoi m'as-tu courtisée,*
> *Ingrat qui avais une maîtresse ;*
> *Mieux eût valu que tu me laisses*
> *Comme un arbre pour bois à brûler.*

« Continuez, compère, la chanson !... »

> *La fête de la lagune*
> *Cette année il n'y eut pas de lune*

« Chantez, compère !... »

> *Le jour où toi tu es née*
> *Ce jour-là moi je naquis*
> *Et il y eut une telle fête dans le ciel*
> *Que Dieu lui-même y prit part...*

« Chantez, compère, chantez !... »

Le paysage prenait de la quinine de lune et les feuilles des arbres grelottaient. En vain, ils avaient attendu l'ordre d'avancer. Un aboiement lointain signalait un village. Le jour se levait. La troupe immobilisée, prête à assaillir la première garnison dès cette nuit, sentait qu'une force étrange, souterraine, lui volait sa mobilité et que ses hommes se pétrifiaient. La pluie transforma en bouillie la matinée sans soleil. La pluie ruisselait sur la figure et sur le dos nu des soldats. A la fin des fins, tout apparut en pleine lumière. D'abord ce furent seulement des nouvelles entrecoupées, contradictoires. Petites voix qui, par crainte de la vérité, ne disaient pas tout ce qu'elles savaient. Quelque chose de très profond durcissait dans le cœur des soldats : une boule de fer, une trace d'os. Comme d'une seule blessure, tout le camp saigna : le général Canales était mort. Les nouvelles se concrétisaient en syllabes et en phrases. Des syllabes de syllabaire. Des phrases de l'Office des Morts. Cigarettes et eau-de-vie teintée avec de la poudre et des malédictions. On racontait des choses incroyables et pourtant vraies. Les vieux se taisaient, impatients de savoir la vérité vraie, les uns debout, les autres étendus, d'autres accroupis. Ceux-ci arrachaient leur chapeau de paille ; ils le jetaient à terre et se grattaient la tête furieusement. Les jeunes gens étaient partis par là, dégringolant le ravin ventre à terre, pour chercher des nouvelles. La réverbé-

ration du soleil étourdissait. Un nuage d'oiseaux tourbillon-
nait au loin. De temps à autre, éclatait une détonation. Puis
vint l'après-midi. Ciel meurtrier sous des haillons de nuages.
Les feux des bivouacs s'éteignirent peu à peu, et tout fut
une seule masse obscure, d'unanimes ténèbres solitaires ;
ciel, terre, animaux, hommes. Le galop d'un cheval rompit le
silence avec son rataplan, rataplan que l'écho repassait sur
la table de multiplication. On l'entendit de sentinelle en sentinelle, à chaque instant plus proche, et il ne tarda pas à
arriver, à se confondre avec eux tous qui croyaient rêver tout
éveillés, en écoutant ce que racontait le cavalier. Le général
Canales était mort subitement, après avoir mangé, alors qu'il
allait se mettre à la tête des troupes. Et maintenant, l'ordre
était d'attendre. « On lui a donné quelque chose, de la racine
de chelpte, poison qui tue sans laisser de trace. Curieux, non,
qu'il meure à ce moment ! » observa une voix. « Il aurait dû
se méfier ! » soupira une autre. « Ahhhh !... » Tous se turent,
émus jusqu'à leurs talons nus, enfouis dans la terre... « Sa
fille ? »

Au bout d'un moment, long comme un cauchemar, une
autre voix ajouta :

— Si vous voulez, je la maudis ; je connais une formule
que m'a apprise un sorcier de la côte, une fois que le maïs
manquait dans la montagne, et que j'étais descendu pour en
acheter ! Vous voulez ?...

— A vot'guise, répondit une autre voix dans l'ombre, moi
j'dis pas non, vu qu'elle a tué son père !...

Le galop du cheval résonna de nouveau sur le chemin,
rataplan, rataplan ; on entendit une fois de plus crier les
sentinelles et de nouveau le silence régna. L'écho des hurlements de coyotes monta comme un escalier à double rampe
jusqu'à la lune qui apparut tardivement, entourée d'un grand
halo. Plus tard, on entendit un grondement.

Et, avec chacun de ceux qui racontaient l'événement,
le général Canales sortait de sa tombe pour répéter sa mort ;
il s'asseyait pour manger devant une table sans nappe, à la
lueur d'un quinquet ; on entendait le bruit des couverts, des
assiettes, les pas de son ordonnance ; on l'entendait verser

un verre d'eau, déplier le journal, et... plus rien, pas même un gémissement. On le trouva mort à table, la joue écrasée sur le *National*, les yeux entrouverts, vitreux, absorbés par une vision lointaine.

Les hommes retournèrent à leurs tâches quotidiennes à regret ; ils ne voulaient plus être traités comme des animaux domestiques et ils étaient partis pour faire la révolution avec *La Casaque*, ainsi qu'ils appelaient affectueusement le général Canales, afin de changer de vie, parce que *La Casaque* promettait de leur rendre la terre qu'on leur avait enlevée injustement, sous prétexte d'abolir les communautés ; de distribuer équitablement les prises d'eau ; de supprimer le pilori ; d'imposer la *tortilla* obligatoire pour deux ans ; de créer des coopératives pour l'importation de matériel agricole, de bonnes semences, d'animaux de race, d'engrais, de techniciens ; de développer les moyens de transport et d'en réduire le prix pour favoriser l'exportation et la vente des produits de la terre ; de mettre la presse entre les mains de personnes élues par le peuple et directement responsables devant ce peuple ; de supprimer l'école privée ; des impôts proportionnels aux revenus, des médicaments moins chers, des médecins et des hommes de loi fonctionnaires, et la liberté des cultes, c'est-à-dire la possibilité pour les Indiens d'adorer leurs divinités et de rebâtir leurs temples sans être inquiétés.

Camila apprit la mort de son père bien des jours après. Une voix inconnue lui donna la nouvelle au téléphone.

— Votre père est mort en lisant dans le journal que le Président de la République avait été témoin à votre mariage...

— Ce n'est pas vrai ! cria-t-elle.

— Qu'est-ce qui n'est pas vrai ? répliqua-t-on en riant.

— Ce n'est pas vrai, il n'a pas été témoin... Allô ! allô ! — mais on avait déjà coupé la communication en baissant l'interrupteur lentement, comme on fait quand on s'éclipse en cachette. — Allô ! allô !... allô !...

Elle se laissa tomber dans un fauteuil d'osier. Elle n'éprouvait rien. Un moment après, elle fit l'inventaire de la pièce telle qu'elle se présentait maintenant, qui n'était plus comme elle se présentait avant. Avant elle avait une autre couleur, une autre atmosphère. « Mort ! Mort ! Tort ! » Camila noua ses mains pour faire éclater quelque chose et elle éclata de rire, les mâchoires crispées et les pleurs retenus dans ses yeux verts.

Un tombereau d'eau passa dans la rue ; le robinet larmoyait tandis que riaient les récipients de métal.

37

La danse de Tohil

— Et pour ces messieurs, ce sera ?...

— De la bière.

— Pour moi, non, pour moi, du whisky.

— Pour moi, du cognac.

— Alors, ça fait...

— Une bière...

— Un whisky et un cognac...

— Et des amuse-gueule !

— Alors ça fait une bière, un whisky, un cognac et des amuse-gueule...

— Quant à...mis, je peux aller me faire voir !... On entendit la voix de Visage d'Ange, qui revenait en boutonnant sa braguette avec une certaine hâte.

— Qu'est-ce que vous prendrez ?

— N'importe quoi, apporte-moi un diabolo...

— Alors ça fait une bière, un whisky, un cognac et un diabolo.

Visage d'Ange tira une chaise et vint s'asseoir à côté d'un homme de deux mètres de haut, dont les allures et les gestes étaient d'un nègre, bien qu'il fût blanc, le dos pareil à une voie ferrée, une paire d'enclumes qui ressemblaient à des mains et une cicatrice entre ses sourcils blonds.

— Faites-moi de la place, Mister Gengis, dit-il, je vais mettre une chaise près de la vôtre.

— Veux... lontiers, monsieur...

— Je ne fais que boire et je m'en vais, parce que le patron m'attend.

— Ah ! poursuivit Mister Gengis, puisque vous allez voir

Monsieur le Président, il faut cesser être très sot, il faut lui
dire qu'elles n'ont pas du vrai, pas vrai du tout, les choses
qu'on dit de vous.

— Ça va de soi, observa le quatrième, celui qui avait
demandé du cognac.

— Et c'est à moi que vous le dites ! intervint Visage
d'Ange en s'adressant à Mister Gengis.

— Et à tout le monde ! s'exclama l'amerloque en abat-
tant ses mains ouvertes sur la table de marbre — bien sûr !
car je suis ici cette nuit-là et suis entendu de mes oreilles
le Président du Tribunal Spécial qui déclarait vous être contre
la réélection et partisan de la révolution avec le défunt général Canales.

Visage d'Ange dissimulait mal son inquiétude. Aller voir
le Président dans ces circonstances était téméraire.

Le garçon s'approcha pour servir ; il portait un veston
blanc sur lequel était brodé, au point de chaînette, le mot :
« Gambrinus ».

— Un whisky... une bière...

Mister Gengis avala le whisky sans sourciller, cul sec,
comme on avale une purge ; puis il sortit sa pipe et la remplit
de tabac.

— Oui, mon ami, le moment moins attendu, ces choses
elles arrivent aux oreilles du patron et ça pas drôle pour
vous. C'est maintenant le moment de lui dire clairement ce
qui est et ce qui pas est, justement maintenant l'occasion
a beaucoup de cheveux à saisir.

— Merci du conseil, Mister Gengis, et à bientôt ; je vais
chercher un fiacre pour arriver plus vite ; merci beaucoup,
et au revoir à tous.

Mister Gengis alluma sa pipe.

— Combien de whiskies avez-vous bus, Mister Gengis ?
dit l'un de ceux qui étaient à la table.

— Dix-huit, répondit l'amerloque, la pipe à la bouche,
un œil à demi fermé et l'autre bleu, bleu ouvert sur la petite
flamme jaune de l'allumette.

— Comme vous avez raison, le whisky est une grande
chose !

— Dieu savoir, *me* ne sait le dire ; demandez alors à ceux qui ne boivent pas comme *me* boit, par pur désespoir...

— Ne dites pas ça, Mister Gengis !

— Comment dites pas, si c'est ce que pense ? Dans mon pays, tout le monde dit ce que pense. Complètement.

— C'est une grande qualité...

— Oh non ! Moi je plais mieux ici avec vous : dire ce que ne pense pas pourvu que soit très joli !

— Alors, chez vous, les histoires, on ne sait pas ce que c'est ?

— Oh non ! Absolument pas. Tout ce qui sont histoires, tout sont déjà dans la Bible, divinement !

— Un autre whisky, Mister Gengis ?

— Un peu je vais le boire, l'autre whisky !

— Bravo, ça me plaît, vous êtes de ceux qui meurent selon leurs idées...

— *Comment ?*

— Mon ami dit que vous êtes de ceux qui meurent...

— Oui, je comprendre ceux qui meurent selon leurs idées ; non ; *me* de ceux qui vivent selon leurs idées ; *me* être mieux vivant ; mourir est sans importance et si possible, je mourir quand vient à l'idée de Dieu.

— Ce Mister Gengis, il voudrait voir pleuvoir du whisky !

— Non, non, pourquoi faire ?... On ne vendrait plus les pourpluies pour pluie mais pour entonnoirs. — Et il ajouta, après une pause que remplissaient la fumée de sa pipe et sa respiration cotonneuse, pendant que les autres riaient : Bonne garçon, ce Visage d'Ange, mais s'il ne fait pas ce que je lui dirai, il n'aura jamais pardon et ira beaucoup au diable !

Un groupe d'hommes silencieux entra dans la taverne brusquement ; ils étaient nombreux et la porte ne pouvait les laisser passer tous à la fois. La plupart restèrent debout près de l'entrée, parmi les tables proches du comptoir. Ils ne faisaient que passer, inutile de s'asseoir. « Silence ! » cria un homme, mi-petit, mi-vieux, mi-chauve, mi-sain, mi-fou, mi-enroué, mi-crasseux, en dépliant une grande affiche imprimée, que deux autres l'aidèrent à coller avec de la cire noire sur une glace du café.

CITOYENS!

Prononcer le nom de Monsieur le Président de la République, c'est éclairer avec les torches de la paix les intérêts sacrés de la Nation qui, sous son sage gouvernement, a conquis et continue de conquérir les inappréciables bienfaits du Progrès dans tous les domaines et de l'Ordre dans tous les progrès!!! En tant que citoyens libres, conscients de l'obligation où nous sommes de veiller sur nos destinées, qui sont les destinées de la Patrie, et comme hommes de bien, ennemis de l'Anarchie, Nous proclamons!!! Que le salut de la République est dans la RÉÉLECTION DE NOTRE ILLUSTRE MANDATAIRE ET RIEN QUE DANS SA RÉÉLECTION ! *Pourquoi aventurer la barque de l'Etat dans l'inconnu quand nous avons à sa tête l'homme d'Etat le plus complet de notre temps, celui que l'Histoire saluera comme Grand parmi les Grands, comme Sage parmi les Sages, comme Libéral, Penseur et Démocrate ? Imaginer seulement un autre qui ne soit pas Lui dans une si haute magistrature, c'est attenter aux Destinées de la Nation, qui sont nos destinées, et celui qui oserait une telle chose — et il n'y aura personne pour l'oser — devrait être interné parce que fou dangereux, ou, s'il n'était pas fou, jugé comme traître à la Patrie, conformément à nos lois!!!* CITOYENS !!! VOTEZ !!! POUR !!! NOTRE !!! CANDIDAT !!! QUI !!! SERA !!! RÉÉLU !!! PAR !!! LE PEUPLE !!!

La lecture de l'affiche éveilla l'enthousiasme de tous ceux qui se trouvaient dans le café ; il y eut des vivats, des applaudissements, des cris et, à la demande générale, un homme débraillé à la crinière noire et aux yeux vagues parla :

« Patriotes ! ma pensée est celle d'un poète et ma langue patriotique celle d'un citoyen ! Poète signifie celui qui inventa le ciel, je vous parle donc comme inventeur de cette chose si inutile et si belle qui s'appelle le ciel. Ecoutez mon improvisation décousue !... Quand cet Allemand qui n'a pas été compris en Allemagne, pas Gœthe, ni Kant, ni Schopenhauer, parla du superlatif de l'Homme, il pressentit sans doutement que, de Père Cosmos et de Mère Nature, allait naître, au cœur de l'Amérique, le premier homme supérieur qui ait jamais existé. Je parle messieurs de celui qui fait pencher la balance des aurores, qui a Bien Mérité de la Patrie qu'elle l'appelle Chef du Parti et Protecteur de la Jeunesse Studieuse. Je parle, messieurs, de Monsieur le Président Constitutionnel de la République, comme certainement vous tous l'avez compris ; il est le Surhomme de « Nitche », le Superunique... Je le dis et le répète du haut de cette tribu !... — et, en prononçant ces mots, il frappa du plat de la main sur le comptoir du bistrot. Donc, compatriotes, sans être de ceux qui vivent de la politique, ni de ceux qui prétendent avoir inventé le fil à couper le beurre parce qu'ils ont appris par cœur les hauts faits de Chilpéric, croyez en un avis désintéressé-intègre-honnête : tant qu'il n'existera pas parmi nous un autre citoyen hypersuperhomme, supercitoyen, il faudrait être fous ou aveugles, aveugles ou fous à lier, pour permettre que les rênes du gouvernement passent des mains de notre aurige-super-unique qui maintenant et toujours conduira le char de notre Patrie adorée, aux mains d'un autre citoyen, d'un citoyen quelconque, d'un citoyen, concitoyens, qui, même s'il possédait tous les mérites du monde, ne serait rien de plus qu'un homme. La Démocratie a fini avec les Empereurs et les Rois dans la vieille Europe fatiguée, mais il faut reconnaître, et nous le reconnaissons, que, transplantée en Amérique, elle subit la greffe presque divine du Surhomme et donne naissance à une nouvelle forme de gouvernement : la Superdémocratie ! Et à ce propos, messieurs, je vais avoir le plaisir de vous réciter...

— Récitez, poète, dit une voix, mais pas l'ode...

— ... mon Nocturne en Do Majeur au Superunique ! »

Au poète succédèrent dans le bon usage de la parole d'autres exaltés contre la bande infâme, le syllabaire de l'abracadabra et autres suppositoires théologaux. Le sang se mit à couler du nez d'un des assistants qui, entre deux discours, demandait à grands cris qu'on lui apporte à humer, pour arrêter l'hémorragie, une brique neuve trempée dans l'eau.

— A l'heure qu'il est, dit Mister Gengis, Visage d'Ange a le dos au mur face à Monsieur le Président. Oh ! me plaise comment parle ce poète, mais je crois triste être poète ; seulement homme de loi être la chose la plus triste du monde ! Et je vais boire l'autre whisky ! Un autre whisky — cria-t-il — pour ce super-hyper-ferro-quasi-vasi-viaire !

En sortant du « Gambrinus », Visage d'Ange rencontra le Ministre de la Guerre.

— Où filez-vous, Général ?

— Je file chez le Patron...

— On y va de conserve, donc...

— Vous y allez aussi ? Attendons ma voiture, elle ne va pas tarder. Pour ne rien vous cacher, je sors de chez une veuve...

— Je sais que vous aimez les veuves joyeuses, Général...

— Tralala !

— Oh ! Il n'est pas question de musique, mais de Cliquot !

— Pas plus de Cliquot que de coquelicot ! Fin dernière en chair et en os !

— Diable !

La voiture roulait sans bruit, comme sur des roues de papier buvard. Aux coins des rues, on entendait les gendarmes qui se signalaient d'un poste à l'autre le passage du Ministre de la Guerre : « Le Ministre de la Guerre va passer, le Ministre... »

Le Président se promenait de long en large dans son bureau, à petits pas, son chapeau sur le sommet du crâne, ramené en avant, le col de son veston relevé sur un foulard qui lui entourait la nuque, et les boutons de son gilet déboutonnés. Costume noir, chapeau noir, bottines noires...

— Quel temps fait-il, Général ?

— Frais, Monsieur le Président...

— Et Miguel qui n'a pas de pardessus...

— Monsieur le Président...

— Tais-toi ! Tu es là à trembler, et tu vas me dire que tu n'as pas froid, tu as tort de ne pas écouter les conseils ;

Général, envoyez quelqu'un chez Miguel, et qu'on lui apporte un manteau immédiatement.

Le Ministre de la Guerre sortit en se confondant en saluts — il faillit laisser choir son épée — tandis que le Président s'asseyait sur un sofa d'osier, tout en offrant à Visage d'Ange le fauteuil le plus proche.

— Ici, Miguel, où je dois tout faire moi-même, veiller à tout, parce que le sort a voulu que je gouverne un tas de « je vais » — dit-il en s'asseyant — je dois me servir de mes amis pour les choses que je ne peux pas faire moi-même. Par un tas de « je vais » j'entends les gens qui ont la meilleure volonté du monde pour faire et défaire, mais qui par manque de volonté ne font ni ne défont rien du tout, des gens sans odeur, bonne ou mauvaise, comme la fiente du perroquet ! Et c'est ainsi que l'industriel, chez nous, passe sa vie à répéter : *je vais* créer une usine, *je vais* monter une machinerie neuve, *je vais* entreprendre ceci, et faire cela, et ci, et là, et autre chose encore. Monsieur l'agriculteur dit : *je vais* implanter une nouvelle culture, *je vais* exporter mes produits ; l'homme de lettres : *je vais* écrire un livre ; le professeur : *je vais* fonder une école ; le commerçant : *je vais* me lancer dans telle affaire ; et les journalistes ! ces cochons qui appellent âme le lard, proclament . nous allons améliorer le pays ! Mais, comme je te le disais au début, personne ne fait rien, et naturellement c'est moi, le Président de la République, qui dois tout faire, même si c'est en vain. On peut dire que, sans moi, la Fortune n'existerait pas, puisqu'il faut même que je remplace la déesse aveugle à la loterie...

Il lissa sa moustache grise du bout de ses doigts transparents, fragiles, couleur de tige de laiche, et il continua, en changeant de ton :

— Tout cela pour te dire que je me vois obligé par les circonstances d'avoir recours aux services de ceux qui, comme toi, me sont précieux, plus encore qu'à mes côtés, hors des frontières de la République, là où les machinations de mes ennemis, leurs intrigues et leurs récits venimeux sont sur le point de foutre en l'air ma réélection...

Il laissa retomber ses yeux, tels deux moustiques étourdis, ivresse de sang, sans cesser de parler :

— Je ne parle pas de Canales, ni de ses séides : la mort a été et sera toujours ma meilleure alliée, Miguel ! Je veux parler de ceux qui essaient d'influencer l'opinion nord-américaine dans l'espoir qu'on ne me fera plus confiance à Washington. Alors comme ça, le fauve en cage commence à perdre ses poils, c'est pour ça qu'il ne veut pas qu'on souffle dessus ? Très bien ! Alors comme ça, je suis un vieillard au cerveau en saumure et au cœur plus dur que du teck ? Mauvaises langues, mais c'est aussi bien comme ça. Mais que, pour des raisons politiques, mes concitoyens eux-mêmes profitent de ce que moi j'ai fait pour sauver le pays de la piraterie de ces fils de putains, c'est ça qui n'a pas de nom ! Ma réélection est compromise, et voilà pourquoi je t'ai fait appeler. J'ai besoin que tu ailles à Washington et que tu m'informes en détail de ce qu'il y a de vrai dans ces ténèbres de haine, dans ces enterrements où, pour avoir le beau rôle, comme dans tous les enterrements, il faudrait être le mort.

— Monsieur le Président, balbutia Visage d'Ange, partagé entre l'avis de Mister Gengis qui lui conseillait de tirer les choses au clair, et la peur de compromettre, intempestivement, un voyage où, dès le premier moment, il avait vu une planche de salut, Monsieur le Président sait que je suis en toutes circonstances entièrement et inconditionnellement dévoué à ses ordres. Cependant, si Monsieur le Président me permet de dire deux mots, puisque je n'aspire qu'à être toujours le dernier de ses serviteurs, mais le plus loyal et le plus dévoué, je lui demanderai, s'il n'y voit aucun inconvénient, qu'avant de me confier une mission aussi délicate, il veuille bien ordonner qu'on enquête sur les accusations gratuites que certains ennemis de Monsieur le Président lancent contre moi, pour n'en citer qu'un, le Président du Tribunal Spécial.

— Mais qui écoute ces ragots ?

— Monsieur le Président ne peut pas douter de mon entière adhésion à sa personne et à son gouvernement, mais je ne veux pas qu'il m'accorde sa confiance sans contrôler

d'abord si les dires du Président du Tribunal sont justifiés
ou non.

— Je ne te demande pas, Miguel, ce que je dois faire !
Finissons-en. Je sais tout et vais t'en dire davantage. J'ai,
dans ce secrétaire, le dossier que le Président du Tribunal
Spécial a réuni contre toi lors de la fuite de Canales ; et plus
encore : je peux t'affirmer que la haine du Président du Tribunal Spécial, tu la dois à une circonstance que tu ignores
sans doute. Le Président du Tribunal Spécial, d'accord avec
la police, pensait enlever celle qui est maintenant ta femme
et la vendre à la propriétaire d'un bordel, de qui, tu le sais,
il avait reçu dix mille pesos d'avance ; celle qui a payé les
pots cassés n'est qu'une pauvre femme ; elle en est devenue
à moitié folle.

Visage d'Ange resta impassible, maître de ses moindres
gestes devant le Maître. Retranché derrière la noirceur de ses
yeux veloutés, il refoula dans son cœur ce qu'il ressentait,
aussi pâle et glacé que le fauteuil d'osier.

— Si Monsieur le Président me le permettait, je préférerais rester près de lui et le défendre avec mon propre sang.

— Tu veux dire que tu n'acceptes pas ?

— Ce n'est pas ce que je veux dire, Monsieur le Président...

— Alors, trêve de commentaires, toutes ces réflexions
sont inutiles. Les journaux publieront demain la nouvelle de
ton prochain départ, et il n'est pas question que tu me fasses
faux bond ; le Ministre de la Guerre a reçu l'ordre de te donner
aujourd'hui même les fonds nécessaires aux préparatifs du
voyage ; je t'enverrai à la gare l'argent pour les frais et mes
instructions.

Une palpitation souterraine d'horloge souterraine mar-
quant les heures fatales commençait pour Visage d'Ange. Par
une fenêtre grande ouverte entre ses sourcils noirs il apercevait un grand feu allumé près de cyprès de charbon verdâtre
et de murettes de fumée blanche, au milieu d'un patio effacé
par la nuit, ramassis de sentinelles et semis d'étoiles. Quatre
ombres sacerdotales signalaient les coins du patio, toutes
quatre vêtues de mousse à divinations fluviales, toutes quatre

avec des mains en peau de grenouille plus verte que jaune, toutes quatre avec un œil fermé dans le côté du visage qui n'était pas passé au noir, et un œil ouvert, terminé en pédoncule de limonier, dans la partie du visage mangée par l'obscurité. Soudain, on entendit un tam-tam, un tam-tam, un tam-tam, un tam-tam, et de nombreux hommes oints d'essences animales entrèrent en sautant par rangs de maïs. Le long des branches du tam-tam, ensanglantées et vibratiles, descendaient les trombes de l'air et couraient les vers des tombes du feu. Les hommes dansaient pour ne pas rester collés à la terre par les sons du tam-tam, pour ne pas rester collés au vent par les sons du tam-tam, alimentant le feu avec la thérébentine de leurs fronts. D'une pénombre couleur de fumier vint un petit homme à figure de vieux *guïsquil*, la langue de joue à joue, des épines au front, sans oreilles, portant au nombril un cordon velu orné de têtes de guerriers et de feuilles d'achiote ; il s'approcha pour souffler sur les gerbes de flammes et, parmi la joie aveugle des sarigues, il vola le feu avec sa bouche en le mâchant comme du copal pour ne pas se brûler. Un cri se coula dans l'obscurité qui grimpait aux arbres, et on entendit, auprès et au loin, les voix plaintives des tribus qui, abandonnées dans la forêt, aveugles de naissance, luttaient contre leurs tripes, animaux de la faim, avec leurs gorges, oiseaux de la soif, et avec leur peur et avec leurs nausées et leurs besoins corporels, réclamant à Tohil, *Donneur de Feu*, le tison ardent de la lumière. Tohil arriva en chevauchant un fleuve de gorges de pigeon qui glissait comme du lait. Les chevreuils couraient afin que l'eau ne s'arrêtât pas, chevreuils aux cornes plus fines que la pluie et aux petites pattes terminées en courants d'air conseillés par des sables oiseleurs. Les oiseaux couraient afin que ne s'arrêtât pas le reflet nageur de l'eau. Oiseaux aux os plus fins que leurs plumes. Ram-tam-tam! Ram-tam-tam!... retentit sous terre. Tohil réclamait des sacrifices humains. Les tribus lui amenèrent les meilleurs chasseurs, ceux à la sarbacane dressée, ceux aux frondes en corde d'agave toujours chargées. « Et alors, ces hommes, chasseront-ils des hommes ? » demanda Tohil. Ram-tam-tam ! Ram-tam-tam !... retentit sous terre.

« Comme tu l'exiges — répondirent les tribus — pourvu que tu nous rendes le feu, toi, le *Donneur de Feu*, et que ne se refroidisse pas notre chair, friture de nos os, ni l'air, ni nos ongles, ni notre langue, ni nos cheveux. » « Je suis satisfait » dit Tohil. Ram-tam-tam ! Ram-tam-tam ! retentit sous terre. « Je suis satisfait ! Sur des hommes chasseurs d'hommes je peux asseoir mon gouvernement. Il n'y aura ni véritable vie ni véritable mort. Pour me plaire, faites-moi danser la gourde ! »

Et chaque chasseur-guerrier prit une gourde, sans la décoller de ses lèvres dont l'haleine lui plâtrait le visage, au rythme du tam-tam, de ses roulements, et le tam-tam des trombes et le tam-tam des tombes, qui dansaient pour le plaisir des yeux de Tohil.

Visage d'Ange prit congé du Président après cette vision inexplicable. Alors qu'il sortait, le Ministre de la Guerre l'appela pour lui donner une liasse de billets et son manteau.

— Vous ne partez pas, Général ? — Il avait peine à trouver ses mots.

— Si je pouvais ! Mais peut-être vous rejoindrai-je, ou bien nous nous reverrons en une autre occasion. Il faut que je reste ici, voyez... — et il tourna la tête par-dessus son épaule droite, à portée de voix du maître.

38

Le voyage

Ce fleuve qui coulait sur le toit, pendant qu'elle faisait les malles, ne débouchait pas là dans la maison, mais très loin, dans l'immensité qui donnait sur la campagne, peut-être sur la mer. Un coup de poing du vent ouvrit la fenêtre, la pluie entra comme si les vitres étaient en morceaux, les rideaux s'agitèrent, ainsi que les portes et les papiers épars, mais Camila poursuivit ses rangements ; le vide des malles qu'elle remplissait l'isolait. Et, bien que la tempête lui piquât dans les cheveux des aiguilles d'éclairs, rien ne lui semblait plein ou différent : tout était égal, inexistant, haché, sans corps, sans âme, comme elle-même.

— Entre vivre ici ou vivre loin du fauve !... répéta Visage d'Ange en fermant la fenêtre. Qu'est-ce que tu dis ?... Il ne manquait plus que ça ! Est-ce que par hasard je m'éloigne de lui par la fuite ?

— Mais avec ce que tu me racontais hier soir à propos de ces Indiens sauvages qui dansaient chez lui...

— Il ne faut pas exagérer !... — un coup de tonnerre couvrit sa voix — ... Par ailleurs, dis-moi, que pourrait-on soupçonner ? C'est lui, s'il vous plaît, qui m'envoie à Washington ; c'est lui qui me paie le voyage... C'est comme ça ! Maintenant, qu'une fois au loin je change d'avis, ce n'est pas impossible ; tu me rejoins sous prétexte que tu es ou que je suis malade et après, il pourra toujours nous chercher dans le Bottin...

— Et s'il ne me laisse pas sortir ?

— Eh bien, je reviens bouche cousue et ni vu ni connu, tu ne crois pas ? Qui ne risque rien n'a rien.

— Pour toi, tout a toujours l'air facile !...

— Avec ce que nous avons, nous pouvons vivre n'importe où, et vivre, ce qui s'appelle vivre, ne plus se répéter à toute heure : je pense avec la tête de Monsieur le Président, donc je suis, je pense avec la tête de Monsieur le Président, donc je suis...

Camila le considéra, les yeux mouillés, la bouche comme pleine de cheveux, les oreilles comme pleines de pluie.

— Mais, pourquoi pleures-tu ?... Ne pleure donc pas...

— Et que veux-tu que je fasse !...

— Avec les femmes, c'est toujours la même chose !

— Laisse-moi !

— Tu vas te rendre malade si tu continues à pleurer comme ça ; pour l'amour de Dieu !

— Non, laisse-moi !

— On dirait que je vais mourir ou qu'on va m'enterrer vivant !

— Laisse-moi !

Visage d'Ange la prit dans ses bras. Sur ses joues d'homme dur aux larmes, deux pleurs couraient, tordus et brûlants comme des clous qu'on n'arrive pas à arracher.

— Tu m'écriras, murmura Camila.

— Bien sûr...

— Je te le demande instamment ! Nous n'avons jamais été séparés, ne me laisse pas sans nouvelles, car pour moi cela va être une agonie de voir passer les jours et les jours sans nouvelles de toi. Et fais attention à toi, ne te fie à personne, tu m'entends ? à personne et encore moins à tes compatriotes, qui sont de si mauvaises gens. Mais ce que je te recommande le plus... — les baisers de son mari hachaient ses paroles — mais... ce que... je... te... recom... man... de le plus... c'est... de m'écrire !

Visage d'Ange ferma les malles sans quitter des yeux ceux de sa femme, affectueux et assotés. Il pleuvait à torrents. L'eau s'écoulait dans les gouttières, lourde comme des chaînes. Ils se noyaient dans l'affligeante pensée du jour à venir, déjà si proche, et sans mot dire — tout était prêt — ils se déshabillèrent pour se mettre au lit, entre le cisaillement de l'horloge qui leur taillait menu les dernières heures — tac cisailletic ! tac cisailletic ! tac cisailletic ! — et le bourdonnement des moustiques qui empêchaient de fermer l'œil.

— Maintenant ça me revient que j'ai oublié de faire fermer les fenêtres pour que les moustiques ne puissent pas rentrer ; que je suis bête, mon Dieu !

Pour toute réponse, Visage d'Ange la serra contre sa poitrine ; il la sentait comme un petit agneau faible et sans voix.

Il n'osait ni éteindre la lumière, ni fermer les yeux, ni dire un mot. Ils étaient si proches dans la lumière, la voix creuse une telle distance entre ceux qui parlent, les paupières séparent tellement ! Et puis, sans compter que dans le noir on est comme au loin, sans compter qu'avec tout ce qu'ils voulaient se dire cette dernière nuit, même s'ils en avaient dit tant et plus, ils auraient eu l'impression de se le dire en style télégraphique.

Le tapage des servantes, poursuivant un poulet entre les semis, emplit la cour. La pluie avait cessé et l'eau se distillait dans les gouttières comme dans une clepsydre. L'animal courait, se traînait, voletait, se tapait, afin d'échapper à la mort.

— Ma petite pierre meulière, susurra Visage d'Ange à son oreille en caressant de sa paume le petit ventre creux.

— Amour ! dit-elle en se serrant contre lui. Ses jambes dessinèrent sur le drap le mouvement des rames qui appuient sur l'eau ridée d'une rivière sans fond.

Les servantes n'arrêtaient pas. Cris. Allées et venues. Le poulet s'échappait de leurs mains, palpitant, hors de lui, les yeux exorbités, le bec ouvert, les ailes presque en croix et le fil de la respiration, un faufil à longs points.

Noués l'un à l'autre, ils se répandaient mutuellement les caresses avec les jets tremblants des doigts, à mi-chemin entre la mort et le sommeil, atmosphériques, sans superficie palpable.

— Amour ! lui dit-elle.

— Trésor... murmura-t-il.

— Mon trésor... répondit-elle.

Le poulet alla heurter le mur, ou c'est le mur qui lui

tomba dessus. Son cœur exprimait les deux choses... On lui
tordit le cou... Comme s'il volait encore, même mort, il
secouait les ailes... « Il s'est même sali, le misérable ! » cria
la cuisinière et, en secouant le plumetis des duvets sur son
tablier, elle alla se laver les mains au bassin plein d'eau
de pluie.

Camila ferma les yeux... Le poids de son mari... Le battement d'ailes... La tache tiède.

Et l'horloge plus lente, tac-cisailletic-tac-cisailletic !...

Visage d'Ange s'empressa de feuilleter les papiers que le
Président lui avait fait remettre à la gare par un officier. La
ville griffait le ciel avec les ongles sales des toits qui restaient
en arrière, de plus en plus loin. Les documents le tranquilli-
sèrent. Quelle chance de s'éloigner de cet homme ; dans un
compartiment de première classe, entouré d'attentions, sans
mouchards à ses trousses et des chèques dans sa poche ! Il
ferma à demi les yeux, afin de mieux protéger ses pensées.
Au passage du train, les champs s'animaient et les arbres,
les maisons, les ponts, se mettaient à courir comme des
enfants, l'un derrière l'autre, l'un derrière l'autre...

Quelle chance de s'éloigner de cet homme en voiture de
première classe...

... l'un derrière l'autre, l'un derrière l'autre, l'un derrière
l'autre...

La maison poursuivait l'arbre, l'arbre poursuivait la barrière, la barrière poursuivait le pont, le pont poursuivait le
chemin, le chemin poursuivait la rivière, la rivière poursuivait
la montagne, la montagne poursuivait le nuage, le nuage
poursuivait le champ, le champ poursuivait le laboureur, le
laboureur poursuivait sa bête...

... entouré d'attentions, sans mouchards à ses trousses...

... la bête poursuivait la maison, la maison poursuivait
l'arbre, l'arbre poursuivait le pré, le pré poursuivait le pont,
le pont poursuivait le chemin, le chemin poursuivait la
rivière, la rivière poursuivait la montagne, la montagne poursuivait le nuage...

... Un village de reflets courait sur un ruisseau à la peau transparente, au fond aussi insondable que le regard d'un hibou.

... Le nuage poursuivait les sillons, les sillons poursuivaient le laboureur, le laboureur poursuivait sa bête... la bête...

... sans mouchards... avec des chèques dans sa poche...

... la bête poursuivait la maison, la maison poursuivait le pré, le pré...

... avec beaucoup de chèques dans sa poche...

... un pont passait comme une viole par l'ouverture des fenêtres, ombre et lumière, échelles de lumière et d'ombre, franges de fer, ailes des hirondelles...

... le pré poursuivait le pont, le pont poursuivait le chemin, le chemin poursuivait la rivière, la rivière poursuivait la montagne...

Visage d'Ange laissa aller sa tête sur le dossier du fauteuil d'osier. Il suivait la terre basse, plate, chaude, inaltérable de la côte, avec des yeux pleins de sommeil et la sensation vague d'être dans le train, de ne pas être dans le train, d'être en train, d'être dépassé par le train, de plus en plus en train, de plus en plus en train, de plus en plus en train, et en train d'être entraîné, d'être entraîné, d'être enterré, d'être entraîné, d'être enterré, d'être entraîné, d'être enterré, entraîné enterré entraîné enterré entraîné enterré...

Brusquement il ouvrait les yeux — le sommeil inconfortable de celui qui fuit, l'agitation de celui qui sait que même l'air qu'il respire tamise des dangers — et il se retrouvait sur son siège comme s'il avait regagné le train en sautant par un trou invisible, la nuque endolorie, le visage en sueur et un nuage de mouches autour du front.

Au-dessus de la végétation s'amoncelaient des ciels immobiles, pansus, gonflés d'eau de mer, les griffes de leurs rayons cachées dans des petits flocons de peluche grise.

Un village arriva, erra par-ci, s'en fut par-là, un village inhabité, semblait-il, un village en sucre d'orge, parmi les feuilles sèches des maïs passés, entre l'église et le cimetière. Que la foi qui a édifié cette église soit ma foi, l'église et le cimetière ; seuls sont restés vivants la foi et les morts ! Mais la joie de celui qui s'éloigne fut noyée dans ses yeux. Cette terre au printemps assidu était sa terre, sa tendresse, sa mère, et il avait beau aller vers la résurrection en laissant derrière lui tous ces hameaux, il serait toujours mort parmi les vivants, occulté au milieu des hommes des autres pays par la présence invisible de ses arbres en croix et de ses pierres à tombes.

Les gares succédaient aux gares. Le train courait sans s'arrêter, en brinquebalant sur les rails mal assujettis. Là, un coup de sifflet, ici un grincement de frein, plus loin une couronne de fumée sale au sommet d'un pic. Les voyageurs s'éventaient avec leurs chapeaux, avec leurs journaux, avec leurs mouchoirs, suspendus dans l'air chaud par mille gouttes de sueur que pleuraient leurs corps, exaspérés par les fauteuils incommodes, par le bruit, par leurs vêtements qui les piquaient comme si, tissés de petites pattes d'insectes, ils leur couraient sur la peau ; par leur tête qui les démangeait comme si leurs cheveux marchaient, altérés comme lorsqu'on a pris une purge, tristes comme s'ils étaient morts.

L'après-midi mit pied à terre, de suite lumière rigide, de suite souffrance de pluies exprimées, et alors l'horizon se dépava et voici que se mit à briller au loin, très loin, une boîte de sardines lumineuses à l'huile bleue.

Un employé des chemins de fer passa pour allumer les lampes dans les wagons. Visage d'Ange arrangea son col, sa cravate, et consulta sa montre : encore vingt minutes pour arriver au port, un siècle pour lui qui avait hâte d'être sur le bateau, et il se pencha à la fenêtre pour voir s'il distinguait quelque chose dans les ténèbres. Ça sentait l'arbre fraîchement greffé. Il entendit passer une rivière. Plus loin peut-être cette même rivière...

Le train ralentit sa marche dans les rues d'un petit village, tendues comme des hamacs dans l'ombre ; il s'arrêta peu à peu ; presque tous les voyageurs de seconde classe, gens affairés et bruyants, descendirent ; et il continua de rouler vers les quais, de plus en plus lentement. On percevait l'écho de chocs violents et la clarté indécise des bâtiments de la

douane puant le goudron et l'haleine assoupie de millions
d'êtres doux et salés.

Visage d'Ange salua de loin le Commandant du Port, qui
l'attendait à la gare :

— Commandant Farfan ! cria-t-il, heureux de rencontrer
en des circonstances aussi délicates l'ami qui lui devait la
vie. Commandant Farfan !

Farfan lui cria par une fenêtre de ne pas s'occuper de
ses bagages : des soldats allaient les prendre pour les emporter sur le bateau. Quand le train s'arrêta, le Commandant
monta lui serrer la main avec de vives démonstrations d'es-
time. Les autres voyageurs descendaient, courant plus qu'ils
ne marchaient.

— Mais que devenez-vous ? Comment allez-vous ?

— Et vous, Commandant ? bien que ce ne soit pas la
peine de vous le demander puisque cela se voit à votre
figure !

— Monsieur le Président m'a télégraphié de me mettre
à vos ordres afin, monsieur, qu'il ne vous manque rien.

— Très aimable, Commandant !

Le wagon s'était vidé en un moment. Farfan passa la tête
à une des fenêtres et dit à haute voix :

— Lieutenant ! occupez-vous de faire transporter les
malles. Qu'avez-vous à traîner comme ça ?

A ces mots, des groupes de soldats armés apparurent aux
portières.

Visage d'Ange comprit trop tard la manœuvre.

— Par ordre de Monsieur le Président, lui dit Farfan,
revolver au poing, je vous arrête !

— Mais Commandant... si Monsieur le Président... comment cela peut-il être, venez... allons... venez avec moi... je
vous en prie... venez... permettez-moi... de télégraphier !...

— Les ordres sont formels, don Miguel, il vaut mieux
vous tenir tranquille !

— Comme vous voudrez ; mais je ne peux pas manquer
le bateau, je pars en mission, je ne peux pas...

— Silence ! cria Farfan en le menaçant de son revolver,
et donnez vivement tout ce que vous avez sur vous...

— Commandant...

— Donnez ! dis-je.

— Non, Commandant, écoutez-moi !

— Ne résistez pas, allons, ne résistez pas !

— Il vaut mieux que vous m'écoutiez, Commandant !

— Trêve de discussions !

— J'ai des instructions confidentielles de Monsieur le Président et vous serez responsable...

— Sergent, fouillez ce monsieur ! Nous allons voir qui est le plus fort !

Un individu au visage caché par un foulard surgit de l'ombre ; il était grand comme Visage d'Ange, pâle comme Visage d'Ange, mi-blond comme Visage d'Ange ; il s'empara de ce que le sergent arrachait au véritable Visage d'Ange (passeport, chèques, livret de famille ; il enleva, en le faisant glisser sur le doigt avec un crachat, l'anneau que Visage d'Ange portait, gravé au nom de sa femme, lui prit ses mouchoirs, ses boutons de manchette, etc.) et disparut aussitôt.

Beaucoup plus tard, la sirène du bateau retentit. Le prisonnier se boucha les oreilles avec ses mains ; les larmes l'aveuglaient. Il aurait voulu casser les portes, fuir, courir, voler, franchir la mer, ne pas être celui qui restait — quel fleuve de pensées bouillonnant sous la peau, quelle démangeaison de cicatrice dans le corps ! — mais l'autre, celui qui, avec ses bagages et sous son nom, s'éloignait dans la cabine 17 vers New York.

39

Le port

Tout reposait dans le calme plat qui précédait le changement de marée, sauf les grillons humides de sel portant une étincelle d'astre sur leurs élytres, les reflets des phares, pareils à des épingles de sûreté perdues dans l'obscurité, et le prisonnier qui allait et venait, comme après une bagarre, les cheveux sur le front, dépeignés, les vêtements en désordre, incapable de s'asseoir, esquissant des gestes comme ceux qui se débattent dans leur sommeil, au milieu de soupirs et de mots entrecoupés, contre la main de Dieu qui les emmène, qui les entraîne parce qu'on a besoin d'eux pour les plaies, pour les morts subites, pour les crimes à froid, pour qu'on les réveille éventrés.

— Ma seule consolation, c'est Farfan, se répétait-il. Une chance, que ce soit lui le commandant! Qu'au moins ma femme sache qu'on m'a collé deux balles dans la peau, qu'on m'a enterré et rien à signaler!

On entendait un martèlement pilonnant le sol, comme un marteau à deux pieds, le long du wagon cloué sur la voie ferrée par des pieux de sentinelles, bien que lui circulait très loin dans le souvenir des petits villages qu'il venait de traverser, dans la boue de leurs ténèbres, dans la poussière aveuglante de leurs jours ensoleillés, mordu par la terreur de l'église et du cimetière, l'église et le cimetière, l'église et le cimetière. Ne sont restés vivants que la foi et les morts!

L'horloge de la Préfecture militaire sonna un coup. Les lustres grelottèrent. La demie, mais l'aiguille majordame était en train d'amorcer le dernier quart vers la mi-nuit. Le commandant Farfan enfonça nonchalamment le bras droit dans la manche de sa veste, puis le gauche et, avec la même lenteur, il se boutonna en commençant par le nombril, sans rien voir de ce qu'il avait sous les yeux : une carte représentant la République, en forme de bâillement ; une serviette de toilette avec des taches de morve sèche et des mouches endormies ; une tortue, un fusil, des musettes... Bouton après bouton, jusqu'à son col. En y arrivant il leva la tête, et alors son regard buta contre quelque chose qu'il ne pouvait pas regarder sans se mettre au garde à vous : le portrait de Monsieur le Président.

Il acheva de se boutonner, lâcha quelques pets, alluma une cigarette à la flamme d'un quinquet, prit sa cravache et... dehors. Les soldats ne l'entendirent point passer ; ils dormaient par terre, enveloppés dans leurs ponchos, comme des momies ; les sentinelles lui présentèrent les armes, et l'officier de garde se leva en essayant de cracher un ver de cendre — tout ce qu'il restait de sa cigarette entre ses lèvres endormies —, il eut à peine le temps de le faire tomber du revers de la main pour saluer militairement : « Rien à signaler, mon Commandant ! »

Dans la mer entraient les fleuves comme des moustaches de chat dans une tasse de lait. L'ombre liquéfiée des arbres, la masse des crocodiles en rut, la fièvre des vitres paludiques, les larmes pulvérisées, tout aboutissait à la mer.

Un homme portant une lanterne s'avança vers Farfan quand il entra dans le wagon. Deux soldats souriants le suivaient, occupés à démêler à quatre mains les *lacets* destinés à attacher le prisonnier. Ils ligotèrent celui-ci sur l'ordre de Farfan et l'emmenèrent vers le village, suivis des sentinelles qui gardaient le wagon. Visage d'Ange n'opposa aucune résistance. Dans l'attitude et dans la voix du colonel, dans le zèle que celui-ci exigeait des soldats, qui maltraitaient le captif sans qu'il y eût besoin de les y inciter, il croyait deviner la manœuvre habile d'un ami désireux de lui être utile plus tard, quand ils seraient à la Préfecture militaire. Mais ce n'était pas à la Préfecture militaire qu'on le conduisait. En quittant la gare, ils obliquèrent vers la partie la plus reculée de la voie ferrée et on fit monter le prisonnier, en le frappant, dans un fourgon au plancher recouvert de fumier. Les soldats le battaient sans motif apparent, comme s'ils obéissaient à des ordres reçus d'avance.

Visage d'Ange se retourna :

— Mais, pourquoi me frappent-ils, Farfan ? demanda-t-il au Commandant qui suivait le cortège en causant avec celui qui portait la lanterne.

En réponse, un coup de crosse supplémentaire ; mais en voulant le frapper dans le dos, ils l'atteignirent à la tête, lui faisant saigner une oreille et le projetant à plat-ventre dans le fumier.

Visage d'Ange souffla pour cracher les excréments ; le sang coulait goutte à goutte sur ses vêtements et il voulut protester.

— Taisez-vous ! Taisez-vous ! cria Farfan en levant sa cravache.

— Commandant Farfan ! cria Visage d'Ange, sans s'effrayer, hors de lui, dans l'air qui sentait déjà le sang.

Farfan eut peur de ce qu'il allait dire et envoya le coup. Le trait de cravache se dessina sur la joue du malheureux qui se débattait, un genou à terre, pour détacher ses mains de derrière son dos.

— Je comprends..., dit-il d'une voix tremblante, irrépressible, mordante... Je comprends... cette victoire... vous vaudra un nouveau galon...

— Taisez-vous, si vous ne voulez pas !... hurla Farfan en levant de nouveau la cravache.

L'homme qui tenait la lanterne arrêta son bras.

— Cognez, allez-y, n'ayez pas peur, je suis un homme et la cravache est une arme de châtré !...

Deux, trois, quatre, cinq coups de cravache cinglèrent en moins d'une seconde la figure du prisonnier.

— Commandant, calmez-vous, calmez-vous, intervint l'homme qui portait la lanterne.

— Non, non... je dois faire entendre raison à ce fils de putain... ce qu'il a dit contre l'armée mérite vengeance... bandit... de merde !...

Et, non plus avec la cravache déjà hors d'usage, mais

avec le canon de son revolver, il arrachait à grands coups des cheveux et des lambeaux de chair de la figure et de la tête du prisonnier, en répétant à chaque coup d'une voix suffoquée : armée... institution... bandit de merde... si...

Tel qu'on l'avait ramassé dans le fumier, le corps inanimé de la victime fut transporté d'un bout à l'autre de la voie ferrée jusqu'à ce que le train de marchandises qui devait le ramener à la capitale fût formé.

L'homme à la lanterne prit place dans le fourgon. Farfan l'y accompagna. Ils étaient restés à la Préfecture militaire jusqu'à l'heure du départ, à parler et boire.

— La première fois que j'ai voulu entrer dans la police secrète, racontait l'homme à la lanterne, j'y avais un pote, un certain Lucio Vasquez, le *Velours*...

— Il me semble en avoir entendu parler, dit le Commandant.

— Mais c'est pas ce coup-là que j'ai été engagé. Pourtant, il était un peu au poil pour monter des combines et s'en tirer sur du velours — *Velours* justement qu'on l'appelait, je vous en dis pas plus — mais ce que j'ai bien récolté c'est d'aller en taule et de paumer le fric qu'avec ma femme — j'étais marié à cette époque-là — nous avions mis dans un petit commerce. Et ma femme, la pauvre ! au « Doux Enchantement » qu'on l'a même envoyée...

Farfan s'éveilla en entendant parler du « Doux Enchantement » ; mais le souvenir de la Cochonne, puanteur du sexe sentant les latrines, qui avant l'aurait enthousiasmé, le laissa froid, luttant, comme s'il nageait sous l'eau, avec l'image de Visage d'Ange qui lui répétait : « ...un autre galon !... un autre galon !... »

— Elle s'appelait comment, votre femme ? Parce que, vous savez, j'ai connu presque toutes les pensionnaires du « Doux Enchantement ».

— Bah ! son nom vous dirait rien. A peine entrée, elle en est sortie. Le petit que nous avions est mort là-bas... Ça l'a rendue à moitié maboule. Voyez-vous, quand quelque chose vous convient pas, y'a rien à faire : elle était pas faite pour ça. Maintenant on l'a mise au lavoir, avec les Sœurs, à l'hôpital. Ça lui allait pas de faire la putain.

— Oh ! mais je l'ai connue ! C'est même moi qui ai obtenu le permis de la police pour la veillée. On l'a veillé là-bas, avec la Chon... Mais je ne me serais jamais douté que c'était votre enfant...

— Et moi, dites-donc, pendant ce temps, j'étais en taule, sans un rond... Non, vraiment, quand on se retourne et qu'on voit ce qui s'est passé, ça vous donne envie de vous tailler à fond de train.

— Et moi, dites-donc, à dormir sur mes deux oreilles pendant qu'une garce me débinait auprès de Monsieur le Président...

— Alors, ce Visage d'Ange qu'était de mèche avec le général Canales, il était au mieux avec sa fille — celle qu'est devenue sa femme, après — et, à ce qu'on dit, il a bouffé la consigne du patron. Tout ça, je le sais parce que Vasquez, celui qu'on appelait le *Velours*, l'a rencontré dans un bistrot qui s'appelle le « Tous-Tep », quand c'est que le Général s'est taillé.

— Le « Tous-Tep » ? répéta le Commandant en faisant un effort pour se rappeler quelque chose.

— C'était un bistrot qui faisait le coin... oui, juste au coin. Bon Dieu ! y'avait deux pantins peints sur le mur : un de chaque côté de la porte ; une femme et un homme. La femme, elle avait le bras en crochet et elle lui disait au bonhomme — je me rappelle encore l'écriteau — : « Viens danser le Tous-Tepito ! » et l'autre, il tenait une bouteille et il lui répondait : « Non, parce que je danse le Tous-Tepon ! »

Le train s'ébranla lentement. Un petit morceau d'aube trempait dans le bleu de la mer. Parmi les ombres surgirent peu à peu les maisons de paille du village, les montagnes lointaines, les misérables embarcations du commerce côtier et l'édifice de la Préfecture militaire, petite boîte d'allumettes pleine de grillons vêtus en soldats.

40

Colin-maillard

... Il y a tellement d'heures qu'il est parti ! Le jour du départ, on commence à compter les heures, jusqu'à en rassembler beaucoup, toutes celles qu'il faut pour dire : « Voici tant de jours qu'il est parti. » Mais, après deux semaines, on perd le compte des jours et alors on dit : « Il y a tant de semaines qu'il est parti ! » Et ça fait un mois. Puis on perd le compte des mois. Il y a un an. Puis on perd le compte des années...

D'une fenêtre du salon, cachée derrière les rideaux afin qu'on ne la vît pas de la rue, Camila guettait le facteur. Elle était enceinte et cousait de petits vêtements d'enfant.

Le facteur s'annonçait avant de paraître, comme un fou qui jouerait à sonner à toutes les portes. Petit coup après petit coup, il s'approchait jusqu'à arriver à la fenêtre. Quand elle l'entendait et le voyait venir, Camila laissait sa couture, son cœur sautait de plaisir dans son corsage. Enfin, voilà la lettre que j'attends ! « Ma Camila adorée. Deux points... »

Mais le facteur ne sonnait pas... C'était que... Peut-être plus tard... Et elle reprenait sa couture, en fredonnant des chansons afin de chasser son chagrin.

Le facteur passait de nouveau l'après-midi. Impossible de faire un point pendant le temps qu'il mettait pour aller de la fenêtre à la porte. Glacée, sans souffle, devenue tout oreille, elle demeurait à attendre le petit coup et, convaincue que rien n'avait troublé la maison silencieuse, elle fermait les yeux, effrayée, secouée de sanglots, de vomissements soudains et de soupirs. Pourquoi n'était-elle pas allée sur le pas de la porte ? Peut-être... un oubli du facteur — et en l'honneur de quoi était-il facteur, celui-là ? — qui, si ça se trouve, l'apporterait demain, comme une fleur.

Le jour suivant, elle arracha presque la porte en l'ouvrant à toute volée. Elle courut attendre le facteur, non seulement pour qu'il ne l'oubliât pas, mais aussi pour aider la chance. Mais lui, qui déjà passait comme les autres jours, échappait à ses questions, vêtu de vert petit pois, ce vert qu'on dit couleur d'espérance, avec ses petits yeux de crapaud et ses dents découvertes de macchabée d'amphithéâtre.

Un mois, deux mois, trois, quatre...

Elle disparut des pièces donnant sur la rue, écrasée par le poids de son chagrin qui la repoussait vers le fond de la maison, car elle se sentait devenue aussi dérisoire qu'un ustensile, du bois ou du charbon, aussi méprisable que les ordures.

« Ce n'est pas des envies, mais du prurit », expliqua une voisine un tantinet sage-femme aux servantes qui lui demandaient conseil, plus pour bavarder que pour y remédier — car, quant aux remèdes, elles avaient leurs recettes : cierges aux saints, et menus larcins pour alléger le poids de la maison, en la soulageant des bibelots de valeur.

Mais, un beau jour, la malade sortit dans la rue. Les cadavres flottent. Cachée dans un fiacre, dérobant ses yeux aux connaissances qu'elle rencontrait, — d'ailleurs, presque tous détournaient la tête afin de ne pas la saluer, — elle voulut à toute force aller chez le Président. Son petit déjeuner, son déjeuner, son dîner, furent un mouchoir trempé de pleurs. Elle le mangeait presque dans l'antichambre. Que de misères, à en juger par la foule qui attendait ! Des paysans, assis sur l'extrême bord des chaises dorées ; les citadins, assis plus en arrière, profitant des dossiers. On cédait les fauteuils aux dames, à voix basse. Quelqu'un parlait dans l'embrasure d'une porte. Le Président ! Rien que d'y penser, elle frissonnait. Son fils lui donnait des petits coups de pied dans le ventre, comme pour lui dire : « Allons-nous-en d'ici ! » Le bruit de ceux qui changeaient de posture. Bâillements. Chuchotements. Le pas des officiers d'Etat-Major. Les mouvements d'un soldat qui nettoyait les vitres d'une fenêtre. Les mouches. Les petits coups de pied de l'être qu'elle portait dans son ventre. « Ah ! Le turbulent ! En voilà des colères !

Nous allons parler au Président, afin qu'il nous dise ce qu'est devenu ce monsieur qui ne sait même pas que vous existez et qui, lorsqu'il reviendra, vous aimera beaucoup ! Ah ! vous êtes impatient de voir le jour pour prendre part à ce que l'on appelle la vie... non, oh ! ce n'est pas que je m'y oppose, mais vous êtes mieux là, bien à l'abri ! »

Le Président ne la reçut pas. Quelqu'un lui dit qu'il valait mieux écrire pour demander audience. Télégrammes, lettres, demandes sur papier timbré : tout fut inutile, il ne répondit pas.

Du soir au matin, elle gardait le creux de l'insomnie sur les paupières, que par moments elle baissait sur des lacs de pleurs. Un grand patio. Etendue dans un hamac, elle joue avec un bonbon des Mille et Une Nuits et une petite balle de caoutchouc noir. Le caramel dans la bouche, la petite balle dans les mains. En voulant faire passer le caramel d'une joue à l'autre, elle a lâché la petite balle qui a roulé sur les dalles de la galerie, sous le hamac, et rebondi dans le patio, très loin, tandis que le bonbon grossissait dans sa bouche, chaque fois plus loin, jusqu'à disparaître tant elle était devenue petite. Elle n'était pas complètement endormie. Son corps tremblait au contact des draps. C'était un rêve avec lumière de rêve et lumière électrique. Le savon glissa de ses mains, deux ou trois fois, comme la petite balle, et le pain du déjeuner — elle mangeait par pure nécessité — grossit dans sa bouche comme le bonbon.

Les rues, désertes, les gens, à la messe, et elle, déjà dans les ministères, à guetter les ministres, sans savoir comment se concilier les bonnes grâces des huissiers, petits vieux grognons qui ne lui répondaient pas quand elle leur parlait et la rabrouaient, grappes d'excroissances de chair, quand elle insistait.

Mais son mari avait couru ramasser la petite balle. Maintenant, elle se rappelait l'autre partie de son rêve. Le grand patio. La petite balle noire. Son mari chaque fois plus petit, chaque fois plus loin, comme réduit à travers une lentille, jusqu'à disparaître du patio derrière la petite balle, tandis que dans sa bouche à elle, et elle ne pensa plus à son fils, le bonbon grossissait.

Elle écrivit au consul, à New York; au ministre, à Washington, à l'ami d'une amie, au beau-frère d'un ami, pour demander des nouvelles, et ce fut comme si elle jetait les lettres à la poubelle. Par un épicier juif, elle sut que l'honorable secrétaire de la Légation américaine, détective et diplomate, avait des nouvelles sûres de l'arrivée de Visage d'Ange à New York. On sait qu'il a débarqué, non seulement par les registres du port, ceux de la police et des hôtels, mais aussi par les journaux et par des personnes récemment arrivées de là-bas. Et maintenant on le recherche, lui disait le juif. Mort ou vif, il faut qu'on le retrouve, bien qu'il semble qu'à New York il ait pris un autre bateau pour Singapour!

— Et où est-ce? demanda-t-elle.

— Où voulez-vous que ce soit? En Indochine, répondait le juif en entrechoquant ses fausses dents.

— Et combien de temps met à peu près une lettre pour venir de là-bas? insistait-elle.

— Je ne sais pas, mais pas plus de trois mois.

Elle comptait sur ses doigts. Il y avait quatre mois que Visage d'Ange était parti.

A New York ou à Singapour... Quel soulagement! Quelle consolation de le sentir loin, de savoir qu'on ne l'avait pas tué dans le port, comme le chuchotaient certains. Loin d'elle, à New York ou à Singapour, mais avec elle par la pensée!

Dans le magasin du juif, elle se retint au comptoir afin de ne pas tomber raide. La joie lui donnait le vertige. Elle allait comme dans les airs, sans toucher les jambons enveloppés dans du papier d'argent, les bouteilles dans leur gaine de paille d'Italie, les boîtes de conserve, le chocolat, les pommes, les harengs, les olives, la morue, les muscats, visitant des pays au bras de son mari. « Sotte que j'ai été de me tourmenter pour le plaisir! Maintenant, je comprends pourquoi il ne m'a pas écrit, et il faut continuer à jouer la comédie. Le rôle de la femme délaissée qui, folle de jalousie, part à la recherche de celui qui l'a abandonnée... Ou bien, celui de la femme qui veut être près de son mari au moment pénible de l'accouchement. »

Sa cabine réservée, ses bagages faits, tout fin prêt pour le départ, par ordre supérieur on lui refusa son passeport. Une sorte de bourrelet de chair grasse autour d'un trou bordé de dents tachées de nicotine remua de haut en bas et de bas en haut, pour lui dire que, par ordre supérieur, on ne pouvait pas lui accorder son passeport. Elle remua les lèvres de haut en bas, de bas en haut, essayant de répéter les mots, comme si elle avait mal entendu.

Et elle dépensa une fortune en télégrammes au Président. Il ne lui répondit pas. Les ministres n'y pouvaient rien. Le sous-secrétaire à la Guerre, homme d'un naturel bienveillant avec les dames, la supplia de ne pas insister : on ne lui donnerait pas son passeport même en y mettant le paquet, parce que son mari avait voulu jouer au plus fin avec Monsieur le Président et que tout était inutile.

On lui conseilla de prendre comme intermédiaire un prêtre très connu pour la virile autorité de sa houlette toujours brandie [1], ou l'une des maîtresses de celui qui montait les chevaux présidentiels, et comme, à cette époque, le bruit courut que Visage d'Ange était mort de la fièvre jaune à Panama, il ne manqua pas de gens pour l'accompagner chez les spirites, afin de savoir à quoi s'en tenir.

Ceux-ci ne se le firent pas dire deux fois. Seule une femme médium se montra rétive. « Que l'esprit de quelqu'un qui a été un ennemi de Monsieur le Président se réincarne en moi, ça ne me convient pas "très" beaucoup » et, sous ses vêtements glacés, ses jambes sèches tremblaient. Mais les supplications accompagnées d'argent ébranlent même les pierres et,

1. Nous renonçons à traduire le jeu de mots sur les hémorroïdes du curé : « almorranas » est décomposé par Asturias en *ranas* (grenouilles) et, implicitement, *alma* (âme) ce qui lui permet de dire que ce prêtre a plus de « ranas » que de « almorranas » puisqu'il lui manque « alma ». Ce jeu sur la tête et la queue du mot enchaîne avec le suivant, que nous rendons par « houlette » et qui en espagnol rapproche la *vara* (verge) du *varon* (le *vir* latin) à propos de l'expression « vara alta », verge haute, c'est-à-dire « d'une grande autorité » mais, naturellement, ici il est plus question de turgescences que d'autorité.

à force de lui graisser la patte, on la décida. La lumière s'éteignit. Camila eut peur en entendant appeler l'esprit de Visage d'Ange et on la sortit les pieds râclant le sol, presque sans connaissance ; elle avait entendu la voix de son mari, mort, disait-il, en haute mer, et maintenant dans une région où rien n'atteint à l'être et où tout est, dans le meilleur des lits, matelas d'eau à ressorts de poissons et le non-étant, le plus moelleux des oreillers.

Amaigrie, avec des rides de vieille chatte dans le visage, alors qu'elle avait à peine vingt ans, tout en yeux, des yeux verts et des cernes immenses comme ses oreilles transparentes, elle mit au monde un fils et, sur le conseil de son médecin, sitôt après ses relevailles, elle partit faire un séjour à la campagne. L'anémie progressive, la tuberculose, la folie, l'idiotie, et elle à tâtons au long d'un fil ténu, un enfant dans les bras, sans nouvelles de son mari, le cherchant dans les miroirs, seul endroit par où peuvent revenir les naufragés, dans les yeux de son fils ou dans ses propres yeux, lorsqu'endormie, elle rêve qu'il est à New York ou à Singapour.

Entre les pins à l'ombre cheminante, les arbres fruitiers des jardins et ceux des champs plus hauts que les nuages, un jour pointa dans la nuit de sa douleur : ce fut le dimanche de Pentecôte où son fils reçut le sel, l'huile, l'eau, la salive ecclésiastiques et le nom de Miguel. Les sansonnets se béquetaient. Deux onces de plumes et un infini de trilles. Les brebis s'amusaient à lécher leurs agneaux. Quelle sensation de bien-être réel donnait ce va-et-vient de la langue maternelle sur le corps du nouveau-né, qui fermait à demi des yeux aux longs cils sous la caresse ! Les poulains folâtraient derrière les juments aux regards humides. Les petits veaux meuglaient, le museau baveux de plaisir, frôlant les pis gonflés. Sans savoir pourquoi, comme si la vie renaissait en elle, quand les cloches du baptême s'arrêtèrent de sonner, elle serra son fils contre son cœur.

Le petit Miguel grandit à la campagne, il fut un homme des champs et Camila ne remit jamais les pieds à la ville.

41

Rien à signaler

La lumière parvenait aux souterrains toutes les vingt-deux heures, filtrée par les toiles d'araignées et par les découpes de la maçonnerie, et toutes les vingt-deux heures descendait avec la lumière un vieux bidon à pétrole tout rouillé dans lequel on envoyait à manger aux prisonniers des souterrains, au bout d'une corde pourrie et pleine de nœuds.

A la vue de la boîte pleine de bouillon graillonneux dans lequel flottaient des débris de viande grasse et des morceaux d'omelette, le prisonnier 17 détourna la tête : plutôt mourir que d'avaler une bouchée ; et pendant des jours et des jours, le bidon descendit et remonta, intact. Mais la faim l'accula bientôt ; sa pupille devint vitreuse dans la basse-cour tondue de la faim, ses yeux s'élargirent, il divagua à voix haute tout en arpentant sa cellule où l'on ne pouvait même pas faire quatre pas, il se frotta les dents avec les doigts, il tira sur ses oreilles froides et un beau jour que le bidon dégringolait, comme si quelqu'un allait le lui arracher des mains, il courut y plonger la bouche, le nez, la figure, les cheveux, s'étouffant à vouloir avaler et mastiquer en même temps. Il ne laissa rien et, quand on tira sur la corde, il regarda monter le bidon vide avec une satisfaction de bête repue. Il n'en finissait pas de sucer ses doigts et de se lécher les lèvres... Plaisir de courte durée et le repas, dehors, mêlé à des paroles et des gémissements... La viande et l'omelette lui collaient aux entrailles pour ne pas se laisser arracher, mais à chaque rejet de son estomac, il ne pouvait rien faire d'autre qu'ouvrir la bouche et se retenir au mur comme on se penche sur un abîme. Enfin il put respirer, tout tournait, il passa dans ses cheveux humides sa main, qui glissa derrière son oreille vers sa barbe souillée de bave. Ses oreilles sifflaient. Une sueur glacée, poisseuse, acide, comme l'eau d'une pile électrique, baignait sa figure. Et, déjà, la lumière disparaissait, cette lumière qui commençait à s'en aller à peine était-elle arrivée.

Accroché aux restes de son corps, comme s'il luttait contre lui-même, il parvint à s'asseoir à moitié, à allonger ses jambes, à appuyer sa tête contre le mur et à tomber sous le poids de ses paupières, comme sous l'action violente d'un narcotique. Mais il ne dormit pas à l'aise ; à sa respiration oppressée par le manque d'air succédèrent les mouvements convulsifs de ses mains sur son corps, des crampes qui l'obligeaient à étirer une jambe, puis l'autre, et la course effrénée de ses doigts sur les petits casques de ses ongles, afin d'arracher de sa gorge le tison qui le brûlait en dedans. A moitié réveillé, il commençait à ouvrir et à fermer la bouche, tel un poisson privé d'eau, à savourer l'air glacé avec sa langue sèche et à vouloir crier, puis à crier, réveillé maintenant, mais étourdi par la fièvre, non seulement debout, mais encore dressé sur la pointe des pieds, en s'étirant le plus possible afin qu'on l'entendît mieux. Les voûtes émiettaient ses cris d'écho en écho. Il tapa des mains sur les murs, frappa du pied sur le plancher, avec des cris qui devinrent bientôt des hurlements ; il réclama : « ...de l'eau, du bouillon, du sel, de la graisse, quelque chose, de l'eau, du bouillon... »

Un filet de sang de scorpion écrasé lui effleura la main... de nombreux scorpions, car il n'arrêtait pas de couler... de tous les scorpions écrasés dans le ciel pour faire les pluies... Il étancha sa soif à coups de langue sans savoir à qui il devait ce régal qui devint ensuite son principal tourment. Il passait des heures et des heures, juché sur la pierre qui lui servait d'oreiller afin de protéger ses pieds de la mare d'eau que l'hiver formait désormais dans sa cellule. Des heures et des heures, trempé jusqu'aux cheveux, distillant de l'eau, les articulations humides, entre des bâillements et des frissons, inquiet parce qu'il avait faim et que le bidon de bouillon graillonneux tardait à venir. Il mangeait comme les maigres, afin d'engraisser son rêve et, à peine la dernière bouchée avalée, il s'endormait debout. Plus tard, on descendait le vieux seau où les prisonniers au secret faisaient leurs besoins. La première fois que le prisonnier 17 l'entendit, il crut à un deuxième repas, et comme à ce moment-là il n'avalait pas une seule bouchée, il le laissa remonter, loin de s'imaginer que c'était la tinette, car cela ne puait pas plus que le bouillon. On passait le seau de cachot en cachot et, quand il arrivait au 17, il était déjà à moitié plein. L'entendre descendre était terrible car, s'il en avait besoin, l'envie manquait. Parfois, le seau ne venait pas ou tardait à venir, il arrivait qu'on oubliât. Alors il croyait avoir perdu l'ouïe à force de se cogner la tête contre les murs : battant de cloche inerte. A d'autres moments, pour mettre le comble à son tourment, ses envies s'évanouissaient dès qu'il pensait à ce récipient. Il arrivait aussi, presque chaque jour, que la corde cassât, ce qui valait une douche putride à certains condamnés.

Son cœur se soulevait de dégoût en évoquant l'odeur répandue par le récipient carré, sa chaleur de relents humains, ses bords coupants, en songeant à l'effort nécessaire ; puis, quand le besoin et le seau avaient disparu, c'était le supplice d'attendre le tour suivant, d'attendre vingt-deux heures au milieu des coliques, des angoisses, des pleurs, des contorsions, des mots obscènes, à ravaler une salive au goût de cuivre, pour enfin, quand il n'en pouvait plus, à la dernière extrémité, se soulager à terre, lâchant son ventre fétide, tel un chien ou un enfant, seul à seul avec la mort.

Deux heures de pénombre, vingt-deux heures d'obscurité complète, une boîte de bouillon et une boîte d'excréments, la soif en été et, l'hiver, un déluge : telle était la vie dans ces prisons souterraines.

« ... Chaque jour tu pèses moins ! se disait le prisonnier 17 qui ne reconnaissait plus sa voix, et quand le vent le pourra, il t'emportera là où Camila attend que tu reviennes ! L'attente doit l'avoir épuisée, elle doit être devenue une chose insignifiante, toute menue ! Qu'importe que tu aies les mains maigres, elles engraisseront à la chaleur de son sein !... Elles sont sales ?... Qu'importe, elle les lavera avec ses pleurs... Ses yeux sont verts ?... Oui, comme cette campagne du Tyrol

autrichien qui figurait sur l'*Illustration*... Oh! la tige des
bambous, avec ses reflets dorés et des touches d'indigo... Et
la saveur de ses dents et la saveur... Et son corps quand elle
me le donne, pareil à un huit allongé, avec sa taille mince,
pareille aux guitares de fumée que décrivent les girandoles
quand leur lumière s'évanouit avant de s'éteindre. Je l'ai volée
à la mort par une nuit de feux d'artifice... Les anges marchaient, les nuages marchaient, les toits marchaient à petits
pas de veilleurs de nuit, les maisons, les arbres, tout marchait
dans l'air avec elle et avec moi... »

Et il sentait Camila près de son corps, dans la poussière
soyeuse du toucher, dans sa respiration, dans ses oreilles,
entre ses doigts, contre ses côtes, qui secouaient comme des
cils les yeux des viscères aveugles...

Et il la possédait...

Le spasme survenait sans la moindre contorsion, doucement, avec un léger frisson le long de l'épine dorsale, tor-
sade d'épines, une rapide contraction de la glotte et la
retombée de ses bras, comme sectionnés au ras du corps...

La répugnance qu'il éprouvait à satisfaire ses besoins
dans le vieux bidon, ajoutée aux remords de sa conscience
qui lui reprochait de s'abandonner d'une façon si amère à
ses désirs charnels avec l'image de sa femme, le laissait sans
force pour bouger.

Avec un petit bout de laiton arraché aux lacets de ses
souliers, unique ustensile de métal qu'il possédât, il grava
dans le mur le nom de Camila et le sien entrelacés et, profitant de la lumière qui venait toutes les vingt-deux heures,
il y ajouta un cœur, un poignard, une couronne d'épines, une
ancre, une croix, un petit bateau à voile, une étoile, trois
hirondelles comme des accents circonflexes, un train avec sa
fumée en spirale...

Sa faiblesse lui évita heureusement le tourment de la
chair. Physiquement ruiné, il se souvenait de Camila comme
on respire une fleur ou comme on écoute un poème. Elle lui
rappelait la rose qui, en avril et mai, fleurissait chaque année
à la fenêtre de la salle à manger où, enfant, il déjeunait avec

sa mère. Petite oreille de rosier curieux. Une procession de
matins enfantins le laissait étourdi. La lumière s'en allait...
s'en allait... cette lumière qui repartait, à peine arrivée. Les
ténèbres avalaient les grosses murailles comme des pains à
cacheter et le seau des excréments arrivait bientôt. Ah! si
cette rose! La corde enrouée et le seau fou de joie entre
les murs intestinaux des voûtes. Il frémissait en pensant à la
puanteur qui accompagnait une si noble visite. On emportait
le récipient, mais pas la mauvaise odeur. Ah, si cette rose,
blanche comme le lait du petit déjeuner!...

Avec les années, le prisonnier 17 avait beaucoup vieilli,
encore que les chagrins usent plus que l'âge. De profondes et
innombrables rides sillonnaient son visage, et il perdait ses
cheveux blancs comme les fourmis leurs ailes en hiver. Ni
lui ni son apparence... Ni lui ni son cadavre... Sans air, sans
soleil, sans mouvement, dysentérique, rhumatisant, souffrant
de névralgies, presque aveugle, la seule et dernière chose qui
palpitait en lui était l'espérance de revoir sa femme, l'amour
qui soutient le cœur avec de la poudre d'émeri.

Le Directeur de la Police Secrète recula la chaise sur
laquelle il était assis, mit ses pieds dessous, s'appuya sur
leurs pointes, posa ses coudes sur la table de bois foncé,
approcha sa plume de la lumière, et, avec la pince de ses deux
doigts, il arracha d'un petit coup sec — non sans retrousser
la lèvre sur ses dents — un fil qui faisait baver sa plume et
l'obligeait à tracer des lettres pareilles à des crevettes mous-
tachues. Puis il se remit à écrire : « ...et selon les instructions
— la plume raclait le papier à chaque paraphe — le susdit
Vich se lia d'amitié avec le prisonnier du cachot nº 17, après
avoir été enfermé avec lui pendant deux mois, à lui jouer
la comédie, pleurant sans cesse, criant à longueur de journée
et feignant de vouloir se suicider à chaque instant. Passant
de l'amitié aux confidences, le prisonnier 17 lui demanda quel
délit il avait commis contre Monsieur le Président pour être
là où il n'y avait plus d'espoir humain. Le susdit Vich ne
répondit pas, se contentant de cogner sa tête contre le sol et
de proférer des malédictions. Mais l'autre insista tellement
que Vich finit par se déboutonner : « Polyglotte, né dans un

pays de polyglottes ; apprend l'existence d'un pays où il n'y a pas de polyglottes. Voyage. Arrivée. Pays idéal pour les étrangers. Recommandations par-ci, recommandations par-là, amitié, argent, tout... Soudain une femme dans la rue, les premiers pas derrière elle, hésitants, presque de force... Mariée ?... Célibataire ?... Veuve ?... Il ne sait qu'une chose : il faut qu'il la suive, il ne peut s'en empêcher. Quels jolis yeux verts ! Quelle bouche de rose ! Quelle démarche ! Quelle Arabie paradisiaque !... Il lui fait la cour, se promène devant sa maison, s'insinue ; mais, au moment où il essaie de lui parler, il ne la revoit plus et un homme qu'il ne connaît pas, qu'il n'avait jamais vu, commence à le suivre partout comme son ombre... Mes amis, de quoi s'agit-il ? Les amis se détournent... Pierres de la rue, de quoi s'agit-il ? Les pierres de la rue fuient sous ses pas. Murs de la maison, de quoi s'agit-il ?.. Les murs de la maison tremblent de l'entendre parler. Tout ce qu'il parvient à tirer au clair, c'est son imprudence : il avait voulu séduire la *favo...* de Monsieur le Président, une dame qui, d'après ce qu'il apprit avant qu'on le mît en prison comme anarchiste, était fille d'un Général et qui faisait cela pour se venger de son mari qui l'avait abandonnée...

« Le susdit informe qu'à ces mots, on entendit un bruissement de serpent rampant dans les ténèbres ; le prisonnier s'approcha de lui et le supplia, d'une voix aussi faible que le bruit d'une nageoire de poisson, de lui répéter le nom de cette dame, nom que le susdit répéta pour la deuxième fois...

« A partir de ce moment, le prisonnier se mit à se gratter comme si son corps, qu'il ne sentait plus, le démangeait, il se griffa la figure en voulant essuyer les larmes là où il restait seulement de la peau sèche et porta la main à sa poitrine sans se trouver : une toile d'araignée de poussière humide était tombée par terre...

« Conformément aux instructions, j'ai remis personnellement au susdit Vich, dont j'ai essayé de transcrire la déclaration textuellement, quatre-vingt-sept dollars pour le temps qu'il a été incarcéré, un complet d'occasion et un billet pour Vladivostok.

« L'acte de décès du prisonnier nº 17 a été rédigé ainsi :
"Dysenterie infectieuse."

« C'est tout ce que j'ai l'honneur de faire savoir à Monsieur le Président... »

ÉPILOGUE

L'étudiant restait planté devant le trottoir comme s'il n'avait jamais vu un homme en soutane. Toutefois, ce n'était pas la soutane qui l'avait stupéfié, mais ce que le sacristain lui avait dit à l'oreille, tandis qu'ils s'embrassaient dans la joie de se retrouver en liberté :

— Je suis en soutane par ordre supérieur.

Et il serait resté là, n'eût été un cordon de prisonniers qui venait entre deux rangs de soldats, occupant la moitié de la rue.

— Pauvres gens... murmura le sacristain quand l'étudiant fut sur le trottoir, le mal qu'ils ont eu pour démolir la Porte ! Il y a des choses, on les voit et on n'y croit pas !...

— Les voir ! s'exclama l'étudiant. On les palpe et on n'y croit pas. Je veux parler de la Municipalité...

— Je croyais que vous vouliez parler de ma soutane...

— Il ne suffisait pas de repeindre la Porte aux frais des Turcs ; pour que la protestation contre l'assassinat de *l'homme à la petite mule* ne prêtât pas au moindre doute, il fallait abattre l'édifice...

— Mauvaise langue, attention, on peut nous entendre. Taisez-vous, pour l'amour de Dieu ! Ce n'est pas vrai...

Le sacristain allait continuer, mais un petit homme qui courait sur la place, nu-tête, s'avança, se planta entre eux et se mit à chanter à tue-tête :

> *Figurine, figurin,*
> *qui t'a figuré*
> *te donnant figure*
> *de figuron !*

— Benjamin !... Benjamin !... appelait une femme qui courait derrière lui avec la moue de quelqu'un qui va pleurer.

> *Benjamin, marionnettiste*
> *ne t'a figurée...*
> *Qui te fit curé*
> *de figuron ?*

— Benjamin !... Benjamin !... criait la femme, en pleurant presque. Ne faites pas attention, messieurs, ne faites pas attention à lui, il est fou ; il ne peut pas se faire à l'idée qu'il n'y a plus de Porte du Seigneur !

Et, tandis que l'épouse du montreur de marionnettes l'excusait auprès du sacristain et l'étudiant, don Benjamin alla dire sa flatteuse chansonnette à un gendarme de mauvais poil :

> *Figurine, figurin,*
> *qui t'a figuré,*
> *te donnant figure*
> *de figuron !*
>
> *Benjamin, marionnettiste*
> *ne te figura...*
> *Qui te fit la hure*
> *d'un figuron ?*

— Non, monsieur ! ne l'emmenez pas, il n'a pas de mauvaises intentions, vous ne voyez pas qu'il est fou, supplia la femme de Benjamin en s'interposant entre le policier et le montreur de marionnettes, vous voyez qu'il est fou, ne l'emmenez pas... non ! ne le battez pas... pensez qu'il est assez fou pour dire qu'il a vu toute la ville par terre comme la Porte...

Les prisonniers continuaient de passer... Etre eux et ne pas être ceux qui, sur leur passage, se réjouissaient, dans le fond d'eux-mêmes, de ne pas être eux... Au train des voitures à bras, succédait le groupe de ceux qui portaient sur l'épaule la lourde croix des outils et, derrière, en rang, ceux qui traînaient le bruit de serpent à sonnettes de la chaîne.

Don Benjamin s'échappa des mains du gendarme qui discutait de plus en plus fort avec sa femme, et courut saluer les prisonniers avec des paroles de son invention :

— Ah ! quand on t'a vu et quand on te voit, Pancho Tanancho, l'homme au couteau mange cuir et à la pointe affamée dans sa chambre de liège !... Qui t'a vu et qui te voit, pire qu'un mendiant, Lolo Cusholo, l'homme à la machette en roue de paon !... Qui t'a vu à cheval et qui te voit à pied, Mixto Melindres, eau douce pour la dague, traître et sodomiste !... Quand on t'a vu avec ton pistolet, alors que tu t'appelais Domingo[1], et qu'on te voit maintenant sans revolver, triste comme un jour de semaine ![1] Que celle qui vous colla les lentes vous écrase les poux !... La tripe sous les haillons n'est pas de la chair à soldats !... Que celui qui n'a pas de cadenas pour se fermer la bouche se passe les menottes !...

Les employés commençaient à sortir des magasins. Les tramways passaient, pleins à craquer. De temps en temps, un fiacre, une automobile, une bicyclette... Remous soudain de vie qui dura le temps que le sacristain et l'étudiant mirent à traverser le parvis de la cathédrale, refuge des mendiants et dépotoir des gens sans religion, puis à se dire au revoir devant la porte du Palais Archiépiscopal.

L'étudiant franchit les décombres de la Porte du Seigneur sur un pont de planches mises les unes sur les autres. Une rafale de vent glacé venait de soulever un épais nuage de poussière, fumée sans flamme de la terre. Une autre rafale fit pleuvoir des morceaux de paperasses officielles — désormais inutiles — sur ce qui avait été le salon de l'Hôtel de

1. *Domingo* veut dire dimanche, en tant que nom commun, mais c'est aussi un nom propre.

Ville. Des lambeaux de tapisserie collés aux murs abattus bougeaient au passage du vent comme des drapeaux. Soudain, l'ombre du montreur de marionnettes, chevauchant un balai, surgit sur un champ d'azur étoilé, à ses pieds, cinq petits volcans de gravats et de pierres.

Dingdangdong !... Les coups de cloche de huit heures du soir plongèrent dans le silence... Dingdangdong !... Dingdangdong !...

L'étudiant atteignit sa maison, située au fond d'une impasse et, en ouvrant la porte, il entendit, coupée par les toussottements des servantes qui se préparaient à répondre aux litanies, la voix de sa mère récitant le rosaire :

« Pour les agonisants et pour les voyageurs... Pour que la paix règne parmi les Princes Chrétiens... Pour ceux qui souffrent persécution au nom de la justice... Pour les ennemis de la foi catholique... Pour les besoins de la Sainte Eglise et pour nos propres besoins... Pour les âmes du Purgatoire...

« *Kyrie eleison...* »

Guatemala, décembre 1922.
Paris, novembre 1925,
et 8 décembre 1932.

Bibliographie

Miguel Angel Asturias a beaucoup écrit : articles, contes, nouvelles, essais, reportages, préfaces, poèmes et même théâtre, mais ce sont surtout les romans qui constituent l'essentiel de sa production. Toute son œuvre narrative a été traduite dans différentes langues et, bien entendu, en français.

ROMANS

Leyendas de Guatemala, première édition Ediciones Oriente, Madrid, 1930.

Dernières éditions, Losada, Buenos Aires.

Ecrites à Paris, ces légendes sont une évocation poétique de quelques aspects de la culture maya qui palpite, vivante, chez l'auteur. Traduites par Francis de Miomandre, avec une préface de Paul Valéry, sous le titre : *Légendes du Guatemala*, Les Cahiers du Sud, Marseille, 1932 et Gallimard, Paris, 1953.

El Señor Presidente, roman, première édition Ediciones Costa-Amic, Mexico, 1946 ; Editions successives Losada, Buenos Aires.

Monsieur le Président, traduction de Georges Pillement pour la première édition, chez Bellenand, Paris, 1952. Réédité dans « Le Livre de Poche » en 1968. Traduction revue et corrigée par Pillement avec Dorita Nouhaud. Albin Michel, Paris, 1977.

Hombres de maíz, roman, Editorial Losada, Buenos Aires, 1949.

Il s'agit de la résurrection, mi-épique mi-romanesque, de

la mythologie maya à travers l'affrontement de deux conceptions du monde. C'est en même temps une dénonciation véhémente de la condition indienne au Guatemala.

Hommes de maïs, traduction de Francis de Miomandre, éditions André Martel, 1953, réédition Albin Michel, Paris, 1962.

Viento fuerte, roman, première édition Ediciones del ministerio de Educación pública, Guatemala, 1949. Editions postérieures Losada, Buenos Aires. Premier volume d'une trilogie dite « bananière » parce qu'elle évoque les vicissitudes de l'empire guatémaltèque de la multinationale United Fruit Company. Ce premier volume raconte l'épopée des petits planteurs de bananes indépendants face à la toute-puissante entreprise américaine.

Traduit par Georges Pillement, sous le titre : *L'Ouragan*, Gallimard, Paris, 1955.

El Papa verde, roman, Editorial Losada, Buenos Aires, 1954. Deuxième volume de la trilogie où il met en scène Geo Marker Thompson, un contremaître yankee qui exploite et asservit les travailleurs guatémaltèques de la United. C'est également un portrait de la vie dans les plantations.

Le Pape vert, traduction de Francis de Miomandre, éditions Albin Michel, Paris, 1956.

Weed End en Guatemala, première édition Ediciones Goyanarte, Buenos Aires, 1956. Rééditions chez Losada, Buenos Aires. Recueil de nouvelles qui sont autant de chroniques sur différents aspects de l'invasion du Guatemala par les marines nord-américains.

Week-end au Guatemala, traduction de George Pillement, éditions Albin Michel, Paris, 1959.

Los Ojos de los enterrados, roman, Editorial Losada, Buenos Aires, 1960. Dernier roman de la trilogie bananière. Asturias y relate la fin de l'empire de la United au Guatemala, en même temps que la chute du dictateur Ubico.

Les Yeux des enterrés, traduction de Marie Castelan, éditions Albin Michel, Paris, 1962.

El Alhajadito, roman, première édition Ediciones Goyanarte, Buenos Aires, 1964. Rééditions chez Losada, Buenos Aires.

C'est un récit remarquable, par son style poétique et par son contenu, de la même veine que les *Légendes*. Traduit par Dominique Eluard et Alaïde Foppa, sous le titre : *La Flaque du mendiant*, aux éditions Albin Michel, Paris, 1966.

Mulata de tal, roman, Editorial Losada, Buenos Aires, 1963.

Narration dans la lignée d'*Hommes de maïs*, cet ouvrage d'apparence chaotique fait éclater le cadre du roman traditionnel par sa forme, par son style poétique et par son contenu pétri de symboles mythologiques.

Une certaine mulâtresse, traduction de Claude Couffon, éditions Albin Michel, Paris, 1965.

El espejo de Lida Sal, Ediciones Siglo Veintiuno, Mexico, 1967. Recueil de nouvelles et légendes publié dans sa version française avant de l'être en espagnol.

Le Miroir de Lida Sal, traduction de Claude Couffon, éditions Albin Michel, Paris, 1967.

Maladrón, roman, Editorial Losada, Buenos Aires, 1969.

Variation littéraire sur un thème historique où Asturias fait preuve, encore une fois, d'une imagination débordante au service d'une poésie tellurique magique.

Traduit sous le titre : *Le larron qui ne croyait pas au ciel*, par Claude Couffon, aux éditions Albin Michel, Paris, 1970.

Viernes de dolores, roman, Editorial Losada, Buenos Aires, 1972.

Asturias relate les manifestations estudiantines organisées juste avant la semaine sainte. Elles acquièrent des connotations politico-satiriques sous le régime du général Orellana. C'est l'occasion de recréer à nouveau un monde cauchemardesque semblable à celui que nous découvrons dans *Monsieur le Président*.

Vendredi des douleurs, traduit par Claude Couffon, aux éditions Albin Michel, Paris, 1977.

POÉSIE

Messages indiens, poèmes, traduits par Claude Couffon, éditions Pierre Seghers, Paris, 1958.

Clarivigilia primaveral ou *Claireveillée de printemps,* poèmes, édition bilingue. Editorial Losada, Buenos Aires, 1965. Traduction René L. F. Durand, Gallimard, Paris, 1965.

THÉATRE

Soluna, Editorial Losange, Buenos Aires, 1955. Traduction française sous le même titre d'André Camp, Le Seuil, Paris, 1969.

La Audiencia de los Confines, Editorial Ariadna, Buenos Aires, 1957.

Cette pièce est inspirée par la vie du père Bartholomé de Las Casas, le défenseur des Indiens au XVI° siècle.

ESSAIS

Rumania, su nueva imágen, Cuadernos de la facultad de filosofía, letras y ciencias, Universidad Veracruzana, Mexico, 1964.

Roumanie d'aujourd'hui, traduction de Claude Bourguignon, éditions Albin Michel, Paris, 1969.

Bibliographie sommaire
sur Miguel Angel Asturias

Toutes les anthologies de la littérature latino-américaine consacrent une grande place à Miguel Angel Asturias et à son œuvre.

MENTON, Seymour, *Historia crítica de la novela guatemalteca*, Guatemala, 1960.

CASTELPOGGI, Atilio, *Miguel Angel Asturias*, Buenos Aires, 1961.

BELLINI, Giuseppe, *La Narrativa di Miguel Angel Asturias*, Milan, 1966.

LORENTZ, G. W., *M. A. Asturias, Porträt und Poesie*, Francfort, 1967.

COUFFON, Claude, *Miguel Angel Asturias*, collection Poètes d'aujourd'hui, éditions Pierre Seghers, Paris, 1970.

HARSS, Luis, *Los Nuestros*, Buenos Aires, 1966.

MELON, Alfred, « Le caudillisme dans *El Señor Presidente* de M. A. Asturias », in *Caudillos, caciques et dictateurs dans le roman hispano-américain*, Editions hispaniques, Paris, 1970.

Chronologie biographique

1899 : Naissance à Guatemala Ciudad de Miguel Angel Asturias, le 19 octobre. Le dictateur Manuel Estrada Cabrera, qui lui servira de modèle pour *Monsieur le Président*, est au pouvoir depuis l'année précédente.

1903 : La famille Asturias, qui supporte mal le climat politique de la capitale, part s'installer à la campagne dans la petite ville de Salama, province de la Baja Verapaz, à forte population indigène.

1907 : Après quatre années de vie provinciale, la famille Asturias décide de revenir vivre à Guatemala Ciudad.

1916 : Miguel Angel finit ses études secondaires et s'inscrit à la faculté de médecine.

1917 : Il se rend rapidement compte qu'il n'est pas fait pour la médecine et change d'orientation pour s'inscrire à la faculté de droit. A la fin de cette année-là un violent tremblement de terre détruit partiellement la capitale.

1920 : Miguel Angel Asturias publie ses premiers textes dans le journal *El Estudiante*, alors que le dictateur Estrada Cabrera est renversé. Un corps expéditionnaire des Etats-Unis occupe le Guatemala pour protéger les intérêts des sociétés nord-américaines.

1921 : Asturias s'engage publiquement dans le combat politique. Il assiste en tant que délégué de son pays au Premier Congrès International des Etudiants de Mexico.

1922 : Le général José María Orellana devient président du Guatemala avec le soutien des Etats-Unis, moyennant des concessions à ces derniers.

1923 : Asturias soutient une thèse de doctorat intitulée : *El problema social del indio,* qui lui vaut le titre d'avocat et de notaire. Cette même année, il s'embarque pour Londres.

1924 : En juillet, Asturias s'installe à Paris. Il y suit, au Collège de France, des conférences sur les civilisations préhispaniques d'Amérique centrale, ainsi que le séminaire d'histoire des religions amérindiennes à l'Ecole des Hautes Etudes.

1925 : Il collabore à diverses publications dont *El Imparcial* pour le compte duquel il rencontre divers personnages importants de la littérature hispanique : Unamuno, Blasco Ibáñez, etc. En même temps, il fréquente les milieux surréalistes de Paris.

1927 : Tout en continuant ses activités journalistiques, Asturias compose *El libro del consejo Popol Vuh de los indios Quichés,* traduction de la version française du professeur Georges Reynaud.

1928 : Asturias fait un voyage à La Havane et effectue une tournée de conférences dans son propre pays avant de revenir à Paris.

1930 : Il publie son premier grand texte, *Leyendas de Guatemala,* qui connaît un très beau succès et laisse augurer d'un écrivain de talent.

1931 : Jorge Ubico s'empare de la présidence du Guatemala avec l'appui des Etats-Unis. C'est le début d'une nouvelle dictature de quatorze années durant lesquelles il brade les terres les plus fertiles à la United Fruit Company contre la promesse, jamais tenue, de construire un port.

1933 : Miguel Angel Asturias retourne au Guatemala après dix années de séjour et d'expériences en Europe où il a pu côtoyer les milieux d'avant-garde.

1937 : Il fonde *El diario del aire,* premier journal parlé du Guatemala auquel il travaille jusqu'en 1945, tout en recueillant le matériel pour sa trilogie bananière.

1944 : En juin, une coalition d'ouvriers, de paysans et de membres de la petite bourgeoisie, chasse Jorge Ubico du pouvoir et met en place une junte militaire qui sera, à son tour, renversée en octobre.

1945 : Le professeur Juan José Arévalo est élu président. Durant son mandat, il s'efforce, en dépit de vingt-huit tentatives de coup d'Etat, de consolider la vie démocratique au Guatemala. Il dote le pays d'un code du travail et met sur pied un projet de réforme agraire.

1946 : Asturias commence sa carrière diplomatique comme attaché culturel au Mexique. Il collabore à divers périodiques et surtout il publie, alors que le Guatemala connaît, enfin, un régime démocratique, *El Señor Presidente* dont il préparait le manuscrit depuis ses années parisiennes.

1948 : Il est nommé attaché culturel à Buenos Aires.

1949 : Publication de *Hombres de maíz*, puis de *Viento fuerte*.

1950 : Asturias est élevé au rang de ministre conseiller de l'ambassade du Guatemala à Buenos Aires.

1951 : Le colonel Jacobo Arbenz, jeune militaire aux idées progressistes, succède à Arévalo. Il poursuit et accélère la politique de réformes du précédent gouvernement.

1952 : En juin, Arbenz promulgue la réforme agraire. Il procède aux premières expropriations de terres inexploitées de la United Fruit. Apparition d'une nouvelle classe de petits propriétaires et création de la Sécurité sociale. Asturias est promu ministre conseiller d'ambassade à Paris.

1953 : Asturias est nommé ambassadeur à San Salvador par le gouvernement le plus progressiste qu'ait connu son pays, celui du colonel Jacobo Arbenz, aux côtés duquel Asturias s'engage politiquement.

1954 : A la tête de la délégation guatémaltèque, Asturias participe à la Xe conférence interaméricaine de Caracas où il dénonce avec vigueur la politique impérialiste des Etats-Unis à l'égard de son pays.
Il publie *El Papa verde*.
Un corps expéditionnaire de marines nord-américains envahit le Guatemala, renverse Arbenz, et porte au pouvoir un nouveau dictateur cruel et sanguinaire, Castillo Armas. Alors qu'une répression sanglante s'abat sur le pays et en particulier sur les bénéficiaires de la réforme agraire, Astu-

rias s'exile en Argentine. Il s'essaie au théâtre avec une pièce : *Soluna*.

1956 : Il reprend ses collaborations aux divers périodiques latino-américains et publie un recueil de nouvelles : *Week-end en Guatemala*.

1957 : Asturias écrit à nouveau pour le théâtre, *La Audiencia de los Confines*.

1960 : Publication de *Los Ojos de los enterrados*.

1961 : Alors que la vie politique guatémaltèque est de plus en plus agitée, Asturias publie encore un nouveau roman : *El Alhajadito*.

1962 : Asturias connaît quelques difficultés, à la suite de ses prises de position anti-impérialistes, qui l'obligent à se retirer et à s'installer à Paris.
Durant l'automne, il effectue un voyage en Roumanie où il semble beaucoup se plaire.

1963 : Publication d'un nouveau roman : *Mulata de tal.*

1964 : Asturias parcourt les principales villes italiennes en tournée de conférences avant de passer l'hiver en Roumanie.

1965 : Retour en Italie et publication de *Clarivigilia primaveral*, en édition bilingue à Paris.

1966 : Miguel Angel Asturias reçoit le Prix Lénine de la Paix et, quelque temps après, il est nommé ambassadeur à Paris.

1967 : Il publie un récit : *El espejo de Lida Sal* et surtout il reçoit la consécration mondiale en octobre, avec le Prix Nobel de Littérature.

1968 : Asturias déploit une intense activité conférencière et journalistique. Il organise au Grand Palais de Paris l'exposition sur les arts mayas du Guatemala.

1969 : Publication d'un roman : *Maladrón*.

1970 : Pour protester contre la dégradation politique et sociale de son pays, Asturias se démet de ses fonctions d'ambassadeur.

1972 : Publication de son dernier roman : *Viernes de dolores*.

1974 : Mort de Miguel Angel Asturias à Madrid.

TABLE

TROISIÈME PARTIE

DES SEMAINES, DES MOIS, DES ANNÉES...

Imprimé en France par CPI
en février 2020

Dépôt légal : mai 1987
N° d'édition : L.01EPHNFG0455.A009
N° d'impression : 157554